Dan Puric

Cine suntem

Dan Puric

Cine suntem

Bucureşti
Editura Platytera
2008

Coperta: Ovidiu Bădescu, Galleria 28
Fotografie de Tomoaki Minoda

Descrierea CIP a Bibliotecii Naționale a României
PURIC, DAN
    Cine suntem / Dan Puric. - București : Platytera, 2008
    ISBN 978-973-1873-03-9

28

Părintelui Atanasie,
lumină de om şi de neam românesc

Mănăstirea Petru Vodă

Urmăriți-l, citiți-l și-l veți înțelege

Personalitatea și activitatea omului de cultură și a regizorului Dan Puric nu are nevoie de nici un fel de prezentare. Urmăriți-l, citiți-l și-l veți înțelege. Ce prezentare să faci unui om care reușește să trezească conștiința unui tineret, să anime un întreg tineret? Întrebați-i pe acești tineri și nici ei nu vor găsi un răspuns. Este ceva firesc, este ceva ce sufletul tânărului de azi recunoaște în el – recunoaște ceea ce această națiune, azi, a pierdut, recunoaște adevărata lui valoare, adevăratul lui rost, adevărata lui identitate – aceea de român creștin.

Nu-ți trebuie nici o strategie politică, nu-ți trebuie nici o ideologie să-i faci pe oameni să te iubească, să te urmeze. Trebuie numai să fii acordat la undele armonice ale acestui neam, pentru că fiilor unui neam te adresezi și ei te vor recunoaște. Domnul Dan Puric are această putere de a te fascina, de a te face să-l urmezi – și nu o face forțat; pentru că și tăcând te cucerește. El nu a îmbrăcat numai arta teatrului mut, lui i s-a dat un dar mult mai mare – arta de a câștiga suflete. De aceea și puterea lui de a comunica este mare, rar întâlnită, chiar dacă, prin arta pe care o practică dânsul, o face și fără a vorbi. Acest om îți dă încredere. Este ceea ce simte acest tineret și în viitor va simți și acest popor.

Biserica ar trebui să învețe de la acest artist, pentru că reprezentanții ei se ocupă îndeosebi cu pescuirea sufletelor din această mare învolburată a vieții, cu dobândirea sufletelor; și aceasta nu se realizează ușor, după norme tipiconale, ci este o adevărată artă. Adeseori, domnul Dan Puric mărturisește că menirea dânsului este să mature poteca spre Biserică. Ei bine, a reușit să facă acest lucru nu numai pentru el, ci și pentru ceilalți care îl urmează. El mătură calea pentru viitor. Această artă a Sf. Apostol Pavel, de a te face tuturor toate, ajută cel mai mult generația de azi să se întoarcă la Hristos. Biserica noastră de azi nu mai are ureche artistică și, cred eu, ar trebui s-o redobândească, a devenit insensibilă la coardele sufletului uman. Legătura Bisericii cu oamenii artiști nu mi se pare ceva străin sau nefiresc, atâta timp cât și unii și alții sunt botezați, chiar dacă, după mintea unora, canonic înseamnă să te pună imediat la index și să nu mai lase să iasă de pe poarta iadului nici un artist. Erau într-adevăr canoanele aspre cu artiștii, atâta timp cât viața bisericească, pe vremea aceea, era foarte atacată din toate laturile de păgânism; trebuia făcută o distincție clară între viața creștină și cea laică. Toată arta de atunci era sub stăpânirea păgânismului.

Acum este cu totul altă situație. Câți dintre ortodocșii noștri au talentul domnului Puric? Dar să știți că, oricine are un anumit talent, dacă nu-l îndreaptă spre Dumnezeu, nu are nici o valoare și nici o putere. Care nu-s cu una, nu-s nici cu cealaltă, nici cu biserica, nici cu arta. Apar, deci, oameni de valoare din lumea artistică, oameni care pot face față criticii modernismului de azi. Acești oameni trebuie încurajați.

Vedem cu toții că asistăm la adormirea unei societăți românești care-și pierde valorile neamului și ale creștinismului. Au reușit dușmanii ortodoxiei să se ajungă la această stare de uitare. Ei bine, faptul că acest actor reușește să trezească în rândul tineretului de azi calități nobile, ceea ce pierduseră altădată, dovedește că acest tineret este încă însetat după adevăr, însetat de cunoașterea adevărului. Dan Puric te ajută să te cunoști pe tine însuți, mai bine decât credeai tu că o poți face. El scoate la lumină acest adevăr, prezentat prin filonul lui artistic, prin care știe să prezinte teoria și viața creștină. Acest tineret murise parcă în pușcăriile comuniste, unde criminalii distruseseră cele mai înalte conștiințe ale acestui neam: Mircea Vulcănescu, Valeriu Gafencu…

Numai acolo am întâlnit suflete de o înaltă conduită morală, de o autentică spiritualitate. Oameni care știau să îngenuncheze, știau să plângă, în stare să rabde umilința dușmanilor, dar și să-i iubească; și, cu toate acestea, ei nu au încetat o clipă să lupte pentru biruința neamului și a ortodoxiei.

Văd în această lucrare a lui Dan Puric o renaștere a duhului lor, o refacere a glasului acestui neam, o conștiință care strigă, din ce în ce mai cu putere, că acest neam nu a murit.

Părintele Iustin PÂRVU

Dan Puric, un apologet ortodox

Am avut prilejul şi să-l văd şi să-l ascult din nou pe Dan Puric. Era la puţin timp după ce apăruse într-un program mai amplu, tot la TVR, dedicat unei binecunoscute ofensive neoiconoclaste. Emisiunea aceea i-a adus lui Dan Puric simpatia masei de credincioşi şi a clerului ortodox din ţara noastră şi a relevat un apologet pravoslavnic cum România n-a mai avut de mult; un teolog „nespecialist", din speţa lui Alexei Homiakov, Nae Ionescu şi Mircea Vulcănescu. Pentru că Dan Puric aparţine unei tipologii diferite radical de aceea a intelectualului român.

Dan Puric gândeşte cu propriul său cap, inclusiv atunci când vine vorba de Biserica Ortodoxă. Celălalt intelectual continuă să ia cunoştinţă despre Ortodoxie prin filiera occidentală, catolică sau protestantă. Dan Puric mărturiseşte Biserica în care a fost botezat, şi o face cu simplitate şi încredere, întrucât credinţa se asumă. Celălalt vrea să „discute", pentru că se teme să nu fie tratat de „obscurantism"şi aretrat. De aceea, are mereu o propunere în buzunar, care nu-i altceva decât un calc, un şablon străin, de cele mai multe ori expirat: să facem un Vatican II la noi acasă, să umblăm cu pantahuza protestantă din poartă în poartă, să auzim la predică trimiteri la Heidegger sau la Adorno...

Or, ca şi iubirea, credinţa se trăieşte – aşa cum se vede la Dan Puric; se mărturiseşte. Pentru că învăţătura ei este revelată de Dumnezeu şi formulată sub cea mai înaltă egidă spirituală – a Duhul Sfânt – de către Sfinţii Părinţi în Soboarele Ecumenice. Nu prea ai ce să discuţi asupra dogmei, a „adevărului revelat". Tot ce poţi face este să te lupţi pentru ca el să fie păstrat intact când apare tentativa de corupere sau de ispitire. N-ai ce discuta cu ereticii şi cu atât mai puţin despre mistificări grosolane, gen

Codul lui Da Vinci ori *Evanghelia lui Iuda*. Aici nu încape opoziția vechi/nou, în sensul disputei dintre clasici și romantici. Însă intelectualul „pune botul" prin natura formației sale și prin teama de a nu fi considerat obscurantist sau demodat.

Pe vremuri, mulți se temeau să intre în biserică pentru a nu fi dați afară din partid. Nu era „politic" să fii perceput credincios. Astăzi nu este „european" să bați mătănii și să te închini la icoane. Și atunci, cu excepțiile de rigoare, intelectualul român recurge la jumătățile de măsură: toarnă sifon în vinul mărturisirii și obține un spriț penibil și mizerabil. Face hermeneutică și istorie a religiilor, denunță lungimea slujbelor ortodoxe și a parastaselor, concede babei Rada frecventarea bisericii și asumarea Tainelor, ba îi mai și smintește pe unii clerici cu înclinația lui pentru „dezbateri"... Iar teologie nu știe. Fiindcă teologia nu se deprinde în bibliotecă, tot așa cum excursiile nu se fac pe hartă. Intelectualul nostru nu are priză la popor pentru că nu-i cunoaște credința. N-o are de 150 de ani și de aceea n-a avut niciodată dialog cu masele. Din același motiv n-a putut să existe la noi un sindicat „Solidaritatea". Între popor și belferi nu avem decât dialogul surzilor.

Dan Puric mărturisește. O face firesc și integral. Și s-ar putea să facă școală, atrăgând prin autenticitatea lui și prin inteligența sa luminată de Duh. Este un apologet strălucit. Unul de care comunitatea de credință și iubire a Bisericii noastre avea realmente nevoie.

Dan CIACHIR

Mătur poteca spre Biserică[*]

Claudiu Târziu: Cum l-a descoperit Dan Puric pe Dumnezeu?

Dan Puric: Eram elev în clasa a doua, mă pregăteam să devin pionier; eram un copil înregimentat. Dar, într-o zi, a venit pe la noi bunica şi-a spus, în treacăt: „Auzi, dragă, ce tâmpiţi sunt comuniştii, cică nu există Dumnezeu". Afirmaţia ei mi s-a înfipt drept în minte. Fireşte, nu L-am aflat pe Dumnezeu atunci, eram mult prea mic pentru o asemenea înţelegere, dar, pe măsură ce creşteam, adevărul a început să fie tot mai vizibil pentru mine. Se dezlipeau minciunile de pe el, una câte una, ca foile de pe ceapă. Totuşi, până în 1989 am fost străin de Biserică. Eram în faza de turism: la răstimpuri, intri, din curiozitate, priveşti, poate îţi place ce vezi, dar nu participi.

C. T.: Totuşi, faptul că mergeaţi chiar şi rar la biserică dovedeşte că Dumnezeu vă era undeva, aproape.

D. P.: Privind retrospectiv, cred că El m-a mângâiat tot timpul şi mi-a vorbit, dar atunci nu am realizat lucrul acesta. Nu aveam timp, eram o inima fugărită. Ca toţi românii. Dar am fost, categoric, în mila lui Dumnezeu. Ceva îmi spunea asta şi la acea vreme, dar era pentru mine un sentiment neclar, îl simţeam ca pe un suspin. Ştiam că mai trebuie să fac un pas înainte, dar n-am putut singur şi n-a avut cine să mă ajute.

---

[*] Interviu realizat de Claudiu Târziu, publicat în revista „Formula AS", an XVII, nr. 754 (5), 5-12 februarie 2007, p. 18-19.

13

C. T.: Părinții dumneavoastră nu erau credincioși?

D. P.: Ba da, tata era de o credință care și acum îmi este exemplu. Mama avea un fel de credință boierească, mai ritualistă, specifică familiei din care venea. Dar erau speriați prea tare de vremuri și doreau să ne protejeze. Ascultau pe furiș Radio „Europa Liberă" și se temeau, probabil, să ne dea o educație religioasă serioasă, ca să nu se audă și răul să se abată asupra noastră. Tata a avut pământ destul de mult, era medic și se temea să nu fie închis pentru originea lui socială. Nu voia să le dea comuniștilor nici un pretext.

C. T.: Când s-a petrecut convertirea?

D. P.: Acum vreo șapte-opt ani, după un impas major al vieții. Am trecut printr-o disperare sufletească, pentru care nu existau soluții raționale. Atunci am realizat că fără El nu pot ieși din criză. Când m-am întors cu fața spre El, m-a primit extraordinar, cu o bunătate care nu încape în cuvinte și de care nu vreau să mă mai lipsesc.

C. T.: Cum anume s-a întâmplat?

D. P.: Nu vreau să intru în detalii, pentru că sunt chestiuni prea intime. Vreau să rămână în taina inimii mele. Important este că L-am aflat pe Dumnezeu, într-un târziu, dar nu prea târziu. Fapt este că am cunoscut o serie de oameni care mi-au deschis calea, că sufletul meu a început să se așeze în timpul Liturghiei. Și acum sunt în altă etapă.

C. T.: În ce fel ați descrie schimbarea din interiorul dumneavoastră?

D. P.: Întâi, trăirea credinței mi-a schimbat felul de a privi viața. Parcă am intrat într-o baie de lumină și mi s-au limpezit

14

lucrurile, m-am lămurit o dată pentru totdeauna. A încetat căutarea mea sfâşietoare. Citisem mult până atunci, mai ales despre religiile orientale, încercând să mă înţeleg. Dar nu mă odihneam cu ele. Aveau un caracter labirintic, dădeam de o uşă, mă bucuram, când colo, intram într-un tunel. Pe când acum, am intrat într-o lumină; ştiu că fără Dumnezeu nimic nu este posibil, ştiu că prin credinţă poţi muta şi munţii, nu mai am teama de răul care mi s-ar putea întâmpla. Trăiesc cu nădejdea creştină că viaţa de aici nu este decât o pregustare pentru viaţa de dincolo.

C. T.: Când aţi simţit nevoia să exprimaţi în limbaj teatral un mesaj creştin? Şi de ce?

D. P.: A venit de la sine. N-a fost un gest premeditat. Mi s-a dat şi am dat. M-am exprimat potrivit sufletului meu. Pe urmă, am realizat că arta adevărată este arta creştină. Şi cred că viitorul este al ei. Arta lipsită de Dumnezeu nu e artă – o putem numi divertisment, performanţă, dar nu artă. Arta este mărturisire, fără ca prin asta să fie neapărat artă bisericească. Restul e mimetism, e fals, gol. Eu mi-am înţeles menirea astfel: să mătur poteca spre Biserică. Încerc să-l sensibilizez pe omul modern, prin artă, faţă de cuvântul Mântuitorului.

C. T.: Cum aţi reuşit să transfiguraţi mesajul creştin în jocul de teatru?

D. P.: Avea Picasso o vorba bună: „Nu caut, găsesc". Adică, inspiraţia îţi vine de dincolo de tine. Totuşi, există şi momente de căutare, de rătăcire. Dar, când vrea Dumnezeu, găseşti. Sigur, există şi metode, şi formalisme, şi un spirit al căutării. Eu nu aplic însă o reţetă. Trebăluiesc prin casă, ascult muzică şi gândesc. În acest timp, mi se desfăşoară tot spectacolul sub ochii minţii. Nu scriu nimic, n-am caiet de regie şi alte chestii din astea. Vin la teatru şi povestesc cum va fi piesa, iar apoi ne apucăm de treabă.

C. T.: Piesa *Don Quijote,* cea mai recentă creaţie a dumneavoastră, are nu numai un mesaj creştin, ci şi unul anticomunist. Ce legătură este între cele două mesaje?

D. P.: E vorba despre atitudine. Don Quijote era, în lumea machiavelică occidentală, la fel de singur ca un Petre Ţuţea la noi, sub comunism. Fiecare, în contextul epocii sale, îşi păstrează verticalitatea. Fiecare vede pericolele care pândesc neamul lui. Don Quijote este un cavaler, dar are şi comportament de monah; o trăire ascetică şi o înclinaţie naturală spre a face bine, spre a da ajutor celor mai slabi. Ca şi cei care au rezistat comunismului, la noi. Ţuţea este unul; Noica, altul. Cervantes a vrut să protesteze prin această operă contra „telenovelelor" de la acea vreme, care erau romanele cavalereşti, şi a creat acest personaj „nebun", uşor ridicol. În fapt, un rebel care nu intră în jocul unei societăţi decăzute. Cervantes a fost esenţialmente creştin şi a pus aici un mesaj creştin. Când am citit cartea, mi-a fost uşor să fac o piesă cu mesaj creştin.

Dar am mai văzut şi latura politică. Don Quijote a văzut în morile acelea de vânt nişte monştri disimulaţi. Şi comunismul este un asemenea monstru – multă vreme ascuns sub masca umanismului, la fel ca şi globalizarea actuală, un alt monstru, care creşte sub pretextul facerii binelui public. Oamenii, în general, nu văd aceste fenomene cum sunt în realitate. Le lipseşte ochiul duhovnicesc, care să le arate monstruozitatea lor. În perioada interbelică, la noi au fost însă şi foarte mulţi intelectuali care au văzut corect ce înseamnă comunismul; sunt destui şi azi cei care văd adevărata faţă a globalizării.

C. T.: Piesele dumneavoastră sunt foarte gustate de public. Ele au stârnit entuziasmul şi în ţară, şi în străinătate. Cum vă explicaţi succesul de care vă bucuraţi ca autor de mesaj creştin, într-o lume aproape păgână, care caută să-şi şteargă amintirea sacrului?

D. P.: În basmul *Tinereţe fără bătrâneţe şi viaţă fără de moarte*, când eroul ajunge pe tărâmul de dincolo, i se spune să nu meargă niciodată pe o anumită câmpie. El totuşi ajunge acolo, nu din curiozitate, ci din neatenţie, fugind după un iepure. Şi, dintr-o dată, începe să-şi aducă aminte cine este, care îi sunt părinţii... Până atunci, trăise într-o amnezie desăvârşită. În relaţia mea cu publicul, eu sunt iepurele. Îl dezvrăjesc, îi redau memoria, îi arăt de unde vine şi încotro se duce. Şi succesul meu cred că înseamnă că publicul îşi redescoperă dragostea pentru Cel care ne-a zidit.

C. T.: Lucraţi mult cu tineri actori. Cum se implică ei în demersul dumneavoastră teatral: din obligaţie, din credinţă?

D. P.: Eu cred că o fac din dragoste. Dragostea nu poate fi simulată. Ei înşişi îşi aduc aminte de origini. Am o relaţie foarte bună cu majoritatea tinerilor care vin să joace cu mine. Nu caut să le impun nimic, ci doar să-i dumiresc şi să-i învăţ ce ştiu. Unde nu găsesc ecou, nu insist.

C. T.: În ultimii ani, aţi luat de mai multe ori atitudine publică, în spirit creştin. Ce v-a împins să vă mărturisiţi credinţa, nu numai pe scenă, ci şi în agora?

D. P.: Am conştientizat că neamul nostru este în primejdie şi că sunt obligat să trag semnalul de alarmă. Un artist trebuie să fie şi o conştiinţă publică, măcar în vremuri de restrişte. Până să vină doctorul, încerc să-mi resuscitez neamul cum mă pricep. Nu ştiu dacă sunt competent în domeniul acesta, dar nu am voie să stau cu mâinile în sân. A mărturisi este darul pe care ni-l face Hristos.

17

C. T.: România a aderat la U. E. Vă întreb, ca pe unul care a văzut toată lumea: ce înseamnă integrarea din perspectivă spirituală? Vine şi de aici vreun pericol?

D. P.: Este nevoie să privim detaşat integrarea: ei ne civilizează, noi îi spiritualizăm; ei ne aduc administraţie performantă, dar, sufleteşte, le putem noi dărui mai mult. România intră în Europa secularizată, dar în ce măsură va intra Europa secularizată în România creştină? Cu mare discernământ, trebuie să ne opunem la a fi anexaţi unei ideologii, transmise prin aşa-zisa „societate civilă". În această relaţie, trebuie să fim dezinhibaţi şi să ne comportăm firesc, deschişi la dialog. Să avem puterea de a spune ce merge şi ce nu merge la noi. Dar nici să nu ne isterizăm pentru pericole presupuse.

C. T.: Artiştii sunt, prin excelenţă, în avangarda societăţii. Nu vă temeţi că veţi fi văzut cel puţin ca inadecvat, dacă vă afirmaţi ca un creştin practicant?

D. P.: Nu sunt primul actor care a făcut asta. În istoria creştinismului există exemple ilustre. În timpul Imperiului Roman, Sfântul Porfirie şi Sfântul Ghelasie au fost mimi. Chemaţi de împărat să batjocorească Taina Botezului, au ieşit din apă şi au mărturisit credinţa. Nu mă interesează cum sunt etichetat, pentru că eu ştiu cine sunt.

C. T.: Părintele Arsenie Papacioc spune că trebuie să ne străduim ca toată viaţa să fim prezenţi în Hristos. Mai poate omul contemporan să facă asta?

D. P.: Cred că da. După mine, înainte de toate, trebuie să punem capăt unui comportament schizoid, manifestat la scară mare în rândul celor care spun că sunt creştini. Adică, după ce-am ieşit de la Sfânta Liturghie, să nu uităm de Hristos, ci să prelungim trăirea din biserică şi în viaţa cotidiană. Mulţi dintre noi nu „îmbisericesc", în sens duhovnicesc, familia, societatea, odată ieșiți din biserica de zid. Devin strict cetățeni, străini de Dumnezeu. Este mare păcat. Înseamnă că participarea lor la viața Bisericii se rezumă la un ritual. Evident, nu vorbesc aici despre instituția Bisericii, nici măcar despre ierarhia bisericească.

Mă refer la comunitatea de iubire adunată în numele lui Dumnezeu, comunitate care trebuie să rămână în iubire, și nu poate, dacă Îl uită pe Hristos. Apropo de asta, îmi amintesc o vorbă a Părintelui Iustin Pârvu, de la Mănăstirea Petru Vodă. Era într-o duminică, puhoi de lume la mănăstire. Privind la credincioși, Părintele mi-a spus: „Îi vezi ce mulți sunt? Dacă îi pui să aleagă între Dumnezeu și vrăjmașul, se duc la necuratul". Adică, majoritatea oamenilor, chiar credincioși fiind, nu sunt dispuși să plătească vreun preț pentru a alege între bine și rău, între lumină și întuneric, între adevăr și minciună. Și, de cele mai multe ori, le este mai ușor să aleagă răul.

C. T.: Dați-ne un exemplu!

D. P.: De pildă, de o vreme încoace, sunt atacate icoana, educația religioasă în școli, într-un cuvânt, Biserica. Și nu prea se opun mulți creștini. Așteaptă să ia atitudine instituția Bisericii. Dar Biserica suntem noi toți, și noi slujim – după cum zice Sfântul Apostol Pavel. Este interesul, dreptul și datoria noastră să ne apărăm. Lenea sufletească și de gândire însă ne paralizează, ne face iresponsabili. Nu avem voie să fim spectatori la ce ni se întâmplă. De ce nu avem o atitudine fermă și exprimată rapid?

Mulți se scuză în numele smereniei. Dar smeriți față de ce? Smeriți față de ticăloși? Nu. Iar trebuie să-l citez pe Părintele Iustin Pârvu: „Țara asta are inflație de smerenie. Dar uneori este nevoie și de sfânta palmă a Sfântului Nicolae". Trebuie să fim trăitori și luptători în ortodoxie. Vorba lui Nae Ionescu: în ortodoxie nu vii să sforăi, ci să fii treaz. Atacurile care se dau astăzi asupra ortodoxiei reprezintă hârtia de turnesol a creștinului adevărat din România.

C. T.: Recent, ați participat la o masă rotundă, organizată de revista „Lumea" și P. N. G. O parte dintre cei care v-au văzut lângă Gigi Becali s-au declarat neplăcut surprinși, crezând că ați intrat în partidul lui. Contează contextul în care iei atitudine?

D. P.: Mi-au ajuns și mie la urechi tot felul de vorbe. Cei care gândesc așa au fost atenți la imaginea lui Dan Puric, nu la mesaj. Ca și cum e mai important nu ce spun, ci unde o spun. Păstrând proporțiile, e ca și cum i-ai reproșa Maicii Tereza că l-a vizitat pe Iliescu, fără să fii atent la ce a vrut să facă prin asta. Eu trebuia să merg la acea masă rotundă, pentru că era o dezbatere importantă, despre creștinism în Uniunea Europeană. În virtutea comportamentului meu de până acum, cei de care vorbeați puteau să-mi acorde credit, să fie convinși că nu sunt un oportunist. Sunt persoane publice care nu iau atitudine, pentru că se tem să nu-și strice imaginea. Eu, unul, mă duc oriunde, ca să-L mărturisesc pe Hristos, indiferent că sunt înjurat, terfelit sau bănuit de cine știe ce combinații.

Pe mine mă interesează sufletul, nu imaginea mea. Mă interesează să fiu onest cu ce mi-a dat bunul Dumnezeu.

Dragostea, mai presus de artă[*]

Alice Năstase: Cum v-ați petrecut copilăria?

Dan Puric: Amândoi părinții mei erau medici, la Nehoiu, o comună din județul Buzău. S-au întâlnit acolo într-un mod accidental. Tatăl meu a făcut parte din familia de boieri a neamului, din cele 1 000 de familii de boieri, care țineau pământ; avea și el vreo 500 de hectare de pământ, nu era un boier mare... Și, după naționalizare, ca să nu-l aresteze, și-a luat totul într-un geamantan și a lăsat toate pământurile, pe care, iată, acum, securitatea nu mi le dă înapoi. Am pământuri de la 1870, de la Sultan. Strămoșii mei erau mocani, plecați cu oile, cine știe câte generații. Unul dintre străbunicii mei a avut casa unde s-a făcut declarația de independență de la Padeș, a lui Tudor Vladimirescu; deci, eu pot fi mândru că unul dintre străbunii mei pe linie paternă a avut curajul să-l găzduiască pe Tudor Vladimirescu și Tudor a avut încredere să pună capul pe perna lui. Numai lucrul acesta te fascinează!

Tata a fost deposedat abuziv, ca și alții; nu a făcut nici un rău în viața lui, nu a făcut nici măcar politică. Și a plecat într-o comună mică, să nu-l găsească ciuma comunistă și să-l aresteze, numai pentru faptul că a avut pământ. Mama mi-a zis că, până să împlinesc eu vreo 6 ani, își ținea otrava în buzunar, în caz că-l ridicau, să se otrăvească, pentru că torturile erau cumplite. Soljenițîn a spus că în pușcăriile din România s-a atins maximum de teroare, peste ce a făcut Stalin.

---

[*] Interviu realizat de Alice Năstase, apărut în revista „Tango", nr. 25, iulie 2007, p. 104-113.

A. N.: Acestei plecări în exil îi datorați existența, fiindcă așa a întâlnit-o pe mama dumneavoastră?

D. P.: Mama mea era medic stagiar, o frumusețe specială, hollywoodiană, o zână blondă. Tatăl meu era mult mai în vârstă decât ea. Avea 53 de ani când m-am născut eu. O diferență extraordinară. Cum a dat bunul Dumnezeu să se întâlnească! Eu moștenesc de la mama spiritul comic. Felul în care povestește ea cum s-au întâlnit este genial, extraordinar: „Dragă, într-o zi, a venit unul la mine, un sătean bolnav; și l-am întrebat:
– Cine v-a tratat? Care doctor?
– Puric.
Am râs o juma' de oră. Cum să-l cheme pe ăsta Puric?! Îți dai seama, dragă, bine că nu-l cheamă Ploșniță! Și am râs cu lacrimi! Și-ntr-o zi a intrat o arătare pe ușă, unul slab, așa, abia se ținea pe picioare. Și am aflat că el este doctorul Puric. Dragă, nu dădeam doi bani pe el, dar, la un moment dat, mi-a venit să-i fac un sandviș, dragă, că era așa slab, am vrut să-i dau să mănânce. Și am auzit un țipăt:
– Domnișoară, dumneavoastră, dacă ați fi soția mea, nu v-aș lăsa să puneți mâna pe nimic!
Auzi, dragă, ce mi-a zis, nemernicul, și după un an de zile mă lăsa să tai lemne cu toporul în curte!".
Evident că mințea, tata toată viața a ocrotit-o, dar era povestea ei despre ceea ce i s-a întâmplat. Tata avea o noblețe, o rasă extraordinară; lui i-am dedicat *Toujours l' amour*. De la el am învățat ocrotirea față de femeie, el a ocrotit-o toată viața pe mama, de-asta se și răsfăța ea, care este o tipă enorm imaginativă, este esență de feminitate.

A. N.: Acolo v-ați născut și ați copilărit?

D. P.: M-am născut la Buzău, probabil că acolo erau condiții mai bune decât în comună, și pe urmă am copilărit la munte, între râuri, între munți, ceea ce a fost un mare

22

privilegiu. Am crescut acolo. Apoi m-a luat bunica, ce era un fel de führer, mama mamei, care provenea din familia de boieri Sbiera. Când mi-au dat premiul Academiei Române, am văzut acolo, pe perete, portretul unui străbunic al meu, care se uita la mine! Străbunicul acesta a fost Constantin Sbiera, unul din fondatorii Academiei; mulți alții din familia Sbiera au fost avocați, unul a fost profesorul de română al lui Eminescu – adică, foarte mulți de o inteligență și-o tărie românească extraordinară. Bunica mea, care era profesoară de română și franceză, mi-a transmis un soi de corectitudine a lucrului bine făcut, o corectitudine țărănească. Pentru ea, nu exista minciună; nu exista lucru prost făcut; era de o autoritate extraordinară. Am crescut aproape într-un matriarhat teribil de frumos.

A. N.: De ce credeți că în zilele noastre oamenii nu mai prețuiesc căsătoria și preferă tot mai mult traiul în concubinaj? Cum s-a ajuns aici?

D. P.: S-a ajuns dintr-o traumă repetitivă, dintr-o descreștinare lentă, dintr-o spaimă reciprocă de celălalt, din faptul că taina căsătoriei nu a fost trăită așa cum trebuie. Nu s-a trăit taina, ci oficializarea la sfatul popular, în care statul garantează... ce garantează? Iubirea nu se garantează. Trăim o perioadă de schilodire sufletească, pe care, personal, am simțit-o. Nu mă dau sfânt; am cunoscut lucrul acesta din interior, situația în care un sistem din afară începe să prăbușească familia, în care unul din ei fiind de factură mai slabă, sau amândoi într-o criză, sau necreștinați, începe patinajul.

Un creștin autentic se căsătorește altfel și trăiește altfel. Lucrul acesta la noi a fost distrus și este distrus în continuare, se merge către o secularizare a societății, către omul contractualist. Situația contractualistă, banii puși separat, creează individualismul. Banii puși împreună înseamnă comuniune, înseamnă dragoste. Când unul pune banii separat, înseamnă că-i e frică și atunci cuplul merge pe un interes și dragostea devine sex, devine consum alimentar. E o discuție vulnerabilă, care ne marchează pe toți. Problema nu e cum de s-a ajuns, ci cum de am ajuns aici. Că nu alții au ajuns, ci noi, ăştia care vorbim, am ajuns cu aceste spaime! E nevoie de-o întoarcere către taina Bisericii, către taina Căsătoriei, care este o minune.

A. N.: Pentru noi, adulții, mai găsim soluții, dar ce facem cu copiii care cresc fără mamă şi fără tată, cum rezolvăm problema asta?

D. P.: Nu mă întreba pe mine, că eu sunt cazul! Şi acesta e lucrul care mă doare cel mai tare. Niciodată în viața mea nu-i voi putea da înapoi fiului meu momentele de singurătate pe care le-a avut. Eu am fost în plină furtună şi nu întotdeauna am avut timp de el. Dar tot Dumnezeu te ajută, nădăjduind că există, prin credință şi prin întâlnirile pe care le ai cu el, un contact de cu totul altă factură, în care tu nu încerci să recuperezi ceva, ci încerci să dai cu toată inima ceea ce ți-a dat Dumnezeu ție. Iubind, simți că poți recupera lucrurile, că se lipesc cioburile sparte. Copilul meu ştie asta, raportul dintre mine şi Octavian este un raport de o sensibilitate deosebită, în care tăcerile şi înțelegerile lui m-au ajutat să traversez anumite lucruri; n-au existat nicidecum reproşuri sau lucruri uzuale într-o asemenea situație.

Şi înțelegerile lui mi-au vindecat suferințele mele. Era de aşteptat ca eu să fiu înțelegător față de situația lui. El a inversat raportul. Asta e de la Dumnezeu, nu poate să fie de la mintea unui copil de 14 ani. Credința adevărată te-ajută să treci. Eu discut cu el adevărat, dar cu dragoste, chiar şi când am să-i reproşez ceva, sau el mie. Nu este reproşul care să nu aibă dragoste, chiar şi când ne certăm. Nu negociez cu Octavian nimic, pentru că este copilul meu. Eu n-am negociat cu tata nimic, l-am iubit. Şi reciproc. Şi discret.

O singură dată am simțit, aşa, ca pe o tragedie antică, legătura dintre noi: când plecam militar în armată, cu servieta aia de lemn nenorocită, în puşcăria vieții mele. Tatăl meu, în vârstă, m-a condus la gară. Şi-acolo se despărțeau iubite de iubiți, copii de părinți, era armata grea. Se știa că era o castrare a tinereții. Mulți s-au sinucis. Și știu că bătrânul boier nici n-a ridicat mâna, să-mi facă la revedere. A stat așa și-am putut să văd că-i curge o lacrimă. Avea 72 de ani, nici nu știa dacă mai trăiește până mă întorc.

A. N.: Cum v-a schimbat viața apariția copilului? Ce valori s-au schimbat?

D. P.: Eu am fost un tip foarte nărăvaș. Nu mi-am dorit un copil cu orice preț, din infantilismul ființei, nu din egoism. Nu credeam că sunt în stare de așa ceva, dar el, pur și simplu, a apărut. Dar există un lucru care te modifică din mers. Nu către o paternitate în înțelesul comun, nu e în natura mea (eu și-așa am muncit de m-am căsăpit tot timpul, ca să supraviețuiesc, nu ca să trăiesc. Nu pot să zic niciodată că în România am trăit. Eu, până oi muri, o să spun că am supraviețuit. Am trăit numai în fața lui Dumnezeu, asta da, pot să spun. N-am vieți să-i mulțumesc cât mi-a dat. Dar social, economic, am supraviețuit). Și-atunci, foarte greu aveam contact fizic cu fiul meu; dar l-am văzut cum crește.

Una dintre lecțiile uriașe pe care Octavian mi le-a dat, la un moment dat, când îl duceam la grădiniță, avea vreo cinci anișori, a fost într-o dimineață, când a luat hotărârea să ia cu el niște jucării: un iepuraș și-un ursuleț. I-am spus că nu pot să-l transport cu tot cu jucării și el mi-a dat una dintre cele mai tulburătoare lecții pe care ți le poate da copilul tău ție. Ger afară, viscol, zăpada până la genunchi, abia am prins o mașină, plină cu muncitori, la 7 dimineața, cu copilul în brațe. Jucăriile le ținea cu o tenacitate extraordinară. Și am ajuns la grădiniță, l-am dezbrăcat, i-am pus alte hăinuțe și-a luat jucăriile și l-am băgat înăuntru. Printr-un geam care nu era vopsit, eu, curios, m-am uitat să văd dacă se duce la locul lui. Și, în clipa aceea, s-a întâmplat unul dintre cele mai frumoase momente ale vieții mele: s-a dus în mijlocul sălii, ținând jucăriile la spate, a venit educatoarea. Și dintr-o dată a zis: „Uite!". Și în clipa aceea a început o revoluție! Pentru că educatoarea le interzisese să vină cu jucăriile la grădiniță, iar el a spart regula. Dar n-a fost vorba de o rebeliune, ci de o dragoste de frumos: le-a arătat iepurașul și ursulețul. Tot ce-am făcut eu în artă, în fața publicului, a fost asta.

Și a mai avut o chestie extraordinară, pe care aș putea-o transmite Comunității Europene, care ne obligă să trăim când aderarea, când tranziția, sau securiștilor care ne conduc și care ne obligă să trăim în România postrevoluționară, așa cum Ceaușescu ne obliga să trăim în epoca de aur. Pe la vreo cinci ani a văzut la televizor o reclamă, cu un cuțit care taie tablă, decupând o cutie de bere. Mama lui era în bucătărie, era de Crăciun, făcea sarmale și tăia cu un satâr niște carne; el a luat satârul și a tăiat firul de la telefon, repetând cuvintele din reclamă. Iar eu, care sunt total atehnic, nu știam cum să leg firele la telefon. Ca să-l pedepsesc, i-am spus că trebuia să mă sune Moș Crăciun, să vină cu jucării, și n-am să mai pot vorbi cu el, va trebui să-l caut și să-i spun ce s-a întâmplat. Atunci a început să-i curgă o lacrimă și mi-a zis: „Spune-i lui Moș Crăciun, dacă te vezi cu el, că noi, copiii, nu putem sta cuminți un an de zile până vine el cu jucăriile!". Așa le putem spune și noi ăstora, că nu putem sta cuminți 5 ani de zile, până fac ei aderarea, sau 10 ani, până ne integrăm! Noi trebuie să trăim! Nu e minunat? Un copil te face tată! Nu trebuie să joci tu un rol social, n-ai nevoie de alocații de la stat pentru asta.

A. N.: Credeți că putem iubi în viață și a doua oară cu inocența primei iubiri?

D. P.: Citeam undeva că dragostea o poți întâlni de două-trei ori autentic, puternic. Dar unii au întâlnit-o o singură dată. Nu se poate generaliza. Suntem o taină atât de mare! Socrate zice: „Cunoaște-te pe tine însuți!". Cum te cunoști pe tine în-suți? Făcând introspecție. Goethe spune că Socrate n-a vrut să spună așa ceva, ci a vrut să spună că te cunoști pe tine însuți în relație cu celălalt. Și eu vin și spun că peste ei este Grigore de

Nyssa, un sfânt, care spune că mai degrabă cunoaştem cerul şi marea, decât să ne cunoaştem taina sufletului. Stai lângă un om o viaţă întreagă şi nu-l cunoşti. La un moment dat, poate avea o reacţie, o reacţie îngrozitoare. Cum s-a întâmplat cu Lidia Jiga, dresoarea care a murit ucisă de tigrul acela pe care l-a crescut de mic. Pe urmă a murit şi tigrul, n-a mai mâncat...

A. N.: Care este relaţia dumneavoastră cu banii? Cât de importanţi sunt banii pentru un artist?

D. P.: Nu sunt un om legat de bani, dar nici nu am o asceză totală, ci sunt aşa, în virtutea normalităţii, exact cum a dat Dumnezeu: să ai câţi îţi trebuie şi să ai acolo strânşi şi pentru vremuri grele. Eu am muncit tot timpul pentru cât mi-a trebuit, n-am prea apucat să strâng pentru vremuri grele, şi de asta vremurile grele m-au prins aproape disperat. Încerc să impun un preţ al valorii în România. Chiar acum, i-am spus un preţ cuiva, care m-a invitat să susţin un spectacol, şi i-am arătat ce înseamnă un „one-man show" de o oră şi douăzeci de minute. Şi el s-a mirat, cu toate că eu am cerut un sfert din cât cere un manelist! Îţi dai seama ce bolnav era bietul om, cât de schilodit interior era.

Altădată, am fost chemat să joc la Palatul Cotroceni pentru un sandviş. Să chemi un artist care a fost în toate colţurile lumii şi avut mii de spectatori pentru un sandviş e o dovadă că nesimţirea ţi-a luat şi ultima celulă din corp. Păi, mă compar eu cu banii unora dintre ăştia de la televiziune, de la divertisment, care au milioane de euro? Eu vin în sandale, ăla trece cu Porsche pe lângă mine şi mă calcă. Să nu înţelegeţi că mă plâng – Dumnezeu mi-a dat imens –, dar trebuie să spun, să numesc lucrurile corect.

A. N.: Credeţi în teoria prezentului, a celor care spun că trebuie să ne eliberăm de trecut, ca să fim fericiţi?

D. P.: Nicolae Iorga spunea că numai aplecându-ne asupra trecutului putem avea tăria faptelor de astăzi. Omul castrat de trecutul său, al familiei, al identității sale naționale, culturale, este omul care poate fi manipulat foarte repede. Sub îndemnul „Trăiește-ți clipa!" stă și generația politică de la noi, care n-are trecut. Toată ceata asta de handicapați sare peste trecut, pe ei nu îi interesează că s-a murit în pușcării pentru țară, pentru neam, pentru familie. Ăștia sunt cretinoizii care cred în „Trăiește-ți clipa!". Pentru ei, istoria a început astăzi la ora două fără douăzeci și durează până diseară, la „Actualități" sau când se uită ei la OTV!

Trebuie să deconspirăm și că filosofia lui „Trăiește-ți clipa!" mai este altoită, din când în când, cu o filosofie budistă, care are alte dimensiuni, pentru că budismul nu e o religie, e o filosofie – dar nu intrăm acum în comentarii legate de acest su-biect, căci acolo avem de-a face cu o altă cultură, cu alte dimen-siuni și alte sinapse. Noi discutăm din punctul de vedere creș-tin. Iar îndemnul creștin este acela de-a te pregăti. Sunt oameni care, după viața asta, pun punct; și alții care pun virgulă. Creș-tinul pune virgulă. Toată viața asta te pregătești. Iar noi toți tractăm după noi un trecut.

A. N.: Dar nu avem o datorie față de propria noastră feri-cire? Unde găsim fericirea în viața asta, înainte să punem vir-gulă?

D. P.: A fi fericit nu înseamnă a te izola de trecut. A fi fericit nu înseamnă a trăi în sensul primar, de primate, sau ca meduza, care are simetrie radială și se duce acolo unde-i hrană. Fericirea adevărată este, după unii care zic „a trăi pentru a avea", bogăția. Sunt oameni care sunt fericiți dacă au vile, jeep-uri, mașini. Nu-i păcat în „a avea". Un preot spunea că „banul e o funie, care te poate coborî în iad sau urca în rai, depinde ce faci cu ea". Sunt oameni bogați care sunt minunați, care ajută, care dau, sunt bogății care sunt la a patra, la a cincea generație. Oamenii care au un capital autentic nu trebuie acuzați. Îi acuzi pe cei cu bogății spontane, din astea care s-au făcut după '89. A apărut acum un album cu 300 de inși care sunt milionari. Ei sunt cazuri penale, dar vor să se legitimeze ca fiind normali, să ne convingă că furtul face parte din business, că este ceva normal. Așa e, businessul e o chestie normală, atât timp cât nu se bazează pe fraudă.

A. N.: Unii cred în „a fi".

D. P.: Alții spun: „a trăi pentru a fi". Și ăsta e un lucru important, pentru că trebuie să fii în viața asta, să ai o anumită atitudine. Creștinul spune un lucru extraordinar, care sare din sistemul de referință curent. El spune: „a trăi pentru a învia"; ceea ce n-are legătură nici cu „a fi", nici cu „a avea"; ține de transcendență. A învia înseamnă să trăiești cu o bucurie nespusă pe această lume, să te bucuri zilnic de paharul plin cu apă pe care ți l-a dat Dumnezeu, să te bucuri de creația asta, pe care a făcut-o Dumnezeu cu tine, și să retrăiești din punctul acesta de vedere tot ceea ce-ți dă Dumnezeu. Este o bucurie normală a firii. Lucrul acesta se obține foarte greu, pentru că lumea cade în „a avea", în realizare. „A învia" nu exclude pe „a avea", nu exclude pe „a fi". „A învia" înseamnă a redirecționa toate aceste lucruri în sensul vieții tale; adică, să știi că ești trecător pe acest pământ și, din perspectiva acestui lucru, ești mai puțin obraznic, mai puțin îndrăzneț, nu faci rău, pentru că tu ai o vulnerabilitate, ai un pasaj către alte lucruri.

La noi, clonele astea, care-au ieșit din Comitetul Central, au ieșit, săracele, cu o moștenire genetică fundamentală: sunt nemuritori și iresponsabili. Ei nu mai au viitor, pentru ei țara este circumscrisă între nepoți și mama soacră; pe ei nu-i mai interesează ce se întâmplă cu România peste douăzeci de ani. Pe mine, Dan Puric, mă interesează. Și nu numai pentru copilul meu, ci pentru cei care vor urma, pentru că și cei care au murit în pușcării sau pe front au murit și pentru prezentul nostru. Au murit și pentru pământul lor, căci erau proprietari legitimi, autentici. Structurile astea naturale, de instinct, au fost debusolate

– de ideologie, de abstracțiuni; dintr-o dată, pământul proprie-
tarului a fost luat și a devenit proprietate comună.

A. N.: Apoi proprietatea a fost din nou împărțită.

D. P.: După '89, securitatea a venit și a împroprietărit alți
oameni. Pe pământul tatălui meu și al bunicului meu, de la
1870, sunt o mână de securiști, pe care nu-i poate da nimeni
afară. Deci, eu nu am proprietate, eu sunt slugă la stat, pe care
ei o numesc: „prestator de servicii culturale și artistice". Moște-
nirea tatălui meu, făcută de generații de oameni care-au muncit,
este fraudată legal. Eu sunt dator să mărturisesc lucrul acesta,
să-l spun și să caut să lupt, nu cu orice mijloace, pentru că nu
fac eu revoluție, dar cel puțin să mărturisesc, să arăt că ei sunt
ilegitimi. Asta înseamnă a fi viu. Noi suntem înconjurați mai
mult de morți vii.

A. N.: Poate un om care nu e împlinit în dragoste să reu-
șească în profesia lui? Aceste lucruri se întrepătrund sau trebuie
să alegi unul dintre ele?

D. P.: Eu, personal, cred că mi-am sacrificat viața per-
sonală iubind foarte mult. Nichita Stănescu spunea: „soldatul și
artistul nu au viața personală". E un foc care te arde, e o patimă.
Dar niciodată n-am fost egoist, să înlătur femeia de lângă mine,
dimpotrivă, am atras-o spre mine, dar aici poate să fie norocul
sau ghinionul unui artist. Că poate găsi o femeie, cum era soția
lui Cézanne, care numai ea avea răbdare să-i pozeze, pentru că
el picta atât de greu și-i lua atât de mult timp, că-i fugeau toate
modelele. Ea invita oameni la masă, să spună cât e de genial,
pentru că nu era cunoscut de critica vremii. Nu era ea un factor
de decizie critic, dar îl iubea atât de mult, încât femeia devenea
altar.

Când un artist are o asemenea șansă, feminitatea trăiește
în registrul tainei, al unei maternități prelungite. Când nu are
această șansă și fiecare trage numai pentru el, apar frustrări,

apar gelozii. Gelozia patologică este un lucru care omoară, care distruge, unul îl suspectează pe celălalt de lucruri la care nici măcar nu s-a gândit. Această prea mare grijă față de tine și negrija față de celălalt duce la ceea ce se întâmplă acum. Nu pot să generalizez, fiindcă oamenii sunt oameni, fiecare cu ale lui, dar, în ceea ce mă privește, știu că niciodată nu am pus arta mai presus de dragostea mea; și poate că din cauza asta am avut de pătimit. Eu sunt născut cu grijă față de femeie, dar, ca la Shake-speare, „soarta unei glume nu depinde de gura care o spune, ci de urechea care-o ascultă". Un om poate să interpreteze acest lucru ca pe-o slăbiciune și-atunci totul se distruge.

Lucrul acesta mi s-a întâmplat în viață cu elevi de-ai mei, oameni pe care i-am învățat, dar care n-au știut să asculte. Și, în momentele de mare tristețe pe care mi le-au cauzat, mă refu-giam în sufletul marilor mei maeștri, care, la fel, erau triști, pen-tru că, după o viață de traume de genul acesta, spuneau: „Dane, câți am crescut și câți au ieșit deformați". A sta pe lângă un ma-estru, a sta lângă femeia iubită, e o artă. Într-un fel, lucrul acesta face parte din afinitate. De exemplu, cu maestrul Dem Rădu-lescu n-am discutat de prea multe ori în viața mea, dar ne iu-beam amândoi extraordinar. Chiar în distanțe. Știi cum se zice: distanța, pentru dragoste, este ca vântul pentru foc. Dacă dragostea e mare, o înțețește. Dacă nu, o stinge. În clipa în care încep discuțiile, lucrurile nu mai sunt bune. Discuția, falsa tera-pie prin discuție sunt doar o amânare a sentinței. Psihologia este numai o înțelegere reductivă a omului. Ceea ce este frumos este spovedania în fața unui părinte duhovnic, spovedania în fața iubitei tale, și reciproc. E o artă, un miracol și un risc pe care ți le asumi.

A. N.: Spuneați că v-ați născut cu dragostea pentru femeie. De unde învață un copil, un băiat, dragostea pentru o femeie, de la mama lui, de la tatăl lui? Sau se naște cu ea?

D. P.: Tu știi toate acestea, fără să mă-ntrebi; dar întrebi, pentru că ești roaba întrebărilor celor din jur. Fără să vrem, suntem contaminați de curiozități, în loc să fim contaminați de mirări. Tu, ca femeie, știi că lucrurile acestea se transmit undeva, dincolo de educație. Eu mă mir de ceea ce mi-a transmis mama mea. Dacă mă uit în spate și o văd pe mama, ca femeie, de când eram mic: este acel ceva pe care nu-l pot descrie în cuvinte, care-mi conturează și maternitatea, și femeia. Dar, în același timp, l-am văzut și pe tata cum se comporta cu ea. Era medic și am văzut cum consulta o femeie...

Tatăl meu, plasat în epoca de azi, ar fi o aberație la fel de mare cum sunt eu. Într-o mașină arhiplină, pe vremea lui Ceaușescu, cu oameni reduși la condiția lor biologică, îngrămădiți pe scară, care se duceau la serviciu, tata, care avea șansa să meargă până la capăt, la 6 dimineața, el, om la 70 de ani, se scula în picioare și spunea: „Duduiță, luați loc!". Lucrul acesta era aberant, era donquijotesc, se mira și biata femeie, plus că ceilalți nu înțelegeau nimic.

Eu îl înțelegeam, fără să-mi explice, atunci când ne dădeam jos din mașină, că trebuie să dau locul unei femei. Este acea contaminare, care se face într-un mod surd și, dacă vrei, printr-un canal dumnezeiesc. O putem numi, în termenii noștri științifici, genă, dar e ceva mai mult. Cum îmi spunea mie Bibanul: „Gică, depinde de ce-ți toarnă strămoșul în cromozom!", râzând de toată chestia asta. Pentru că nu contează nici educația, dacă tu ești născut în altă fire. De obicei, se spune că suntem făcuți după chipul și asemănarea lui Dumnezeu. Într-un anumit fel, noi toți suntem după chipul lui Dumnezeu. La asemănare lucrăm toată viața. Dar există și chipuri mutilate. De asta, Biserica, în înțelepciunea ei dumnezeiască, nu-i atacă pe homosexuali.

A. N.: Ați cunoscut asemenea oameni? Cum v-ați purtat cu ei?

D. P.: Sunt oameni ca și noi, îi întâlnești peste tot. Eu am avut colegi, oameni de o inteligență deosebită și de o sensibilitate extraordinară! Cum să te comporți cu ei? Reductiv, limitativ? Atunci, nu eşti creştin! Biserica se opune şi condamnă păcatul homosexualităţii, nu individul care a căzut sub păcat. Ei sunt nişte oameni care s-au născut cu o boală, dar sunt oameni. Lucrul acesta trebuie tratat cu înţelegere, cu condescendenţă, pentru că, altfel, ajungem la schizofrenie, la manifestări stradale. Noi nu suntem Europa Occidentală, care-şi propune, în schizoidismul ei comportamental, să înlocuiască ideea de mamă şi de tată cu o autoritate parentală. Ei dizolvă prin legislativ ideea de mamă şi de tată, ca un copil să poată fi adoptat de un cuplu de homosexuali, iar viitorul acestui copil, din punct de vedere sexual, se ştie care este.

Marele, uriaşul lucru pe care putem să-l dăm Occidentului se numeşte lecţia normalităţii. Nu într-o habotnicie, ci cu grijă, cu condescendenţă, trebuie să coabităm cu ei, să le explicăm că lucrul acesta nu se poate, este împotriva firii, că n-are nimeni nimic cu ei şi că trebuie terminat cu terorismele acelea, în care oameni de o mare sensibilitate erau băgaţi la puşcărie, dacă erau homosexuali. Ei nu trebuie băgaţi în norma de viaţă a normalităţii, pentru că riscăm astfel să ne distrugem reperele creştine. De aceea, Biserica a reacţionat foarte bine la manifestările lor: nu a ieşit în stradă, s-a dus şi s-a rugat pentru ei. Patriarhul Teoctist a reacţionat firesc, ca un bunic care-şi ceartă copiii: „Am un copil care nu mai ascultă. Când nu mai ascultă, te duci în faţa icoanei, îngenunchezi şi te rogi". Şi Dumnezeu lucrează.

A. N.: Vă simţiţi vreodată singur?

D. P.: Nu. Numai oamenii fără Dumnezeu se simt singuri. Îmi aduc aminte de o vorbă nemaipomenită. Meister Eckhart, unul dintre marii mistici ai Europei Occidentale a secolului al XIII-lea, se spune că stătea singur sub un copac. Şi a venit la el un discipol şi l-a întrebat: „Maestre, de ce staţi singur?". Iar el i-a răspuns: „Nu eram singur, dar acum sunt".

Sensul vieții, al morții și al suferinței[*]

Înainte de a vorbi despre sensul vieții, al morții și al suferinței în mileniul al treilea, cred că ar trebui precizate câteva aspecte fundamentale, cum ar fi:

– sensul vieții, al morții și al suferinței așa cum se arată el a fi în matricea sufletească a poporului român;

– care a fost momentul istoric în care acest sens a fost obligat să legitimeze esența de neînfrânt creștină a neamului românesc;

– care este sensul vieții, al morții și al suferinței în lumea modernă, de azi; și, lucrul cel mai important:

– care este raportul României creștine cu sensul acordat vieții, morții și suferinței de această lume.

Ca să răspundem la primul punct, ar trebui să mergem pe urmele savantului Simion Mehedinți, care sesiza că, pe pământul românesc, creștinismul ne-a prins deja *nemuritori* – prin credința de nestrămutat pe care o aveau dacii în nemurire, prin bucuria lor în fața morții. Am fost parcă pregătiți sufletește și anunțați *avant la lettre* de adevărul lumii. Putem spune că poporul român nu s-a convertit, s-a luminat. Convertirea are zbaterile ei către ceea ce a fost, creează seisme imprevizibile, din când în când ecourile începutului mai chinuie ființa. Luminarea nu chinuie ființa, o limpezește, o scapă de teroarea contingentului, fără să anuleze realitatea acestuia, reduce gravitația excesivă a realității care ne înconjoară și face loc Tainei.

---

[*] Comunicare cu ocazia simpozionului internațional ortodox organizat de Arhiepiscopia Alba-Iulia, martie 2008.

„Câtă aparenţă, atâta fiinţă", afirmă Husserl, preluând un principiu al şcolii neokantiene de la Marburg.

Ce este viaţa?, l-a întrebat filosoful creştin Ernest Bernea pe un ţăran romăn din perioada interbelică (în cadrul unui studiu monografic declanşat de Dimitrie Gusti). „Viaţa-i viaţă!, răspunde ţăranul, dar şi multă nălucire în jur".

Între afirmaţia lui Husserl şi răspunsul ţăranului român este o prăpastie ontologică, în ceea ce priveşte percepţia asupra lumii. Sensul pe care românul îl dă vieţii se defineşte paradoxal, dar în acelaşi timp precis. Realitatea vieţii este respectată, aparenţa nu este neglijată, dar nu este, în acelaşi timp, nici fetişizată şi egalată cu sensul fiinţei. Mai există o realitate, nemăsurabilă fenomenologic, fizic, matematic etc., există „nălucirea" din jur, adică TAINA. Curios, această „nălucire" nu este interogată, ci doar constatată şi, mai mult, respectată. Respectul TAINEI, marcat de *sfântă mirare* şi nu de *curiozitate raţională*, creează românului un sens major al vieţii, care nu-i produce frică în faţa necunoscutului, căci el se lasă învăluit de acesta, întru îmbogăţirea fiinţei sale.

De aici, acea lipsă de precipitare biologică a românului în faţa morţii. „Şi de-o fi să mor", spune ciobanul din *Mioriţa* – detensionând învecinarea morţii, minimalizându-i tragedia, dar nu din dispreţ, ci dintr-un reflex sublim de a o îmblânzi, de a se împrieteni cu necruţătorul destin, ca acesta să nu mai pară rupere, ci curgere. Această calitate a poporului român se numeşte ÎNŢELEPCIUNE DUIOASĂ. Ciudată împletitură, în care filosofia este vibrată de suflet, şi din *cunoaştere* se transformă în *înţelepciune. Conceptul simţit, inteligenţa intuiţiei,* ar spune fratele nostru apusean Pico della Mirandolla. A vorbi fără a vedea despre răsăritul soarelui poate să creeze un concept, dar un *concept* mort; a vorbi după ce l-ai văzut creează *conceptul sensibil* – spunea acesta, într-un mod paradoxal, în plină Renaştere. Cândva am fost fraţi în felul în care am privit lumea – am putea spune –; cine şi când ne-a despărţit este întrebarea sufletului meu!

Existența poporului român a fost marcată tot timpul de pericolul dispariției sale din istorie. Românul, deci, *a văzut moartea*, a trăit în proximitatea ei clipă de clipă; și totuși, nu groaza i se citește pe chip, ci o decentă împăcare, care nu ne vorbește despre fatalism, ci despre înțelegerea fundamentală. Trecerea dincolo se face cu regret pământesc, dar și cu bucurie creștină, așa cum putem vedea într-un bocet maramureșean:

> *Draga maichii, după tine,*
> *Îmi pare și rău și bine.*

Comentariile nefirești, superficiale, din ultima vreme, în spațiul cultural românesc, vizavi de așa-zisul defetism al românului, denunță public sechelele genei comuniste, marcată de activism perpetuu, precum și altoiul gândirii noi, secularizate, marcate de utilitarism și eficiență, *cu viața pre viață călcând.* Românul vorbește firesc cu moartea, adică esențialmente creștinește. Patetismul antic al grecilor, disprețul sau indiferența romanilor, frica camuflată a omului modern, el nu le cunoaște, pentru că el, românul, *O cunoaște* demult, a stat gard în gard cu Ea, a vorbit cu Ea, a negociat cu Ea, a responsabilizat-o, a scos-o din sălbăticie și i-a dat sens.

După cum putem vedea în minunatele versuri ale unui cântec popular maramureșean despre moarte:

> *Sâmbătă de dimineață*
> *M-o cătat Moartea prin casă,*
> *M-o cătat și m-o aflat.*
> *Eu de moarte m-am rugat*
> *Să mă mai lase un ceas*
> *Că mai am și eu necaz.*
> *Și mai am vo tri copii*
> *Și-o mie de datorii.*
> *Și dacă le-oi împăca*
> *Vino, moarte, și mă ia.*
> *Că eu lumea mi-am urât,*
> *Mi-e dor numai de Mormânt.*

Cuvântul „jale" este neputincios şi neîntreg ca să comenteze această *lacrimă amară* care este sufletul ţăranului român. Închipuiţi-vă ţara aceasta ca pe obrazul unui copil, pe care curge o lacrimă încontinuu, şi veţi realiza istoria poporului român. Expresia contemporană a acestei stări sufleteşti se regăseşte, perfect conservată în dimensiunea ei, când oamenii de azi te-ntreabă dacă ştii care este ultima întrebare a poporului român. „Care este?", zici tu... Şi ţi se răspunde: „Dacă există viaţă înainte de Moarte". Iată, deci, sensul vieţii şi al morţii, cum trece neîntinat de istorie la acest neam. Necazul este tragedia continuă a acestui popor, este inflaţia de griji, este întunecarea vieţii şi luminarea morţii. Dar moartea este educată să vină doar atunci când omul şi-a făcut datoria faţă de viaţă, când a curăţat-o pe aceasta de necazuri.

La român, Moartea nu este de capul ei, trebuie să respecte regula jocului. Ea nu este un duşman al vieţii, ci, paradoxal, un partener al ei. Nu este dimensiunea cea mai mare, ci stă la coadă, după Necaz şi datorii. Mormântul nu este loc de blestemat, ci de iubit. Este o inversare ontologică fără precedent la alte popoare. În basmul *Tinereţe fără bătrâneţe şi viaţă fără de moarte*, Făt Frumos nu acceptă să se nască decât numai dacă tatăl său îi promite că îi dăruieşte nu bogăţii, împărăţii, ci *sensul nemuririi* – al „tinereţii fără bătrâneţe şi al vieţii fără de moarte"; este o cerere în plan spiritual absolut, ispita celor materiale fiind inexistentă. Citim aici cea mai puternică expresie popular-creştină a unui neam, este strigătul cel mai acut după condiţia pierdută, după puritatea ei primară.

În acest dor al inocenţei de început mai găsim o esenţă sufletească a acestui neam. Făt Frumos îi cere tatălui său, Împăratul, să schimbe *sensul vieţii şi al morţii* – să dea ceasul înapoi, la *condiţia adamică*, să ducă totul înainte de cădere. Este o îndrăzneală creştină, nu o obrăznicie, este cerinţa acută după *calitatea* vieţii, şi nu după *cantitatea* ei, căci esenţa creştinismului stă în *calitatea* fiinţei de fiu al lui Dumnezeu şi nu în *cantitatea* biologică, socială, politică, a individului în societate. În nici un moment Făt Frumos nu face concesii bogăţiei materiale în care s-a născut. El caută *nemurirea*. Fugind după un iepure, la vână-toare, povestea spune că iese din poiana uitării și-ncepe să-și aducă aminte. Atunci se instalează *dorul* față de viață în murirea ei.

Coborârea din Absolut în istorie Constantin Noica o no-tează excelent, drept coborârea din Ființă în Fire. Ajuns cu greu din Eden în locul pământesc al nașterii sale, ceasul biologic se întoarce, în sensul timpului omului căzut, și îmbătrânește în minute câți alții în ani. Aceasta este pedeapsa – condiția perisa-bilă a muritorului. Și acest muritor, ca toți alții, ajunge la locul unde odată era castelul tatălui său și care acum este plin de ru-ine. În jur, o lume nouă, clădiri necunoscute lui – civilizații noi. Printre resturile trecutului, mai găsește urma tronului distrus și sub el, o ladă. Deschizând lada, din ea iese însăși Moartea – îm-bătrânită și ea, dar care mai are puterea să-i tragă o palmă, strigându-i: „Dacă mai zăboveai, nici pe mine nu mă mai gă-seai!". Este pentru prima oară când *Moartea este pusă în pericol să moară.* Tot Constantin Noica subliniază că Moartea îl pedep-sește pe Făt Frumos că a îndrăznit să iasă din Fire în Ființă.

Eminescu îl întreba din când în când pe Slavici: „Ce mai faci cu intrarea întru Ființă?". Obsesia trăirii *în ființă*, și mai pu-țin în fire, o sesizează și Mircea Vulcănescu, atunci când spune că poporul român trăiește esențial în virtualitate și numai în ca-zuri extreme iese în istorie. Acest *fel de a fi* irită mersul istoriei – o boicotează, cum ar spune Blaga, considerând-o, în expresia lui Noica, simplă *meteorologie.* Această atitudine a poporului român în fața lumii – această grădină sufletească – a fost *humusul* exis-tențial în care a crescut, ca o prelungire de lumină, creștinismul.

Expresia lui, implicită atitudinal, o găsim concentrată în jurul versului eminescian: „Nu credeam să-nvăț a muri vreo-dată".

(Lecția fundamentală a creștinismului este să te-nvețe cum să mori.)

Matricea creștină, dezvoltată până în ultima celulă a omu-lui românesc, nu s-a grăbit să semneze în istorie, ci să asigure *dăinuirea.* N-a slăbit în timp, ci s-a-ntărit. Pușcăriile comuniste au fost hârtia de turnesol, care a adus dovada acestei esenţe. Din gena aceasta ne-am refăcut tot timpul. Sincronizările cu Occidentul au fost precipitări de moment, necesare istoric, dar florile sufletului nostru au crescut rebele, în salturi tainice, pe care nici astăzi nu ni le explicăm, la acest neam.

Aici intrăm în punctul al doilea, în care analizăm momentul cel mai acut, în care poporul român şi-a definit sensul vieţii, al morţii şi al suferinţei în planul concret-istoric. Altfel spus: credinţa creştină pusă la lucru. Momentul este: TEROAREA COMUNISTĂ. Numai că, aici, instrumentele de lucru ale analizei, fie ea antropologică, istorică, socială etc., sunt neputincioase. Analiza acestei *crime* în termenii conceptului devine o impietate. Sistemul de referinţă se schimbă şi legea gravitaţiei nu mai funcţionează.

Citându-l pe filosoful francez Michel Henry, putem spune că „adevărul creştinismului nu ţine de ordinul gândirii". Mi-aş permite să-l completez, spunând că ţine de ordinul MĂRTU-RISIRII. *Mărturisirea* nu intră în habitatul intelectual, şi nici măcar în cel sufletesc, al lumii de azi; greutatea comunicării cu fratele nostru chinuit – omul modern – pare insurmontabilă. Frecvenţele sufleteşti şi mentale sunt total diferite. E greu, dacă ne gândim că Occidentul a cunoscut, pe rând, *corectitudinea teologică* şi, astăzi, pe cea *politică*; pe când noi am cunoscut doar INCORECTITUDINEA ISTORIEI şi mângâierea lui Dumnezeu. Căci cele două din urmă merg împreună la acest neam umilit de istorie, dar înălţat de Dumnezeu.

Voi schimba, deci, registrul comunicării, nu din moft stilistic, ci din necesităţi metodologice; şi am să argumentez aceasta nu prin neputinţa mea, ci prin *aparenta neputinţă* a unui sfânt de a vorbi. Căci sfinţii nu vorbesc – *vorba* este a oamenilor, ei *cuvântă*. Deci, să-i dăm cuvântul:

„Mi-ar fi cu *neputinţă* să alcătuiesc stihuri, până când nu simt în inimă ceea ce scriu. Cuvintele stihurilor izbucnesc din inimă, ca nişte scântei dintr-o cremene, dar asta se-ntâmplă numai atunci când cremenea inimii este lovită de amnarul durerii sau al bucuriei, al mustrării pentru păcate sau al recunoştinţei față de milostivul Dumnezeu... Când scriu ceva mai mişcător, simt o durere la inimă, ca şi cum stihurile ar fi nişte fărâmituri, desprinse din însăşi inima mea zdrobită, de aceea şi cuvintele curg însoţite de lacrimi uneori. Dar rucodelia* mea nu se-ntrea- bă aici, pe piaţă... Acum, lumea, săraca, este tare grăbită".

Aşa a cuvântat unul dintre cei mai noi sfinţi români şi ai întregii lumi creştine: Sfântul Ioan Iacob Românul, din Hozeva. Cât de mult seamănă această durere a inimii, când stihul por- neşte din suflet, cu ceea ce a răspuns Mihai Eminescu când a fost lăudat de Majestatea Sa, Regina Elisabeta (poeta Carmen Sylva), pentru versurile sale: „Majestate, versurile se desprind de noi ca frunzele moarte de copaci".

Această jertfă a viului, acest suspin adânc al inimii sunt tonul limbii care poate vorbi profund despre destinul neamului nostru. Aici orice analiză se opreşte, ideile se frâng neputin- cioase. Cred că perioada comunistă se poate compara cu un co- pac ce-şi pierde frunzele, rămânând uscat. Fiecare frunză este o jertfă a copacului, ucis în ceea ce are el mai bun. Toată intelec- tualitatea, tot tineretul ţării ucis în închisori, mutilat sufleteşte în numele unei *Idei* izbăvitoare, toţi ţăranii gospodari, toată aris- tocraţia – anulate, în numele unei dreptăţi sociale virtuale.

România de azi este copacul uscat, care şi-a pierdut frunzele. Aceste frunze, în căderea lor la pământ, au şoptit în taină sau au strigat, neauzite, sensul vieţii, al morţii şi al suferinţei la care au fost supuse. Recenta cruzime a omului asupra omului, în România şi în tot ghetoul estic, se face din ce în ce *mai neauzită,* este din ce în ce mai eludată din preocupările omului occidental; şi, ce ciudat, când te gândeşti că totul a început la ei! Joubert spunea, la 26 iunie 1806: „Lecţii violente de umanitate au fost urmate de cruzimi îngrozitoare. Mila s-a transformat în furie. I-am ciopârţit pe Ludovic al XVI-lea, pe sora lui, tot ce Franţa avea mai virtuos"; textul acesta poate fi luat şi aplicat în orice ţară în care comunismul s-a declanşat. El

---

* lucrul de mână făcut de monahi

a ucis tot ce a avut Franța mai virtuos, tot ce au avut România, Polonia, Rusia, Bulgaria etc. mai virtuos. Copaci desfrunziți de o istorie aberantă. Și totuși, astăzi, Răsăritul și Apusul se află în contrasens.

Sensul vieții noastre este în contrasens cu sensul vieții lor, nu ne mai întâlnim nici în viață, nici în moarte, nici în suferință.

Creștinismul era cel care ne unea, care ne făcea frați, era unicul sens al lumii. Acest sens, pe care Hristos l-a adus pe pământ, a fost distrus, compromis și, mai ales, dublat de omul auto-mântuitor. Nu dragostea față de Dumnezeu și aproapele tău – ci contractul, doctrina, ideologia; nu mântuirea, ci vindecarea paleativă. Vindecarea aceasta de moment se face prin *idei*, iar ideile au ceva pervers în vindecare, precum medicamentele pentru corp. Părintele fiziologiei, Claude Bernard, observa: „Acțiunea și efectele dezordonate ale substanțelor medicamentoase sunt asemănătoare acțiunii și efectelor cauzelor îmbolnăvirii". Căci pe post de panaceu s-a prezentat și comunismul, a garantat vindecarea în plan istoric de nedreptatea socială.

Ce efect a avut acest medicament s-a văzut și se vede: ce dezordine și ce suferință a provocat în corpul biologic, ce schimbare și răsucire a sufletului a cauzat, ce mutilare a ființei. Și totul pentru o Idee. Această *Idee* a coborât în umanitate cu trâmbiță izbăvitoare, iar prețul ei era schimbarea de sens. De atunci, umanitatea a mers invers în istorie, în viață, în suflet. Acest mers invers al ateismului se altoiește din mers cu acel mers invers al lumii secularizate. O nouă idee s-a născut din resturile încă fumegânde ale altei idei. Un alt virus, mai puternic decât celălalt, promite mântuirea. Și, în timp ce sensul lumii era mutilat, în timp ce oamenii se minunau de promisiunile noii mântuiri, în timp ce milioane de cărți erau date omenirii cu noua Biblie, undeva, în Răsărit, un preot de țară spunea: „Ideile nu sunt bune, că n-au mamă!".

Omul format de iadul comunist și cel trecut prin pustia secularizării: cei doi mutilați, în sfârșit, s-au întâlnit și aleargă prin lumea modernă, sfărâmată în milioane de sensuri. „Acum, lumea, săraca de ea, e tare grăbită", spune Sfântul Ioan Românul. „Rucodelia mea nu se-ntreabă aici, pe piață". Piața lumii noi, cu sensurile ei! Mileniul al treilea, cu inflația de sensuri ale omului modern și cu marginalizarea sensului lui Dumnezeu! Corabia creștină stă singură pe talazurile înspumate ale unei omeniri furibunde, fără Dumnezeu. O lume care nici măcar nu se sinchisește de *sensul pierdut*, ci este în căutare perpetuă de noi sensuri, își produce, își fabrică la scară industrială sensuri.

A vorbi acestei lumi despre sensul vieții, al morții și al suferinței în înțeles creștin pare o imensă inutilitate, ce frizează absurdul. Și totuși, spune Apostolul Pavel: „Nădăjduiți! Dar ce nădejde este aceea care se vede?" Și tocmai de aceea, pentru că la orizont nu se vede nimic, trebuie să ne rostim și să ne trăim până la capăt sensurile date de Dumnezeu.

Când, pe malul Senei, se-ntemeia cu grație filosofică legitimarea intelectuală a noii religii, *comunismul*, când inteligența lumii era fascinată de noul Dumnezeu, undeva, într-o celulă, în Răsăritul îndepărtat, într-o țară devenită toată pușcărie, se mărturisea sensul adevărat al vieții, al morții și al suferinței.

Un tânăr bolnav, distrus fizic prin tortura aplicată de noua Idee, se pregătea să moară. Se pregătea, dând sens morții sale, suferinței sale și vieții sale...

„Mâine mă duc", spune acesta colegilor de suferință. (N-a spus: mâine mor!) „Unde te duci, mă banditule, că eu sunt hristosul tău acum!", se aude glasul plutonierului. (Era glasul istoriei triumfătoare, care arestase penibil Veșnicia.) „Mă duc, domnule plutonier, acolo unde o să veniți și dumneavoastră", răspunde cu seninătate tânărul muribund; și astfel, veșnicia lui Dumnezeu întoarce discret spatele istoriei făcute de om. Acest schimb de replici, simple în aparență, arată *răscrucea* umanității de azi.

„Istoria a murit", spune filosoful american Fukuyama. Nu, istoria n-a murit, a devenit din ce în ce mai violentă, mai rapidă, mai arogantă, mai necruțătoare și mai perversă.

Dar despre toate acestea nu poți vorbi cu mintea, ci cu inima; și inima sfântului român zice: „Când scriu..., simt o durere la inimă, ca şi cum stihurile ar fi nişte fărâmituri desprinse din însăşi inima mea zdrobită". Mii, zeci de mii, sute de mii, milioane de inimi, zdrobite de o Idee.

Murmurul de rugă al Sfântului din pustia Hozeva şi murmurul de rugă al puşcăriaşilor din închisorilor comuniste se unesc dincolo de „teroarea istoriei" şi refac din lacrimi chipul neîntinat al lui Dumnezeu. Căci, ca să vezi sensul vieţii, al morţii şi al suferinţei din ghetoul comunist, nu ochiul raţiunii poate, ci ochiul plin de lacrimi, care te va duce mai *presus de fire* şi-ţi va arăta drumul înapoi spre casă.

Plutonierul comunist a devenit, între timp, om modern; nemurirea lui era atunci asigurată ideologic de Partid, astăzi este asigurată medical, prin criogenie. Sensul vieţii lui era *cincinalul*, astăzi – clipa.

Suferinţa, în comunism, aparţinea celor închişi, iar sensul ei creştin, dispreţuit şi considerat o ratare. Ca să scapi de suferinţă, arma lor de şantaj, ţi se propunea colaboraţionismul, compromisul fiinţei, iar în lagărele dure, hulirea lui Dumnezeu şi a credinţei – exerciţiul fusese deja făcut în timpul revoluţiei franceze, când creştinii au fost internaţi de către revoluţionari într-un spital de nebuni.

„Despre internaţii la ospiciul Bicêtre, în timpul revoluţiei; misticii erau printre cei mai periculoşi. Maniacii religioşi fuseseră aduşi la disperare şi cufundaţi într-o adâncă nefericire, din cauza unei tâmpenii revoluţionare: interzicerea crucilor şi a tuturor obiectelor şi imaginilor de cult şi înlocuirea lor prin cocarde tricolore. Au avut loc sinucideri" (M. Laignel-Lavastine şi Jean Vinchon, *Les Malades de l'esprit et leurs médecins du XVI-e au XIX-e siècle*).

Mai târziu, la Piteşti, lucrurile evoluează: erau puşi să scuipe pe icoane. Astăzi este mai *soft*: se cere scoaterea icoanelor din şcoli şi, în timp ce scriu, societatea civilă revoluţionară română, modernă, adună semnături pentru scoaterea religiei din şcoli. Şi iată evoluţia lui Darwin, dar nu de la o specie la alta, ci în cadrul speciei: „Sfântul a devenit mai sfânt şi miliţianul mai miliţian". Numai că sfinţii noştri din puşcării n-au fost canonizați, în timp ce milițianul a devenit om modern, și-a lepădat în grabă conștiința sovietică pentru cea europeană.

Suferința lui, a omului modern, este înconjurată de analgezice; a creștinului era poartă către Dumnezeu. Una cu sens paralizat în biologie, cealaltă, ca scară către Ziditor.

Sensul vieții creștinului pușcăriaș era *învierea*, sensul vieții „omului modern" este longevitatea, prelungită până la absurd. Aceste sensuri ale creștinismului și ale omului mileniului al treilea nu se vor întâlni niciodată. Căci omul învăluit de *dragostea* lui Hristos a fost înlocuit de omul mumificat de *drepturi*. Unii vor să se mântuiască de lume, dar creștinul îl roagă pe Dumnezeu să mântuiască lumea. Creștinii se-nchină la crucea lui Iisus, ceilalți, la crucea tâlharului din stânga. Iar această umanitate parcată pe stânga este cauza sensului pierdut de astăzi. Darwin l-a smuls pe om din brațele lui Dumnezeu și l-a pus în brațele maimuței. Comunismul l-a smuls din brațele maimuței și l-a pus în brațele Partidului, adică al unei abstracțiuni. Globalizarea n-a făcut decât să-l împingă de aici în Neant.

Dar, despre acestea, eu nu pot vorbi în limba fără de inimă a lumii moderne, „căci cuvintele stihurilor izbucnesc din inimă ca niște scântei dintr-o cremene, dar asta se-ntâmplă numai atunci când cremenea inimii este lovită de amnarul durerii".

Zodia supraviețuirii*

Robert Turcescu: M-am gândit să începem altfel emisiunea din această seară. Să scriem o scrisoare. Facem o scrisoare către Moş Crăciun. De acord? Bun. Şi scriem: „Dragă moşule", desigur, prima dată sunteți de acord să-i spunem să ne aducă sănătate...

Dan Puric: Putem pune înainte: credință.

R. T.: Înainte: credință?

D. P.: Da.

R. T.: Dacă avem credință, avem şi sănătate?

D. P.: Vin toate. Degeaba avem sănătate, dacă nu avem credință.

R. T.: Cum obținem credința, ne-o aduce Moş Crăciun sau o descoperim noi?

D. P.: Mi-a spus un monah: „Trebuie să ne rugăm împreună, fiule"; şi zic: „Cum, părinte, împreună?". Păi, da, zice: „Credința e ca o pasăre cu două aripi; eu sunt o aripă, tu eşti o aripă. Ne rugăm şi zboară". Deci, ne rugăm noi şi vine şi bunul Dumnezeu.

---

* Convorbire realizată de Robert Turcescu, transmisă în emisiunea: *100%*, la „Realitatea TV", în 26 decembrie 2007, ora 20.

R. T.: Domnule Puric, dar noi suntem capabili să facem lucruri împreună? Sună foarte frumos, cuvântul ăsta, este superb, împreună...

D. P.: E foarte bună întrebarea. Pe drum, m-am întrebat: cât de mult suntem noi împreună? Şi am observat un paradox, de exemplu acesta al aderării: *cu cât ne apropiem, cu atât ne despărţim.* Ne despărţim lent, uşor. Ne apropiem vieţile într-o comunitate economică şi ne despărţim sufletele. Foarte ciudat! Ne despărţim aproape iremediabil. Lumea de care ne despărţim este foarte atentă la dimensiunea măsurabilă a vieţii, dar este neatentă la ceea ce nu se poate măsura şi care se numeşte suflet.

Suntem pe cale să facem o căsnicie nefericită pe termen lung, deoarece nu avem o limbă comună. Limba în care noi trebuie să-i scriem lui Moş Crăciun este limba creştină.

Aţi observat că nu ne mai înţelegem în română? Ne trebuie dicţionar român-român. Adică, dacă noi am sta acum de vorbă în limba comunistă, eu aş spune aşa: tovarăşul Robert Turcescu; şi dumneavoastră aţi spune: tovarăşul Dan Puric; şi atunci, o tensiune şi o frică s-ar instala între noi. Dacă vorbim în limba secularizată, eu aş spune: cetăţene; şi la fel dumneavoastră; şi atunci, este o distanţă între noi. Dar, dacă vorbim în limba creştină, vă spun: frate; şi atunci se întâmplă o apropiere, suntem dimpreună.

E un paradox al limbii. Limba română a început să se rupă în două, să devină o *română europeană.* Înainte, era o *română comunistă,* acum este o *română europeană.* Ei, româna creştină are un duh. Spunea Părintele Stăniloae un lucru extraordinar, în *Universalitate şi etnicitate în Biserica română:* în Turnul Babel, căci iată noi construim acum un turn Babel, toţi s-au despărţit, deoarece vorbeau în limbi diferite şi nu se înţelegeau. La Cincizecime toţi vorbeau în limbi diferite, dar a coborât Duhul asupra lor şi i-a unit. De unde rezultă că Biserica este inversul Turnului Babel. Şi atunci, nouă ne lipseşte, să zicem, în această construcţie europeană, Duhul care să ne unească. Iată că Duhul nu striveşte identitatea neamului şi a limbilor.

R. T.: Da, dar ştiţi că, la Bruxelles, la Strasbourg, în locurile unde, practic, apare birocraţia Uniunii Europene, nu cred că-şi pune nimeni problema în felul acesta.

D. P.: Da, dar problema nu este să şi-o pună ei, ci să o punem noi.

R. T.: Şi avem vreo forţă să o şi impunem?

D. P.: Noi trebuie să îndrăznim. Politicienii noştri au tupeu faţă de noi, căci faţă de cei de dincolo nu îndrăznesc. Hristos a spus: „Îndrăzniţi!". N-a zis: „Aveţi tupeu!".

R. T.: E diferenţă mare.

D. P.: E o diferenţă mare. Chiar înainte de emisiune am fost la Liceul „Gheorghe Lazăr", unde ştiu că aţi fost şi dumneavoastră. A fost un moment extraordinar, când am întrebat: „Voi ştiţi cine a fost Gheorghe Lazăr?" Gheorghe Lazăr a fost un tânăr la 37 de ani, care *a îndrăznit*. Unde a îndrăznit Gheorghe Lazăr? (Pentru că noi vorbim de trecut aşa, într-o formă muzeală, nu într-o paradigmă care, să zicem, ne caracterizează!) Acest ardelean de 37 de ani a îndrăznit într-un context în care limba română, vorba lui Asachi, era considerată limbă cu care se vorbea numai la stână. Şi el a îndrăznit în faţa lui Caragea, domnitorul grec, să zică aşa: „Voi face învăţământ superior în limba română".

Probleme mari de tot îi stăteau în cale, pentru că nu l-a crezut nimeni, mai ales că la vremea respectivă elina era pentru ştiinţe, franceza era pentru geometrie, italiana, pentru spaţiul juridic, iar româna era pe dinafară. Ce îndrăzneală extra-ordinară! A îndrăznit şi, pe la 1815, pentru prima oară (pe mine m-a cutremurat!), s-a auzit pe o scenă limba românească.

Acum trebuie să se îndrăznească! Să se audă glasul României, cum se aude glasul Poloniei, glasul Ungariei. Aia au glas! Ai noştri nu ştiu să tragă nici măcar o vocaliză.

R. T.: Noi suntem umili în momentul de față, ne ducem cu căciula plecată, cu mijlocul frânt...

D. P.: Umil este un cuvânt frumos, umilința te apropie de smerenie. Nu umili. Slugi! Adică, în habitatul politic românesc, sunt două dimensiuni: dimensiunea de vasal vizavi de celălalt mai puternic și dimensiunea de brută vizavi de propriul popor. Deci, nu cuvântul umilință; umilința te face să trăiești pe celălalt, să ai acces la grijile lui. Este cu totul și cu totul altceva această îndrăznire. În schimb, tupeu au. Tupeu au să defrișeze, tupeu au să fure, tupeu au să se legitimeze, tupeu au să ridice mâna în Parlament, să-și mărească salariul, tupeu au să aibă mașini pe contul nostru. Când am fost în Oslo, am văzut că nici un parlamentar nu avea mașină din bugetul statului. Aveau mașini personale. Numai primul ministru avea mașină luată din bani publici, în rest, nu. Au tupeu să lase mizerie în București...

Din zece tineri nouă fug în străinătate. Au tupeu! Dar îndrazneala de-a glăsui în numele poporului nu o au.

Care e proiectul clasei politice la noi? A proiecta este un lucru de civilizație politică. Ei sunt necivilizați politic. Nu nominalizez. S-ar putea ca, în clasa politică, să fie oameni care gândesc ca mine acum, dar ei sunt minoritari, m-ați înțeles ce vreau să spun... Nu vreau să acuz în masă. Sunt, dar sunt puțini.

Știți ce înseamnă un proiect? A proiecta este o dimensiune chiar dumnezeiască. Drepturile omului s-au născut din proiect. Filosoful englez Edmund Burke spune cam așa ceva, comentând drepturile omului: de unde, domnule, „ne naștem liberi și egali și rămânem liberi și egali în drepturi?" „Ne naștem și rămânem liberi, zice el, este o aberație!" De ce? Pentru că, de când ne naștem, cât trăim, și până când murim, noi intrăm în structuri mai mult sau mai puțin coercitive, care ne obligă: în familie, coduri morale, norme sociale sau corpuri politice.

De unde abstracțiunea asta? Și atunci, constatăm, într-o *paradigmă a inegalității*, într-o *realitate a inegalității*, că omul a îndrăznit să proiecteze un *ideal al egalității*. Toată Europa de astăzi merge pe această *paradigmă a egalității*. La un moment dat, Burke se şi revoltă. Utilitarist, ca orice englez, zice: dacă sunt drepturi ale omului, atunci să fie şi drepturi ale englezului! Îmi permit să completez, în acest sens pragmatic: vreau să văd şi eu *drepturile românului!*

Noi de ce nu putem propune proiectul României pentru Comunitatea Europeană? Proiectul acestei ţări! Nu vedeţi că politicienii români dau tot timpul extemporal? Scriu tot timpul, mai copiază, mai suflă unul, dar sunt tot timpul la lecţie şi cu lecţia neînvăţată.

R. T.: E superbă imaginea asta cu politicianul român care dă extemporal.

D. P.: Da, dă extemporal pentru că el nu are un proiect, el nu are o părere.

R. T.: Aici apare un paradox, nu cred că există om în ţara asta care să nu aibă un proiect pe termen scurt sau chiar pe termen lung. De la cele care sunt cât se poate de pragmatice, până la cele legate de viaţa lui. În spaţiul personal, ca să zicem aşa, proiectul există. De ce nu există proiectul în momentul în care oamenii ies dincolo de spaţiul personal?

D. P.: Pentru că există o mare inhibiţie şi proiectele noastre, de regulă, sunt *proiecte de supravieţuitor*. Proiectele noastre sunt: cum să mă strecor, cum să am un frigider plin, cum să am o maşină. Din *zodia supravieţuirii* noi nu ieşim. Noi nu avem proiecte, să zicem, de luptător sau de mărturisitor, pentru că nu mai riscă nimeni. Naţiunea asta a fost vlăguită şi este inhibată de doi factori, la ora actuală: de inerţia premeditată a clasei politice, care întreţine această stare, care să te inhibe în proiect, şi de bombardamentul care vine din afară.

Există o *verticală creştină*, ierarhică, în care valorile sunt puse pe verticală. Comuniştii n-au făcut altceva decât să întoarcă această verticală cu capul în jos şi să pună nonvalorile în fruntea țării și valorile în pușcărie. Ceea ce trăim noi acum este așezarea pe orizontală, este coabitarea nonvaloare – valoare.

Această omogenizare, care vine de dincolo, în virtutea așa-zisei *corectitudini politice,* este un tăvălug imens, este peste ceea ce a făcut Academia „Ștefan Gheorghiu". Deci, în chestiunea politică, noi știam cum s-au inversat lucrurile. Acum nu mai știm. A fost, de pildă, emisiunea aceea schizofrenică de la televiziunea română: „Cel mai român dintre români", în care, pe burtieră, lângă Mihai Eminescu, apărea Guță. N-am nimic cu Guță. El este, într-un paralelism valoric, în partea cealaltă, n-are ce căuta în cultură. Brâncuși, Vasile... M-ați înțeles? Acest amestec, această ciorbă, este o *nouă ignoranță* în care noi suntem plasați, fără să avem repere.

R. T.: Poate este o etapă obligatorie, poate este de neevitat până la momentul în care acea axă, despre care povesteați, se duce din nou pe dimensiunea ei firească, cu valoarea pusă la locul ei.

D. P.: Domnule Turcescu, de ce să vă tulbur, vorba unui monah, de două ori? De ce să spun eu că, în cadrul echivalenței, mama dumneavoastră și tatăl dumneavoastră au dimensiuni suspecte din punct de vedere moral? Eu, ca un creștin și ca om cu bună cuviință, nu pot să-mi imaginez așa ceva.

Deci, cu ce drept vii tu în *intimitatea unui popor* și începi să-i reevaluezi valorile? Și, pe acoperirea aceasta, *tu deconstruiești, discuți democratic...* Cum să discuți democratic cu o valoare? Raportul dintre mine și tatăl meu niciodată nu o să fie democratic. Asta nu înseamnă fetișizare. Asta înseamnă să lași să meargă, din punct de vedere al tradiției și al normalității, lucrurile așa cum sunt. Avem alte treburi de făcut! Noi trebuie să construim nu să deconstruim! Noi trebuie să construim pe valorile pe care le avem; și așa suntem săraci în ele. Dacă și pe astea le distrug, de ce mă mai agăț atunci? Deci, acest nou *ocean al ignoranței,* această corectitudine, să zicem așa, politică, ce vine de dincolo, aliată cu ignoranța și cu *domnia mitocanului* de la noi, e dezastruoasă.

Gândiți-vă la aportul intelectualității românești de astăzi, care a defrișat orice valoare românească din ultima perioadă. Și asta, în numele spiritului critic, al interpretării critice și al *deconstruirii*. Au demolat nu idoli, ci valori! Au creat confuzii. Mai vine și securitatea cu *dezinformarea* și cu *distorsionarea memoriei* și, la sfârșit, felul trei: mitocanul, care vine cu *bășcălia* și cu *blasfemia*. Și s-a făcut tortul sau ghiveciul național! Unde să crească, prin tortul ăsta, un tânăr? El zice: „Trebuie să mă agăț de ceva". Și atunci, noi trebuie să identificăm foarte bine ce este valoare și ce este non-valoare.

Vedeți, capacitatea de a proiecta, acest imaginar, este dată de Dumnezeu. Noi trebuie să învățăm să gândim limba română să îndrăznească. Limba română, la ora actuală, este instrumentalizată în a se văicări, în a se plânge. Nu în a îndrăzni în drepturi.

Gândiți-vă că cel mai ortodox și cel mai fulminant vers din literatura română: „Nu credeam să-nvăț a muri vreodată", al lui Mihai Eminescu, a fost transformat, pe parcursul istoriei, în: „nu credeam să devin șmecher vreodată", „nu credeam să fur vreodată", „nu credeam să învăț a mă strecura ca o libarcă printre ăștia".

„Nu credeam să-nvăț a muri vreodată!" este jertfelnic. Acolo este tonusul neamului românesc și acolo trebuie să ne întoarcem noi. Restul – de asta zic că este nevoie de dicționarul român-român – este, cum s-ar spune, „imaginea României în lume". Nu e nici o imagine. Este icoana neamului în fața lui Dumnezeu. Și dacă la această icoană tu te închini, restul vine.

R. T.: Dar, vă întreb din nou, v-am mai întrebat și în emisiunile precedente: bun, sună foarte frumos, sună foarte bine, sună ca un proiect de împlinit, pe care ar trebui să ni-l punem în program, dar cum ajungem acolo, ce pași sunt necesari?

D. P.: În primul rând, *să mărturisim situația în care suntem.* Să o diagnosticăm foarte clar şi să vedem starea de fățărnicie în care suntem. La noi s-a creat o zonă de artificiu. *Se mimează democrația.* În numele ei se fac tot felul de porcării, se mimează toleranțe, acceptăm nemestecate lucruri care vin dintr-o societate străină. În primul rând, aşadar, să identificăm; şi, al doilea, să ne mărturisim identitatea.

Ştiți că, în fizica atomică, în ultima perioadă, s-a reluat ideea de număr imaginar. Cu numărul real faci aşa: unul cu doi fac trei. Clar. Dacă stăm numai în spațiul realității, suntem pierduți. Realitatea este meschină. Eu trebuie să fiu lucid şi să acced la ideea de virtualitate.

Mircea Vulcănescu a vorbit de virtualitatea neamului românesc. (Şi el trăieşte tot în virtualitatea neamului românesc, că are o cruce de lemn amărâtă pe Valea Robilor, acolo, la Aiud, într-un anonimat fantastic. Această minte uriaşă, care, dacă ar fi fost în Germania, ar fi avut un monument şi un memorial.) Mircea Vulcănescu a vorbit deci de această virtualitate, de acest proiect.

În fizica atomică se vorbeşte de *numărul imaginar.* Adică, apare un *i* acolo. Eu îmi imaginez că raportul dintre numărul imaginar şi numărul real îmi creează numărul complex; adică o realitate nouă, datorită faptului că am îndrăznit.

Şi am să vă spun, apropo de păreri, că, la 1572, Rafael Bombelli, un matematician dintre cei care au descoperit „numărul imaginar", nu i-a văzut vocația constructivă; a spus despre acest număr imaginar că este doar un gând sălbatic. Nu acelaşi lucru a crezut Leibniz, care a zis: „În numărul imaginar se refugiază Sfântul Duh". Iată, acum se lucrează cu probabilități, cu posibile.

Gândiți-vă la visul lui Take Ionescu, ministrul de Externe. Avea 9 ani şi se gândea la „România anului 3000". *Întrebați-i pe ăştia care ne conduc azi: la ce visează acum?* Visul lor este ca, până astăzi la ora 6, să mai fure ceva. Noi trebuie să redăm capacitatea de a proiecta în imaginar o Românie extraordinară, pentru acești tineri care vin din spate. Președinta Indiei a spus: „Avem aur, suntem bogați!". „Care este aurul?", a fost întrebată. „Tineretul nostru!".

Tineretul nostru este aur. Noi îl distrugem. El trebuie să înțeleagă că are datoria să proiecteze. România trebuie proiectată în viitor în conceptul european. Să vedeți ce construcții uriașe pot să iasă din mentalul unui tânăr de 16 ani, de 18 ani, ca să-i educe pe birocrații de la Bruxelles, sau chiar din tineretul de la Bruxelles, din tineretul occidental, când se vor întâlni într-adevăr duh în duh. Deși vor vorbi alte limbi, duhul creștin îi va uni. Să vedeți ce construcție extraordinară!...Până atunci, Comunitatea Europeană n-are cum să fie o comunitate, este doar *un agregat de interese politice și economice*. Comunitatea înseamnă: dimpreună. Mare atenție: dimpreună!

De asta am spus că ne unim viețile pe un statut economic și ne despărțim sufletele. Gingășia sufletească a unei națiuni nu poate fi lipită cu pelicanol și cu scotch între interese, că ea se rupe. Noi trebuie să fim foarte atenți în acest proiect. Napoleon zicea la un moment dat ceva extraordinar: „Imaginația va conduce lumea". Imaginația, faptul că noi ne proiectăm. Nu e vorba de utopie, nu este vorba de drog, nu este vorba de alcool, nu este vorba de refugiu, ci este capacitatea de a proiecta, care este divină. Ceea ce spuneam că înseamnă numărul imaginar astăzi în fizica atomică, iar la Leibniz era locul unde „se refugia Sfântul Duh", se găsea demult în creștinism. Este ceea ce Dionisie Areopagitul numea *predefiniri*: o preformulare a gândului divin. Și adaugă un lucru extraordinar: „Dumnezeu iubește lucrul acesta și-l coboară spre tine. Tu gândește spre Dumnezeu". Haideți să gândim o Românie cu fața spre Dumnezeu și o să vedeți că Dumnezeu coboară și te ajută. Ce frumos zice: *predefinire!*

Nimic din realitatea românească de azi nu ne face să ne imaginăm. Nimic. Ea ne ține într-o pușcărie fantastică. Eu îmi imaginez România cu date reale și lucide. Va fi o țară foarte puternică!

R. T.: Când?

D. P.: Nu pot să stabilesc lucrul acesta, dar noi suntem într-un plin proces. Chiar și noi, acum, în timp ce discutăm, frământăm altfel mentalul românesc.

Știți că limba română, aia „de stână", pe care Gheorghe Lazăr a băgat-o în învățământ, frământată de oamenii de cultură, mai ales de Eminescu, și liturghisită în biserică, într-o sută de ani s-a transfigurat, a devenit fabuloasă, a îmbogățit până și taina ortodoxiei. E atât de bogată, e fantastică! Deci, ce facem noi acum? Frământăm mentalul românesc; frământăm posibilitățile. Realul îl vedem, l-am identificat, nu mai stăm mult pe el. În această limbă noi trebuie să învățăm să articulăm, să sculăm limba română în picioare, să articuleze drepturi și, mai ales, cum să spun, să fie racordată către această taină, de care am vorbit.

Vedeți, în fizica atomică, unde se lucrează la proiecte uriașe, în America, în Anglia, peste tot, ei pun acest imaginar, acest nemăsurabil. Care este nemăsurabilul poporului român?

Când s-a descoperit numărul imaginar, toți au zis: e mistic. Î. P. S. Nicolae Mladin, unul din eminenții ortodoxiei românești, vorbește de misticism așa: „Mistica nu-i cădere în întuneric, e cădere în lumină". Când ești mistic, ești luminat de Dumnezeu și intri, cum ar zice Dionisie Areopagitul, *cu ochi deasupra firii.*

Ce vedem noi în realitatea concretă? Zilnic, în metrou, văd oameni necăjiți; în piață, văd ceea ce se întâmplă; văd o clasă politică deprimantă, într-o improvizație continuă, și lucruri, cum să zic, care te descurajează, te deznădăjduiesc. Ce înseamnă a proiecta și a vedea, în condițiile astea?

Trăirea mistică este să vezi *prin* și *peste;* priviți *prin* și *peste* și o să vedeți potențialitățile uriașe ale acestui neam!

Dacă apele s-ar aduna într-un mental? Noi știți ce avem? Avem vârfuri, avem flori care cresc înalte, dar n-avem grădină și n-avem grădinar. La noi au omorât grădinarul, au tăiat apa și-au furat furtunul...

R. T.: Aş vrea uneori să trecem mai repede de etapa asta, absolut nenorocită, în care oamenii spun aşa: nu intru în politică pentru că politica e murdară, n-am timp să mă ocup de ceea ce înseamnă societate civilă, n-am timp să ies, probabil, din egoismul de care pomeneam mai devreme şi să devin un individ ceva mai altruist, să întind o mână celui din jurul meu, să construiesc un proiect şi pentru ceilalţi, nu numai pentru mine. Dar cred că lucrurile acestea nu se pot mişca foarte repede, cred că e nevoie de generaţii care să înlocuiască actualele generaţii.

D. P.: Trebuie un înaintemergător! Unul care să spargă această ceaţă năclăită.

R. T.: Vă gândiţi la un individ sau vorbim de o mişcare, de un curent?

D. P.: Pot să fie mai mulţi oameni şi o mişcare se poate coagula imprevizibil. Dar poate să fie unul singur, care să dea un suflu de trezire. Important este să fim în timpi diferiţi. Timpul istoriei este unul şi timpul lui Dumnezeu este altul. Gândiţi-vă că, într-un timp confiscat de istorie, cum a fost perioada comunistă, au câştigat cei care nu s-au racordat la acest timp istoric, care au crezut în continuare. Au crezut şi iată că poporul român cade pe un fond creştin extraordinar, nu cade într-o derută. Poate să fie derutat, după comunism, de lucrurile de suprafaţă, dar nu în credinţa lui profundă.

De ce omul contemporan nu poate să facă lucrul acesta? Pentru că trăieşte în *imperiul necesităţii* şi din imperiul necesităţii a trecut în cel *al lăcomiei.* Nu vedeţi că avem comportament de termite? Îmi cer scuze faţă de termite, pentru că, totuşi (în calitate de puric îmi cer scuze!), ele sunt foarte bine organizate şi chiar dau un exemplu bun. Deci: subtermite, ceva pe care nu pot s-o definesc, oameni de Mall. Vin sărbătorile şi primul lucru pe care îl văd cred că e un stomac foarte mare, pe care îl supraîncarcă...

Asta nu înseamnă să nu faci o sărbătoare! Asta nu înseamnă să nu pui ceva pe masă! Dar faptul că ne lăsăm contaminați de o societate a lăcomiei nu este bine. Sigur, se poate spune că viața este oricum scurtă; că este așa cum este… Sigur că și sărbătoarea este bine vămuită în credința noastră: nu stă nimeni într-o permanentă asceză; sunt vămuite, atât asceza, cât și sărbătoarea. Important e: pe ce pui dumneata accentul? Pe lângă sărbătoare, mai există și chestiunea aceasta a reculegerii. De ce să fim într-un jogging alimentar de dimineața până seara? De unde fuga asta, atletismul ăsta consumerist?

Pierre Bourdieu vorbește despre omul modern, caracterizat de: *fast foods*, *fast thinkers*, *fast lovers*. Viteza noastră, a celor din Răsărit, este cu totul diferită. Ne facem timp de Dumnezeu, ori îl alungăm din timpul nostru?

R. T.: Cum faceți dumneavoastră lucrul ăsta, pentru că lumea în care trăim e una, așa cum spunea personajul de care pomeneați mai devreme, în care „mâncăm repede, iubim repede, gândim repede", totul facem repede? Cum să scapi de viteza asta, când cei din jurul tău se mișcă cu o asemenea viteză, iar, dacă tu încerci să pui puțin pedala pe frână, poți fi considerat un *outsider*, un individ din afara sistemului, un paria; te pun la colț, nu muncești la fel ca ei, nu gândești la fel de repede ca ei, nu te miști la fel de repede ca ei?

D. P.: Ați sesizat foarte bine: asta este crima opiniei publice. Pentru că opinia publică se crede întotdeauna a fi în drepturi. De fapt, nu e opinie, pentru că opinia este un lucru foarte serios, e părere. Părerea lui nea Fane multiplicat. Dacă nea Fane urlă de dimineață până seara, eu trebuie să mă încolonez cu nea Fane, cu Mitică? Vreau să scriu un articol: *Misticism nu miticism*. De ce să alerg cu haita, cu turma? Lucrurile sunt de igienă. Dacă ați observat, oamenii de o anumită factură sunt ușor izolați. Și e bine că sunt izolați. Sunt mai altfel…

Vedeți, viteza asta e năucitoare. Mi-a spus un scriitor german, după ce a văzut spectacolul cu *Toujours l'amour*, un lucru remarcabil. Am întrebat: „Ce părere aveți?". „Nu pot să-ți spun dintr-o dată". „De ce?" „Mă simt ca indienii ăia, pe care i-au dus cowboy-ii americani cu trenul. Au luat niște șefi de trib, i-au dat jos de pe cai și i-au dus cu trenul cu o viteză 50 km la oră. I-au dat jos și le-au zis: haideți acum pe cai din nou. Și indienii, neîncrezători, au zis: nu, nu! De ce? Așteptăm să ne vină sufletul".

Eu merg pe cal.

R. T.: Superb.

D. P.: Da. Eu merg pe jos. De ce mă gonești? Așa că, într-o zi, se spune: stop; se scurtează experimentul ăsta. De-asta trebuie să fii cu fața către Dumnezeu. Este foarte simplu.

La Viena mi-a zis un domn austriac un lucru extraordinar, care m-a emoționat. „Cum ai făcut spectacolul acesta? Este nemaipomenit! M-ai înnebunit! Eu am văzut peste tot în lume tot felul de mimi, dar aici este ceva aparte". Și eu i-am zis: „ Domnul meu, terorizat de cenzura comunistă, am creat un limbaj". „Știu, mi-a zis el, ca să nu fii prins de securitate și să spui și adevărul". „Deci, te-a terorizat ideologia, mi-a zis austriacul, te-a terorizat cuvântul". Zic: „Exact!" „Ei, mi-a spus austriacul, pe noi aici ne terorizează *tăcerea...*" Am încremenit!

Căci, în clipa în care te-a terorizat tăcerea înseamnă că l-ai dat afară pe Dumnezeu. Numai în tăcere te întâlnești cu Dumnezeu. L-au alungat pe Dumnezeu.

R. T.: E un bâlci înfiorător...

D. P.: Da, dar e un lucru necreștin, pentru că intimitatea mea este sfântă. Nu vedeți că este o modă să-ți exhibi intimitățile? Iar dacă nu le exhibi, te vânează paparazzi! Asta este o infecție venită din Occident. Nu e a noastră. Creștinul are intimitatea lucrului. Devii hrană cu orice preț pentru opinia publică!

Care opinie publică? De ce această opinie publică nu urmărește *procesul destrămării poporului român* cu aceeași fervoare cu care urmărește procesul destrămării, să zicem, unei familii? Ce ferocitate! Ce adrenalină au în sânge, să se uite până la 3 noaptea, ca să vadă cum se spală rufele murdare dintr-o familie. Și ce indolență și, cum să zic, ce nesimțire acută au să vadă în față *căderea unei țări*, a unui neam care se prăbușește, și chiar a copiilor lor! Acolo fac pauză! În schimb, butonează pe toate mizeriile astea. De unde rezultă nivelul de mahalagizare, de neam prost la care am fost aduși. Și asta nu este o insultă vizavi de poporul meu, pe care-l iubesc, asta este o constatare vizavi de o populație care trebuie trezită.

R. T.: Ce o trezește, domnule Puric?

D. P.: O trezește din somn o remarcă din asta, ca a Sfântului Ioan Botezătorul, care a zis: *„Pui de năpârci!"*. Nu a zis: stimați cetățeni!

Știți ce-i trezește? E o urare de Crăciun, pe care o fac eu celor care au distrus România. Urarea aceasta de Crăciun eu am furat-o de la un țigănuș, prin 1987. A urcat în mijlocul de transport în comun și ne cânta, tuturor orătăniilor alea înghețate (că așa eram noi pe vremea lui Ceaușescu, niște orătănii dublu înghețate: și *de frig, și de ideologie*). A venit cu clopoțelul, să ne zică un colind: „Ascultați creștinilor,/ tineri și bătrânilor,/ ascultați și luați aminte/ ale Domnului cuvinte". Și el, din cauză că era frig, a zis așa: *„Ascultați cretinilor,/ tineri și bătrânilor..."* Ei, asta se poate ura celor care au distrus România. Pentru că sunt cretini și tineri, și bătrâni. Se dublează în cretinismul ăsta, fantastic!

R. T.: E râsul-plânsul aici.

D. P.: Este! Chiar trebuie! Pentru că *râsul trebuie să fie salvator*. Râsul este umorul care ne mai decrispează puțin din starea asta. Că nu putem fi pe valea plângerii continuu. Adică,

dăm dovadă şi de inteligenţă, şi detaşăm puţin poporul sufe-
rind de populaţia asta, cum am zis eu, cerându-mi scuze, de ter-
mite.

Să vă ferească Dumnezeu să nu vă regăsiţi în tăcere.
Atunci suntem pierduţi! Poporul român are ascendentul tăcerii.
Deci, noi vorbim tăcând! Este un lucru uluitor, neamul ăsta are
o virtute nemaipomenită, taci şi spui. Taci şi spui nu-i muţenie,
nu este infirmitate fiziologică, *este atitudine, este limbaj.* S-ar
putea ca, din tăcerea aceasta, să iasă lucruri foarte bune. De asta
am afirmat că şi Comunitatea Europeană, ca un construct,
trebuie să primească un partener de discuţie. Dar noi nu
cunoaştem dialogul, noi nu propunem.

Mai degrabă îmi propune ciobanul ăla „nenorocit", pe
care l-am văzut la televizor, într-un moment tragico-comic. Era
nenorocit de spaimă. „Nu se mai poate, domnule, ăştia îmi bagă
ţapul german!" „Unde vă bagă ţapul german?" „Peste oi... Îmi
bagă ţapul german peste oi, domnule! Păi, nu se poate!" „De
ce?" „Pentru că oaia mea merge 200 km, mănâncă iarbă, dă
lână, lapte... Ăsta cade în genunchi după 5 km şi nici nu... ca
lumea oaia. Mă nenoroceşte! Cică aşa mi se cere pe piaţa
comunitară, să fie ţapul german. Nu, domnule!" Şi el ce va face?
Îşi va aduce aminte că este traco-get şi-şi va ascunde oile. Va
începe *politica subversivă.*

Noi oricum suntem obişnuiţi cu haiducie şi economică şi
artistică. Eu fac haiducie artistică de 20 de ani, abia acuma am
găsit un spaţiu. Pronia cerească s-a îndurat să am la „Rapsodia
Română", prin domnul Hossu, un spaţiu, să fac Centrul Inter-
naţional de Artă. Putea să facă aici cabaret pentru prostituţie,
putea să facă orice, în tentaţia asta de azi. Dar a zis: nu dom-
nule, o iei dumneata! Eşti sărac, dar faci lucrul ăsta... E pronie
cerească! După 20 de ani, cineva îmi oferă şi mie, pe munca mea
pentru atâtea generaţii de tineri pe care i-am scos, un lucru. Eu
trebuie să-i mulţumesc lui Dumnezeu pentru asta; trebuie să fiu
recunoscător unui om. Şi chiar public pot să-i fiu recunoscător,
pentru că mi-a întins o mână.

Unde? Într-o țară care m-a refuzat, m-a fugărit, nu m-a primit prin televiziuni, mi-au căzut scenariile la film. La un concurs de scenarii pentru film am luat nota 2. Din 41 de inși, am ieșit pe locul al 40-lea; am vrut să fac contestație, să văd *cine este mai imbecil ca mine.* Sunt gelos, pe scara inversă! Vă dați seama că cei din comisie, care sunt neica nimeni, s-au văzut cu o partitură pe care nu puteau să o înțeleagă? Acum îi și compătimesc. Știți cum sunt cei care mi-au dat mie nota 2? Sunt ca cei din comisia de cenzori de la Comitetul Central, care mi-au zis: „Tovarășul Puric, să ne dați textul de la *pantonină*!".

R. T.: „Pantonină"!

D. P.: Da, eu le-am dat textul și nu l-au înțeles. Au fost la o diferență de 20 de ani. Așteptăm.

Nu numai eu, ci și alți tineri. Mă întâlnesc cu tineri în străinătate, excepționali ca gândire. Și sunt convins că ați întâlnit oameni care îndură consecințele faptelor lui Mailat, nu realizările lui *mai-mic, adică ale lui Puric,* m-ați înțeles? Pe nivelul ăsta se concentrează, nu pe valori. Nu știm să le stăpânim, nu știm să le orchestrăm, n-avem conștiință, n-avem un program politic în care tot românul să nădăjduiască, către care să se ducă. Știți că, dacă mâine s-ar da acestei țări o clasă politică onestă, creștină, țara asta s-ar coagula, cred că la nivel de ore, nu la nivel de săptămâni.

R. T.: Credeți lucrul ăsta? Cu toate termitele de care pomeneați mai devreme?

D. P.: Termitele se trezesc; sau ce sunt, amoebele alea devin termite și fac un mușuroi mare de tot. Se trezesc! Dă-le ceva! N-ați văzut ce ciudați suntem, că îi îndurăm pe oamenii politici, dar reacționăm creștinește? *Nu coagulăm la idei și doctrine. Noi coagulăm la stări de spirit.* Uitați-vă cum termitele astea amărâte își dau hainele de pe ele când este câte o inundație, ori la un cutremur. *Ce substanță creștină are neamul ăsta!*

Mie mi s-au închis ușile la toți marii sponsori. În schimb, m-au sponsorizat câțiva oameni creștini, pentru Centrul Internațional de Artă; într-o zi, m-am pomenit și cu o doamnă, care mi-a zis: vă dau și eu 7 milioane. Banul văduvei. Este extraordinar!

Deci, din punctul ăsta de vedere trebuie să analizăm. Noi trebuie să ne vectorizăm nu pe imaginea României în lume, ci pe *icoana neamului în fața lui Dumnezeu*! Nu pe *masa de oportuniști*, ci pe *căruța aia de țărani*, care a ținut în șah imperii. Așa a zis Petre Țuțea: „O căruță de țărani a ținut în șah imperii".

Jucam la Sankt Petersburg. Știți ce mi-a spus un rus – genial –, apropo de Comunitatea Europeană? I-a plăcut enorm de mult cum am jucat și mi-a zis: „Este extraordinar de frumos ce faci, este nemaipomenit!" Și eu, ca să discut, n-am avut ce să răspund, și-am zis o gratuitate. Le-o transmit cu această ocazie oamenilor politici. Am spus: „Ce părere aveți, acum, că am intrat în Comunitatea Europeană?" Și s-a uitat rusul așa la mine și-a zis: „*Noi vă așteptăm*". Deci, e clar...

R. T.: Pe mine m-a trecut un fior, să știți...

D. P.: Mie mi-au înghețat genunchii! Deci, trebuie să ținem cont și de alte realități.

Al treilea lucru asupra căruia se cuvine să ne concentrăm în proiectul reconstrucției românești este următorul: noi *trebuie să ne concentrăm nu pe călăii care au distrus această țară, ci pe martirii români*. Și am să vă spun ceva: un rus – să spunem: un sovietic, ca să nu jignim poporul rus –, un sovietic a spus, pe perioada terorii comuniste în România, văzând cum fugeau termitele pe post de trădători: „*N-are Rusia atâtea topoare câte cozi de topor aveți voi în țară*". Eu îi răspund, după 60 de ani, că *n-are Rusia atâtea mănăstiri și biserici câți sfinți am dat noi*. Îi răspund sovieticului, că *rusul mă înțelege*. Rusul și-a sanctificat țarul. Stăteau toți drepți, acolo. Toată armata, cu Boris Elțin în frunte. Aveau ceva sfânt – era țarul. Asta înseamnă creștinism și înseamnă sfințenie: i-a adunat. Toți cei care băteau pas de defilare

61

înaintea lui Brejnev stăteau acum în fața moaștelor sau resturilor țarului. Aceiași! Nu este asta o izbândă creștină?

Şi i-am zis rusului: „Vă decideți?" „Adică ce vrei să spui?" Zic: „Aici, pe insulă, aveți sanctificat țarul, dar de ce mai aveți pe stradă statui cu Lenin?" Şi-mi spune: „Ai dreptate!".

R. T.: Deci, ce-i mai scriem lui Moş Crăciun? Am zis de credință, de sănătate...

D. P.: Dragă Moş Crăciun, nu da daruri ticăloşilor...

R. T.: Le dă.

D. P.: Da, Moş Crăciun, în ultima perioadă, a fost educat să fie democrat. Nu mai dă daruri. Au conturi în bancă, au jumulit poporul român. Dragă Moş Crăciun, uită-te mai cu atenție şi ai să vezi cine merită daruri aici.

Ce ciudat! Crăciun a fost primul sfânt. La început, a fost un criminal, i-a tăiat mâinile Crăciunesei, pentru că Maica Domnului, auziți ce frumos sună, „îngrijorată, căuta loc să nască". Ce lucru tulburător! Preacurata Fecioară căuta loc de naştere şi Crăciuneasa – ce intimitate feminină extraordinară – a zis: „Să naşti aici". Crăciun i-a tăiat mâinile, dar i-au crescut în loc mâini de aur; şi atunci, spune colindul: „s-a cutremurat, s-a cutremurat ființa şi-a devenit sfânt, că s-a cutremurat".

Iuda, după ce a vândut pe Mântuitorul, a dat punga cu arginți înapoi şi-a zis: „Am vândut sânge nevinovat". *Este net superior comuniştilor!* Ăştia nu se cutremură, ăştia n-au îngenuncheat, nici măcar părere de rău nu au. Au avut procese de conştiință, nu pocăință. Pocăința înseamnă să te transfigurezi. Ăştia nu s-au cutremurat! Nu şi-a cerut nimeni iertare de la poporul român.

R. T.: Nimeni, da!

D. P.: Nimeni nu-şi cere, din 1989 încoace, iertare că a distrus poporul român. Ei sunt coerenți cu ei înşişi. Eu, dacă greşesc, dacă fac o gafă, ceva, îmi cer iertare. Iertarea creştină! Dacă oamenii ăştia şi-ar cere iertare, am începe dimpreună o lucrare extraordinară. Suntem, nu-i aşa, în preajma sărbătorilor. Este un moment sfânt, în care ar putea să-şi ceară iertare.

Ştiţi când a coborât Domnul nostru Iisus Hristos pe pământ? *La fix!*, spune Nae Ionescu. Octavian, împăratul, era un criminal aventurier şi Irod al Iudeii era un vasal perfid, un monstru. Deci, a coborât într-o lume sângeroasă, într-un moment groaznic. Ce jertfă a urmat apoi? 40 000 de prunci până în 2 ani. O jertfă fantastică! Eu consider că tot martiriul nostru din puşcăriile comuniste a fost o jertfă. Asta este jertfa noastră. Dar, trebuie să fim conştienţi, noi stăm în zodia fricii, care i-a marcat şi pe Apostoli. Mai ales pe Apostolul Petru, când a spus: *„Eu nu-l cunosc pe acest om"*. Îi era frică...

Aşa spunem noi de trecutul nostru! Nu-l cunoaştem, nu ne interesează; suntem o generaţie spontanee; începem de astăzi. Asta o spun tot timpul.

R. T.: Împăcarea cu trecutul. Să uităm ce-a fost, să privim spre viitor...

D. P.: Da. Cum să te împaci cu trecutul? Trebuie să ţi-l asumi. Trebuie reîncreştinată prin mărturisire şi clasa politică. Şi românul să îndrăznească! Să aibă proiectul României în Comunitatea Europeană, în lumea aceasta. *Nici nu mai e importantă Comunitatea Europeană, important este proiectul tău.* Ştiţi cum e, îţi faci treaba şi ceilalţi vin după tine.

R. T.: I-aţi văzut pe tinerii de la Liceul „Gheorghe Lazăr", ne-au invitat, şi pe mine, şi pe dumneavoastră la o întâlnire cu ei. Ce părere v-au făcut puştii ăştia care au 13-14 ani?

D. P.: Tragică! Atâta frumuseţe şi atâta inteligenţă nu credeam să găsesc. M-au surprins. Şi ştiţi de ce am spus tragică? Unde să se ducă? Unde se duc aceşti oameni performanţi ai sufletului, ai minţii? Ce perspectivă au în ţara aceasta?

Ei m-au întrebat care sunt treptele succesului, iar eu le-am răspuns că nu treptele succesului sunt importante, ci treptele împlinirii sufletești. Succesul fără scrupule este machiavelic. Împlinirea ta sufletească contează.

R. T.: Pentru că există voci, aud oameni, care poate n-au apucat să-i întâlnească pe acești copii, care spun: avem o generație de copii zănateci, niște inși care nu înțeleg ce-i libertatea, nu înțeleg ce-i democrația...

D. P.: Și asta e adevărat, și asta e o dimensiune. Dar noi vorbim și pentru ăia, și pentru ceilalți. Știți ce se întâmplă? Acești tineri, cu frumusețea lor sufletească, ne responsabilizează pe noi în discursul public. Avea Nichita Stănescu o vorbă extraordinară: „Curăță câmpul, ca să aibă loc să aterizeze îngerii". Ei sunt îngerii care trebuie să aterizeze pe pământul ăsta! Eu trebuie să avertizez, trebuie să curăț: acesta este rostul meu pe pământ. Prin ceea ce fac, prin artă, prin discursul meu, cât mai apuc, pe ici pe colo, să îl rostesc.

Deci, noi trebuie să identificăm soluțiile, pentru cei de mâine (și poate și astăzi, în clasa politică, sunt oameni de o credință extraordinară, care încă nu pot să dea la o parte mecanismul acesta, inerțiile lui, demența lui). Pentru oamenii ăștia vorbim; ei *trebuie recuperați.* Este ceea ce înseamnă reîncreștinarea unui om de genul acesta. Pentru că toți, în inima lor, au această flacără divină neîntinată. Virusul comunist a însemnat mutarea minților. Fenomenul de la Pitești ar trebui spus întregii lumi. Acolo, român pe român, student pe student s-au chinuit, s-au maltratat. Este cumplit ceea ce s-a întâmplat. Adâncindu-te în această memorie, poți să-ți dai seama de forța cu care poți să mergi înainte.

R. T.: Au vrut să bage buldozerul peste închisoarea aia de la Pitești s-o șteargă de pe fața pământului. Unii au vrut să facă din ea un monument tocmai pentru a rămâne vie istoria nefericită a acelor clipe. Alții au zis: e un teren bun, e în centrul oraşului, să facem un bloc, ceva, o cădire de birouri; să băgăm buldozerul peste ea.

D. P.: Vă spun eu, domnule Robert Turcescu, toate puşcările unde s-a suferit: Aiudul, Sighetul, Piteştiul *sunt cimitire ale demnităţii româneşti*. Sunt bine păzite de laşitatea noastră. Să ne ierte Dumnezeu...

R. T.: Domnule Puric, putem încheia cu un gând bun, cu lucruri de care ar trebuie să ne aducem foarte mult aminte în aceste clipe?

D. P.: Da, să ne asumăm această sărbătoare creştină, de venire a lui Dumnezeu pe pământ, ca pe *un act de reînnoire a propriului nostru popor*.

Aţi văzut, la *Discovery*, pe astronautul acela, care a fost pe Lună şi i s-a stricat aparatul. Nu mai putea să coboare. A îngenunchiat şi maşina a mers. Şi s-a întors şi a mărturisit: *important nu este că a mers omul pe Lună, ci că a coborât Hristos pe pământ...*

Doamne ajută!

Demnitatea creştină[*]

Odată, după un recital de pantomimă, mi s-a întâmplat un lucru nemaipomenit. Cineva a venit să mă felicite la cabină şi mi-a zis: „Măi băiete, eşti foarte bun, dar matale şi vorbeşti, nu?". Altcineva, un director de teatru de la Chişinău, după ce am terminat spectacolul, lumea aplauda, iar el i-a oprit pe toţi şi a zis: „Fraţi români, iată câte poate spune un român atunci când taşe!". Aşa că am să vă vorbesc.

Acum, sigur, demnitatea creştină nu este un subiect de discutat oricum, nu este un subiect de dezbătut oriunde, este un subiect tragic.

Am venit la Alba Iulia după un context ceva mai complicat: am avut un turneu internaţional, pe urmă, noaptea, a trebuit să plec spre Braşov, apoi iarăşi spre Bucureşti şi, din nou noaptea, spre Alba Iulia. Şi, mergând noaptea pe stradă, pe autostrăzi, cu maşina, mi-am dat seama de *întunericul fizic ce există în această ţară*. Oricare din dumneavoastră care conduce o maşină şi pleacă noaptea la drum, prin această ţară, îşi dă seama că este o ţară întunecată, dar nu întunecată de bunul Dumnezeu. Este ca şi cum ea nu ar avea energie electrică, nu ar avea becuri pe stradă, nu ar avea stâlpi cu lumină; este aşa de beznă, încât mi-am zis: domnule, *ăştia ne-au stins lumina*. Pentru că este un întuneric fizic îngrozitor. Din când în când apărea, aşa, câte un camion sau o maşină, din faţă, şi puteai să vezi de la lumina ta încă 30 metri mai încolo.

Cam asta este situaţia în România spirituală; este o ţară înbeznată, cum zicea foarte bine un monah, cu o expresie excepţională: „Până când o să mai mergem cu înbeznaţii ăştia?". *Este*

---

[*] Conferinţă ţinută la Alba Iulia, în 22 noiembrie 2007.

o înbeznare! Uitați ce termen extraordinar, care surprinde ființialitatea neamului. A vorbi, în bezna asta, pentru că lumina este confiscată de întuneric, a vorbi despre demnitate creștină într-o înbeznare de genul acesta este un lucru cu un risc extraordinar.

Mă gândeam că *demnitatea creștină* este, astăzi, un lucru de arheologie morală. Arheologul caută să recompună, din ceea ce mai găsește, o realitate care a existat cândva. După cum vedeți, deci, nu trebuie să intrăm în nici un fel de patetism, în nici un fel de retorism, ca să ne dăm seama că demnitatea, la orice nivel, în țara asta, a fost confiscată. *Nu mai există o demnitate națională, ea a fost distrusă.* Nu mai există o demnitate politică, nici nu se mai discută de așa ceva. Nu pentru că cineva ar fi demolat-o, dar nici nu mai intră termenul în vocabularul oamenilor politici. Nu mai există o demnitate economică, fiindcă, dacă am avea o demnitate economică, n-am mai avea 3 500 000 de oameni plecați în străinătate și o demografie amenințată să ajungă la 16 milioane cinci sute de mii. Dacă am avea o demnitate culturală, nu ne-ar pleca, din zece tineri, nouă în străinătate.

Dar noi ne-am propus să discutăm astăzi despre acel lucru care a asigurat dăinuirea neamului românesc și care se numește demnitatea creștină. Diferența între *demnitatea umană* și *demnitatea creștină* este una fundamentală. Dacă am încerca s-o definim pe cea dintâi, am vedea că ea reprezintă chipul omului în om. Socrate a murit demn, dacă mai țineți minte. Platon i-a asigurat un fel de evadare, dar el a spus: „Nu! Trebuie să rămân aici! Legile cetății, mai presus de toate, trebuie respectate". Socrate respecta legile cetății; în cazul lui avem de-a face cu o demnitate pe deplin umană, a omului ca om.

Demnitatea creștină nu este a chipului omului în om, ci *este demnitatea chipului lui Dumnezeu în om.* Și, dacă ați observat, omul, și mai cu seamă creștinul, de regulă, când i se întâmplă lucruri care-l afectează doar pe el, le rabdă. Dar, când se întâmplă lucruri care mutilează chipul lui Dumnezeu din el, atunci luptă, luptă până când ajunge martir.

Acest chip al lui Dumnezeu din om este suportul demnității creștine. Demnitatea creștină ne-a fost dată de Iisus Hristos.

Venirea Lui înseamnă momentul crucial, de fapt, de recâştigare a demnităţii. De aceea şi întrebuinţează Grigore Palama termenul de *înomenire*. Nu foloseşte nici măcar termenul de *întrupare*, ca să nu dea naştere la diferite confuzii; zice: *înomenire*. Dumnezeu a luat această dimensiune, cea mai supusă vulnerabilităţii, ca să se înomenească; din clipa aceea, omul a dobândit şi demnitate creştină.

După cum am spus deja, discuţia în jurul demnităţii creştine are un fond aproape tragic; pentru că, în România de astăzi, demnitatea creştină este un lucru de arheologie, atâta vreme cât nu mai aparţine *timpului în care trăim*. Aproape că suntem puşi în situaţia de a-l reconsidera. Este similar unei situaţii care a existat în China. Când am fost acolo, mi-au povestit următoarele. La venirea lor la putere, comuniştii au dat un ordin – aberant, criminal: fiecare familie care avea un vas de jad de pe vremea împăratului era obligată să iasă în faţa casei şi să-l facă bucăţi, să-l spargă; deci, toate vasele de jad, capodopere ale imperiului, au fost sparte.

Se pare că erau nişte vase excepţionale, în marea majoritate. Închipuiţi-vă milioane de chinezi făcând lucrul acesta, pentru că altfel îi împuşcau. O aberaţie; o crimă ideologică. Ce s-a întâmplat? Chinezii au luat vasele, le-au spart, dar, din cioburile care au rămas pe jos, au făcut cele mai frumoase miniaturi. Astfel încât, astăzi, în China, cele mai frumoase miniaturi din jad sunt făcute din cioburile vaselor imperiale. Cam aşa este şi cu demnitatea creştină românească: s-a spart *vasul* acesta şi acum alergăm să strângem *cioburile*.

M-am gândit că ar trebui să identificăm, în esenţa lui, termenul, în existenţa noastră de zi cu zi. În primul rând, eu am încercat să caut cioburi de demnitate creştină în propria mea viaţă. Căutându-mi în buzunarele sufleteşti, am găsit un ciob mic de demnitate, care mi-a apărut aşa cum îmi apăreau luminile în drum spre Alba Iulia, într-o ţară înbeznată.

Acest ciob de *demnitate creştină* era *bunica*. Povestea este simplă: un pui de om, aşa, prin clasa I, născut într-o ţară înbeznată, cu o bunică. Nepoţelul cu bunica în Bucureşti, fiind crescut la ţară şi dus brusc în Capitală, se minuna faţă de tramvaie, faţă de blocuri. Am intrat la şcoală şi luam tramvaiul, clasa II-a. Mi-aduc aminte că aveam o fisă de 25 de bani, pe care o dădeam taxatoarei, ca să-mi plătesc biletul. Şi, în clipa aceea, am simţit atingerea bunicii pe mâna cu bănuţul; mi-a zis: „Niciodată, la comuniştii ăştia, să nu iei bilet". A mers o dată, de două ori. Ceva plutea în aer, a frică: ne-au prins controlorii. Imaginea este una extraordinară! Mie îmi era frică de plutonierul cel gras, imens, cu o diagonală pe burtă; bunicii, nu. (Atunci am început, pesemne, să percep ce înseamnă verticalitatea demnităţii. Ştiţi că, de fapt, Hristos asta ne-a dăruit, poziţia bipedă. Hegel spune că poziţia bipedă este poziţia spiritului încreştinat.)

Atunci, eu, un copil de 7 anişori, îmi vedeam bunica: o doamnă, care stătea aşa, foarte sigură pe ea. Ne-au dus la miliţie. Era un spaţiu groaznic, prin toţi porii mă uitam la ea... Şi ce a văzut copilul de 7 ani? A văzut cum plutonierul scria un proces-verbal.

– S-a găsit tovarăşa... cum vă cheamă?

– Nu sunt tovarăşă, sunt doamnă! Penelopia Sbiera, dragul meu.

Scria el aşa…, mai scuipa în creionul ăla chimic, cu degetele lui ca nişte *mici*. Era bine hrănit, foarte bine hrănit omul ăsta. Şi bunica mea, profesoară de limba franceză şi de română, moldoveancă tenace, la sfârşit, fără cea mai mică urmă de frică, i-a zis:

– Dragă domnule, te rog să-mi dai procesul-verbal.

A luat procesul-verbal, şi-a scos ochelarii; parcă văd: şi-a luat creionul roşu, că era profesoară, şi a zis:

– Mă nenorocitule, cum se scrie „s-a găsit"? *s* liniuţă *a*! Doi!

I-a dat nota pe care o merita.

Din punct de vedere filosofic, din punct de vedere creştin, mai târziu, după 40 de ani, eu disecam în cap aşa:

controlorii ne impuneau să fim *corecţi;*

corect era să plătim biletul; dar:

cinstit era ca ei să nu fie la putere.

Ce preferați dumneavoastră: niște *controlori care stau pe un maldăr de necinste* sau *o cinste care alungă corectitudinea necinstită?* Cine erau controlorii aceia? Controlorii aceia erau *părinții controlorilor* noștri de astăzi. Aceiași securiști. Și eu tot doi le dau. Ei nu mai bagă creionul în gură, au laptop. Sunt la fel de dezinvolți, de obraznici. Lipsește bunica. Atunci, am zis: măcar s-o mărturisesc.

Urmările atitudinii mele, sigur, în grădina zoologică din București, „intelectualoidă": eu sunt considerat antieuropean. Mi-a dat cineva de la un post de radio un telefon: „Domnul Puric, după cum vă știu, sunteți un antiamerican convins, un antieuropean". I-am răspuns: „Măi, eu sunt antistupid. Nu sunt nici antiamerican, nici antieuropean, sunt antistupid". „Păi, atunci unde doriți să stați: la Paris sau la New York?".

Vreau să stau în munți, la mine, la Siriu, dar fără securiștii de acolo. Să fie apa curată, munții să fie curați, ar fi extraordinar.

Și tot gândindu-mă că m-au declarat antieuropean, să vă mai povestesc o întâmplare cu bunica, un ciob de demnitate creștină, cu deschideri europene. Închipuiți-vă că blocul în care stătea, de garsoniere, dădea exact spre stadionul pe care se desfășurau manifestațiile de 23 august ale lui Ceaușescu, unde mii de inși ridicau cartoane. O imbecilitate națională! Era în perioada în care era interzis să fie perdele trase, de frică să nu-l împuște cineva cu luneta. Ca atare, oamenii de pază înconjurau blocurile, străzile și se uitau tot timpul, ca nu cumva vreun pensionar să folosească o pușcă cu lunetă, să-l împuște. Era o *grijă națională*, nu-i așa, stăteau cu ochiometrul! De la 01470 se uitau să nu iasă pensionarii, care în perioada aceea mâncau câte un iaurt pe săptămână, erau ghetoizați.

Eu, săracul, știu că m-am dus să cumpăr pâine pentru bunica și mă întorceam acasă pe străzi pustii, unde erau numai cei „cu ochi albaștri", tunși scurt, *tunși și mental.* În contextul acesta, bunică-mea, care era la o vârstă avansată, fiind marcată puțin și de o senilitate care îi dădea o libertate totală, a ieșit pe balcon. Femeia a ieșit pe balcon și ei au început să urle prin portavoce: „Cucoană, intră înăuntru! Intră înăuntru, n-auzi!". Ea i-a privit atunci din balcon, cu o seninătate de peisaj grigorescian, şi le-a spus: „Vive la France!".

Atunci, ei au înnebunit. Au crezut că „ Vive la France!" este un cod secret, iar pensionara din balcon, o teroristă. Şi-au început să vorbească între ei, la aparatele de emisie-recepţie: „Aici maior Prună, 01425, răspunde!". „Vulturu, unde eşti?" La care, bunica i-a privit de la înălţimea balconului său cum se agitau inutil şi le-a recitat în continuare din *Odiseea*: „Pénélope ne pouvait se consoler du départ d'Ulysse". Le recita în franceză, bestiilor ălora! Ei, săracii, erau din ce în ce mai îngroziţi. Prin urmare, bunica a fost primul europarlamentar, neplătit.

Deci, nu pot fi acuzat că aş fi contra Comunităţii Europene, din contră, uitaţi ce dosar bun are Puric, un dosar mic, de puric, dar îl am şi eu, că toată lumea, astăzi, trebuie să aibă dosare, toată lumea, până şi insectele! Toţi securiştii ăştia sunt astăzi curaţi, şi-au spălat dosarele cu detergent! Pe dosarul bunicii mele scrie „Vive la France!".

Am dorit să vă spun acestea două întâmplări cu bunica mea, ca să vedeţi cum răsare o atitudine dintr-o anumită educaţie creştină. Cum această femeie extraordinară nu-şi pierduse demnitatea, în contextul în care peste 300 000 de români au fost terminaţi în închisorile comuniste, în contextul în care România a fost o închisoare civilă. Nu mi-a vorbit niciodată despre Dumnezeu; o singură dată am auzit-o, prin casă, spunând: „Dragă, comuniştii sunt tâmpiţi!". Şi mama a întrebat: „De ce?". „Ăştia zic că nu există Dumnezeu!". Pesemne că acesta era felul ei de a trăi creştineşte firesc şi de a înfrunta politica. Simţeam cum mă îmbunătăţesc. De fapt, ea mi-a transmis credinţa prin contagiune, prin contaminare. Căci creştinismul aşa merge: trebuie să vezi *modelul, verticala*.

Am încercat să identific, în istoria noastră, alte acte de demnitate creştină, pentru ca, din câteva momente, să putem reconstitui imaginea de ansamblu. Un mare critic, Visarion Bielinski, spunea: „Artistului nu-i trebuie concepte, el gândeşte în imagini".

Imaginați-vă altă secvență, alt ciob de demnitate creștină, pentru că, de fapt, în această întâlnire, *eu încerc să adun aceste cioburi*, ca să refacem *vasul spart*, care, la un moment dat, se numea România. În clipa în care a început reeducarea masivă, în pușcăriile comuniste, au fost unii oameni care au fost convertiți; alții erau plimbați cu mașinile, ca să vadă realizările comuniste: blocuri, hidrocentrale, uzine. În situația asta a fost și prințul Alexandru Ghica. A fost plimbat și, când s-a întors, el a avut *ochiul demnității creștine*, ca să vadă *lucrarea lui Dumnezeu și nu șantierul comunist*. L-a întrebat mitocanul ăla pe prinț: „Ei, și ce-ai văzut, tovarășe?".

El, prințul, a răspuns: „Am văzut o salcie înflorită".

În clipa aceea, *România s-a rupt în două*. Între cei care o confiscaseră și o mutilau și cei care nu renunțau să vadă mai departe lucrarea lui Dumnezeu. Vedeți, frica este aceea care ne-a marcat pe toți și care încă marchează societatea românească. Au trăit-o și Apostolii. Starea de groază a Sfântului Apostol Petru, care a spus: „Nu-l cunosc pe acest om", este tot una cu frica aceea care ne-a terminat pe toți și care ne înlănțuie în continuare. Abia când Sfântul Duh se pogoară în Apostol și zice: „Vreau să fiu răstignit cu capul în jos, căci nu sunt demn să fiu răstignit ca Mântuitorul meu", el a biruit frica.

În situația aceasta *îți dai seama că demnitatea creștină nu este un dat al omului, ci este harismatică, este o harismă care sparge istoria*. După Cincizecime, în clipa în care a pogorât Duhul Sfânt, Apostolul nu numai că l-a recunoscut pe „acel om", ci l-a mărturisit și s-a crucificat pentru învățătura lui și pentru credință. Acest fel de a fi Biserica noastră l-a dat neamului românesc.

Au primit răstignirea în chip firesc majoritatea martirilor din închisorile românești. Între ce spune Sfântul Apostol Petru și Valeriu Gafencu nu este decât o diferență de timp, mărturisirea este în același Duh. Ceea ce vedeți pe coperta cărții care i-a fost publicată acum, *Sfântul închisorilor*, este un sfânt încă necanonizat, un tânăr cu ochii senini, cu o frunte lată, de o sensibilitate dumnezeiască. Am mai spus-o o dată, când am prezentat la București această carte, că cel mai ortodox vers care s-a scris vreodată în răsăritul ortodox este: „Nu credeam să învăț a muri vreodată", de Mihai Eminescu. Acest vers, această atitudine, i-a marcat pe toți martirii creștini români din pușcării. Pentru că atitudinea creștină nu înseamnă numai a trăi, nu e o atitudine numai în fața vieții, e și o atitudine în fața morții. Au învățat să moară!

Atunci *eternitatea* zdrobește *istoria*. Prima despărțire de istorie, prima ieșire din istorie, a făcut-o Hristos, când a zis: „Iartă-i, Doamne, că nu știu ce fac!". Atunci *eternitatea* distrugea teroarea *istoriei*. Martirii sunt în trăire hristică. Faptul că a apărut această carte este și el un act de demnitate creștină. Încă un ciob. Nu s-a ocupat de ea un istoric, nu s-a ocupat de ea un literat, un scriitor, un cercetător; s-a ocupat un monah. Monahii, de regulă, sunt anonimi; treaba lor nu este să scrie cărți, ci să se roage la Dumnezeu. S-a întâmplat ceva: monahul și-a schimbat nu vocația, ci ceea ce vocația îi spunea să schimbe. S-a apucat să caute în *memoria neamului românesc,* pentru că aceea asigură *demnitatea creștină.* Poate că această carte, pe care o am în mână, este cel mai demn act al Bisericii Ortodoxe române de la 1989 încoace, datorită nu numai faptului că a apărut, ci datorită unei binecuvântări. Eram în Finlanda când citeam cartea aceasta și nu am mai putut să văd Finlanda, pentru că purtam după mine România tragică.

Binecuvântarea îi aparține Înalt Prea Sfinției Sale, Andrei Andreicuț. A binecuvântat România eternă, despre care nimeni nu vorbește. Încercați să vorbiți, în București, la orice emisiune de televiziune, despre Valeriu Gafencu. Întrebați-i pe toți moderatorii noștri culturali, artistici, politici, cine este, și o să zică, pesemne, că e un vip sau o extremă dreaptă a fotbalului. Ei nu mai sunt ai României eterne. Cartea a apărut undeva, la Editura „Reîntregirea". De aceea am spus, la prezentarea ei: am înțeles perfect ceea ce a vrut să zică Hristos, prin cuvintele: „stricați templul acesta și în trei zile îl voi ridica".

Securitatea timpului său, că El așa a fost, Dumnezeu sub presiune umană, după cum zice și Schelling: „Dumnezeu sub presiune umană", securitatea timpului său, deci, l-a întrebat:

„Adică, ce vrei să zici, că dărâmăm templul şi tu îl faci cărămidă cu cărămidă?". N-au înţeles că templul era trupul Său. Şi, într-adevăr, după ce l-au distrus, în trei zile a coborât în iad, scoţând drepţii de acolo, şi a şi înviat.

Trei zile mi-a luat să citesc cartea aceasta. A fost o coincidenţă fantastică! Sunt bucăţi înăuntru, *nişte cioburi, din care se poate reface tot neamul acesta*. Trei zile mi-a luat ca să refac esenţa creştină a poporul român în inima mea. Aici se reface poporul român. Acesta este un act de demnitate creştină!

În lumea în care trăim, apariţia cărţii acesteia n-o să se vadă; lucrul o să fie trecut la capitolul: „Da, domnule, sunt nişte inşi, care se ocupă de lucruri de felul acesta". Un asemenea eveniment nu face parte din istorie; noi, acum, ne grăbim să fim comunitari, să răspundem globalizării; n-avem timp de inepţii bisericoase, de arhaisme şi de lucruri, să zicem, nespecifice unei accelerări economice extraordinare. Problematica ei nu este o chestiune contemporană. Nu o să găsiţi niciodată, în nici un manual de istorie, pe cei care sunt în carte. O să găsiţi, în schimb, tot felul de monstruleţi din multimedia românească, aşezaţi lângă Ştefan cel Mare; vezi pe unul care în viaţa lui n-a avut un micron de trăire. O carte cu crucificaţi, aceasta este cartea lui Valeriu Gafencu. Este paşaportul nostru spre Dumnezeu.

Mi-am început conferinţa deosebind între demnitatea umană şi demnitatea creştină. În Occident, demnitatea umană a înlocuit demnitatea creştină. Procesele lor istorice, falimentul creştinismului în Occident au dus la reformă, la moartea creş-tinului şi la dezvoltarea individualismului. Noi, românii, avem o alt fel de experienţă. La noi, creştinismul nu numai că nu a falimentat, ci, din contră, *este viaţa noastră*.

Dar să revenim puţin la ceea ce înseamnă demnitatea umană în Occident. După revolta împotriva unei biserici insti-tuţionalizate şi cu tendinţă spre puterea politică, omul occiden-tal caută să-şi găsească libertatea dincolo de biserică; şi atunci, imediat, morala creştină este înlocuită cu o *morală autonomă*, dacă vreţi, cetăţenească. Există un pasaj tulburător la Immanuel

Kant, în *Critica rațiunii practice* (1788): „Morala nu-i un demers al cunoașterii". În ce aporie rătăcește mintea omului fără de Dumnezeu! Sau, cum îi spunea Țuțea, „omul scormonitor". Omul fără de Dumnezeu e scormonitor, cum este scormonitor cerșetorul în gunoi, și caută bucățele de mâncare. Așa este rațiunea umană fără Dumnezeu. În gunoi caută considerând că bucățica de mâncare este adevăr.

Kant, care a fost o minte luminată, dar era într-o lume care se despărțise demult de Dumnezeu, spune: „Morala nu-i un atribut al cunoașterii"; și atunci, ceea ce facem este un construct al rațiunii; deci, construim o normă etică, astfel încât să nu ne lovim unii cu alții. Un fel de semafor. Cum ar spune Petre Țuțea, „un fel de mers al trenurilor". Excepțională remarcă! Drepturile omului sunt un contract, sunt o haină juridică, una care, sigur, apără omul, omul ca om față de bestia numită *om*. *Homo homini lupus*. Așa fiind, are nevoie de un contract juridic, unul care trebuie să-l apere. Acestea sunt, în esență, drepturile omului. Drepturile omului vin peste drepturile lui Dumnezeu în România. Dar vin și întreb: *unde erau drepturile omului când românii erau crucificați, unde erau drepturile omului când poporul acesta trăia în ghetoul de poliție civilă?*

Au întârziat, bine, nu-i nimic, au venit cu 50 de ani întârziere. Dar, dacă au întârziat, să țină cont de drepturile pe care ni le-am câștigat prin suferință.

Am să vă spun în două cuvinte diferența între demnitatea creștină și demnitatea drepturilor omului: este aidoma aceleia dintre căsătoria de la Sfatul Popular și taina nunții, la Biserică. Omul cu tricolorul pe piept, de la Oficiul Stării Civile, îți asigură, îți garantează siguranța socială. Taina Bisericii, taina căsătoriei, se trăiește. Aici este ruptura!

Demnitatea creștină se articulează, într-un mod specific românesc, cu sângele acestui popor; se articulează cu existența noastră. *Demnitatea creștină este copilul credinței.* Mare atenție, deci: morala umană se bazează pe o *certitudine valorică*; morala creștină se bazează pe credință.

Aş vrea să vă vorbesc acum despre axa verticalei, creată de Biserica noastră. Închipuiţi-vă, ca să înţelegeţi, pe trei viteze ceea ce s-a întâmplat. Ce a făcut Biserica creştină Ortodoxă? A creat o axă, *o verticală*, de fapt, în care a ierarhizat, aşa cum este ierarhizată Biserica, aşa cum e ierarhizat Iisus Hristos în funcţie de apostoli, aşa cum sunt ierarhizaţi îngerii la Dionisie Areopagitul: este o ierarhie. Ierarhia e una sfântă, ierarhia presupune inferior, superior şi trepte de desăvârşire. Închipuiţi-vă că această axă a verticalei, bazată pe o ierarhie care denunţă, de fapt, natura creştină şi sfântă a omului în drumul său către Dumnezeu, *a fost răsturnată total invers* şi că acest copil al credinţei, cel mai valoros, demnitatea creştină, a ajuns un gunoi, că oamenii de valoare au ajuns nişte bandiţi, că leprele satului, ticăloşii, au ajuns în vârf. S-a schimbat dintr-o dată codul.

Ce vedeţi dumneavoastră în confruntarea dintre plutonier şi Valeriu Gafencu? Vedeţi confruntarea dintre bestia istorică şi demnitatea creştină. Bestia istorică niciodată n-o să recunoască demnitatea creştină. Nu-i valabilă. La axa întoarsă de ei, demnitatea creştină s-a transformat în cruce. Deci, din valoare moral creştină, demnitatea pe care ţi-o asigura Biserica, în sistemul comunist, s-a transformat în cruce. Crucea lor s-a numit demnitate creştină. Dacă oamenii aceştia nu aveau demnitate creştină, erau cu toţii cozi de topor.

Iar astăzi, dacă suntem terminaţi, dacă intelectualitatea aceasta aservită pomeneşte foarte mult de cozile de topor, este pentru că nimeni nu vorbeşte şi nu-şi *asumă riscul de a vorbi despre aceşti martiri. Ei văd cozile de topor; eu am văzut sfinţii.* Pesemne că văd şi eu, asemenea Prinţului Alexandru Ghica, lucrarea lui Dumnezeu.

Pentru cei dintâi, trebuie exclusă demnitatea acestui neam, e incomodă. Un om cu demnitate nu poate fi folosit, el nu poate fi instrumentalizat, are verticalitate. Fiindcă creştinul spune: „Tu, omule al lui Dumnezeu, ai o taină"; şi, dacă extrapolăm: tu, popor roman, ai o taină; tu, popor bulgar, ai o taină; tu, popor sârb, ai o taină; nu pot să intru cu bocancii peste tine.

Dar pe ei *nu-i interesează taina, îi interesează aderarea*. În vreme ce eu am constatat: aderăm, dar nu intrăm.

Deci, închipuiți-vă ce s-a întâmplat când s-a răsturnat axa: tot ce-a fost mai rău a ajuns sus și ce-a fost bun a trebuit să piară. Dar, în clipa aceea, s-a născut o *tensiune valorică:* lumea știa, așa cum cu toții știam, cel puțin generația care îmi aparține, nu mai vorbesc de cei în vârstă, că ceea ce se petrece este *fals*. Ne-am dat seama că suntem într-o țară a inautenticului, a minciunii, a imposturii; și, undeva în sufletul nostru, construiam fiecare câte o cărămidă de biserică: Ceaușescu dărâma bisericile și credința sporea. Paradox creștin! Lucrarea lui Dumnezeu! Și vine așa-zisa revoluție. De la așa-zisa revoluție, axa s-a mișcat, mutându-se brusc pe *orizontală*. Ignatie Branceaninov, marele sfânt, spunea că dracul și-a dat seama că omul rezistă la marele păcat și devine martir; așa că și-a schimbat metodologia, făcând păcatul mic, ăla care nu se vede.

Eu numesc așezarea axei pe orizontală: *ultima și marea confuzie;* fiindcă răul nu mai este opus binelui, ci a devenit o alternativă a binelui. Astfel, demnitatea creștină nu mai este singura valoare morală, ci are șanse egale cu oportunismul și compromisul; acestea din urmă sunt alternativa! Într-o piață, într-o marchetizare a sufletului, sufletul însuși devine o marfă cu diferite valori, cu branduri. Ticăloșia este un fel de a te descurca în viață; este un grad de inteligență.

Sigur, lumea nu face diferența între inteligență și înțelepciune; înțelepciunea are în ea dimensiune morală. Și șobolanii sunt inteligenți, au inteligență biologică fantastică, părăsesc primii vaporul în caz de naufragiu. Suntem înconjurați de oameni inteligenți, oameni care s-au descurcat. „Dumneavoastră n-ați fost atenți", așa a răspuns unul, când a fost întrebat cum de a făcut o avere imensă cu o sută de lei. „Am avut o rudă, m-am împrumutat cu încă două sute...". „Dar ceilalți de ce nu au fost atenți?" Dumneavoastră sunteți un popor neatent! Și eu sunt foarte neatent, din punctul ăsta de vedere și sub multe alte aspecte.

Pe *axa orizontală* se creează confuzii, chiar la nivel de stat; vreți să vă dau un exemplu? Cea mai oribilă emisiune, „Cel mai iubit dintre români", în care Eminescu alerga la 100 metri garduri, în cultura română, lângă Guță și Adrian copilul minune, Brâncuși, Lucian Blaga, Mădălina Manole, Constantin Noica, Gigi.

Cu această ocazie, mi-a dat telefon o isterică de la televiziune:

– Bună ziua, domnule Puric, am dori, pentru acest concurs, să-l apărați pe Eminescu.

– Dar ce-a făcut doamnă, a furat?

– Ei, nu, dar așa este jocul, așa e regula... A fost și la BBC.

– De unde ați luat-o doamnă?

– De la BBC.

– Mai spuneți, că-mi place, parcă ciuguliți grăunțe când ziceți: BBC, BBC. Da, e foarte frumos! Deci, doamnă, eu vă spun sincer: știți ce simt? Că Eminescu nu poate fi apărat, cel mult citit.

– Ei, dacă nu vreți, atunci pe Nadia Comăneci.

Sesizăm aici un creieraș mutant; nu insistăm, că nu avem șanse; acolo numai bunul Dumnezeu mai poate să repare. Ei, la televizor ați văzut că stăteau cu piciorușele lor pe harta României. Ați văzut gândaci de bucătărie, care evadează noaptea în baie? Așa erau picioarele lor pe harta României! Stăteau pe Transilvania, pe Dobrogea, cu picioarele! Sigur! Ei sar apoi și spun: noi nu avem simboluri, domnule! Așa e *trendy*, e *cool!*

O haită intelectuală!

În jogging-ul ăsta național, cultural, nonvalorile, subcultura alergau umăr la umăr cu marile valori. Fiindcă suntem pe pământ ardelean, mi-am amintit că Lucian Blaga vorbea despre „paralelismul valorilor". Fiecare cu sistemul lui de referință. (Nu l-au citit și, pesemne, dacă-l citesc, nu-l înțeleg.) Aveam eu un director infatuat la teatrul din Botoșani, care terminase Academia „Ștefan Gheorghiu", și într-o zi a țipat la un mașinist: „Mă nenorocitule! Tu să nu te pui cu mine, bă, eu am citit biblioteci întregi!". Şi maşinistul, mic, aşa i-a zis: „Da, domnule director, dar dacă nu aţi înţeles rezumatul, tot degeaba!".

Suntem astăzi trăitorii acestei axe orizontale. Pe axa orizontală se desfăşoară linşajul informaţional. Uitaţi-vă la televizor: ştirile au aceeaşi importanţă. De regulă, sunt din astea, cu mama soacră tăiată cu toporul şi băgată în frigider de către un handicapat mintal, ca să-ţi distrugă sistemul nervos. Când nu, îţi prezintă alternative de conducere a ţării, împărţite între un fotbalist, Mutu, Regele Mihai, Coposu şi un securist contemporan, om de afaceri. Toţi, în mod egal; acest amestec sigur că se face deliberat. Comunismul n-a murit!

Ştiţi cum trebuie să-i priviţi pe ăştia? Am fost acum vreo lună prin Gorj. Decesul fals al comunismului trebuie văzut cu ochiul gorjeanului căruia i-a murit nevasta. Necaz mare, i-a făcut omul coşciug şi a dus-o la groapă. Şi când a ajuns la cimitir, coşciugul s-a lovit de un stâlp şi ea s-a trezit. Era în moarte clinică. S-au speriat toţi, au fugit acasă înnebuniţi, a venit femeia acasă, au coabitat, iar după 2 ani, a murit. De data asta chiar a murit, nu era în moarte clinică. Şi, din nou, înmormântare, din nou coşciug... Numai că, ajunşi la cimitir, gorjeanul zice: „Vă rog să ocoliţi stâlpul!".

Dacă aveţi inteligenţa gorjeanului, să spuneţi: bine, măi, aţi murit în 1989, dar ocoliţi stâlpul, vă rugăm mult! Acum, sigur, politicienii noştri au alergat după intrarea în NATO, după intrarea în Comunitatea Europeană, lucruri obiective, ale unei istorii contemporane, sunt structuri în care e bine să fim. Dar, cred eu, trebuie să privim toate acestea ca în bocetul maramureşean de înmormântare: „Draga maichii, după tine,/ îmi pare şi rău, şi bine".

Dar să ne întoarcem la ceea ce putem numi copilul credinţei: demnitatea creştină. Din această demnitate creştină izvorăşte ceea ce se numeşte atitudinea creştină. Pe lângă multe „fericiri" cu care ne-a izbăvit revoluţia franceză, vă spun eu, ca om de teatru, se numără şi o nouă categorie de spectatori : tricotezele. Pe vremea aceea, ele asistau la ghilotinări: tricotau şi

se uitau cu sadism cum sunt ghilotinați conți, duci, regele...
Erau tricotezele, se știe cântecul *Les tricoteuses*!

Acolo, în fața lor, a fost decapitat Lavoisier, cel mai mare chimist. Despre care a spus cineva: „I-au trebuit naturii mii de ani să scoată un geniu și omului, câteva secunde să-l distrugă". Acolo, în fața tricotezelor, a fost ghilotinat baronul de Condorcet, care zisese: „Matematic, s-a demonstrat că mulțimea este stupidă". Toți aceștia n-au fost o mulțime. Și mulțimea i-a omorât. Ei nu au fost persoane, cu fața către Dumnezeu. Ei n-au fost popor, ci au fost populație

Închipuiți-vă că această atitudine de tricoteze ni s-a impus nouă astăzi.

Asistăm liniștiți la decapitări publice. Se alternează decapitările personale, cu decapitarea publică a națiunii, a istoriei, a memoriei, a Bisericii. Și noi tricotăm ușor, pentru că ne-am pierdut demnitatea creștină. *Dacă eram demni, reacționam.*

Am fost în Estonia acum o lună jumătate. Are o populație de 1 500 000 de locuitori; letonii, la fel, vreo 2 000 000; lituanienii, la fel. Ca să stea în fața valului sovietic, în 1990, s-au apucat mâini, *au făcut un lanț uman, n-au tricotat!* La noi se tricotează.

Dacă cei închiși în pușcării ar exista azi, n-ar îndrăzni să facă ceea ce se face astăzi cu poporul român. Se atacă și ierarhii bisericii, pentru că trebuie să se plătească pentru o anumită atitudine. Noi să tricotăm în continuare.

Nicolae Velimirovici a făcut o profeție extraordinară, când țipa către poporul sârb : „Ieșiți din păcat, că praful și pulberea se vor alege de noi!". Am primit de curând o carte, cu o hartă a mănăstirilor distruse în Serbia, până la cărămidă. (Imaginile astea nu circulă, nu o să le vedeți pe CNN, nu sunt importante, acolo e important crocodilul!) Ca și cum ați vedea, Doamne ferește, frumoasele mănăstiri din Ardeal, din Moldova sau din Oltenia și, în jurul lor, un monah sau un părinte, care stătea așa, ca o frescă, nu știa ce să facă, nu-i venea să creadă. E plină Serbia de lucrurile astea, fosta Iugoslavie, de fapt, de așa ceva. Velimirovici a țipat și a zis: „Sculați-vă!". Știa ce spune. Eu vin și spun (la dimensiunea unui puric, că pe mine, oricum, mai mult decât să mă strivească, n-au altă șansă. Dar vocea va rămâne, la fel ca și tăcerea mea): *e momentul să nu mai tricotăm, e momentul să ne apărăm valorile, nu să le negociem!*

Vedeți dumneavoastră, axa verticală, răsturnată pe orizontală, înseamnă și mutarea *polului moral.* Înainte era Biserica – cum zice Valeriu Gafencu, ea veghea asupra statului. Dar ea conținea polul moral, al judecății, al recalibrării omului față de Dumnezeu. Când s-a întors axa, în locul Bisericii a fost pus partidul comunist. Dispărând partidul, forța monocefală a fugit în toate direcțiile, s-a transformat în partidulețe și în mafii economice, care au distrus ce mai rămăsese întreg în țară. Am ajuns să nu mai existăm pe hartă. Din neam tomberon pentru Europa, am ajuns stat de frontieră pentru cei de dincolo.

Nu poți să le ceri lor demnitate creștină, că nu mai au de unde, sunt altă serie, sunt creație spontanee. Comuniștii se nasc brusc. N-au trecut! Sunt născuți astăzi la două. Ei nu-și recunosc semenul, n-au țară, au o zonă, sunt *vorbitori de limbă română,* asta vă duce în eroare. Vorbesc. Unii vorbesc agramat, alții vorbesc și limbi străine. Dar să nu-i scanați în zona de demnitate creștină, fiindcă dragostea lor de țară se reduce la mama soacră și nepot, ei au alte hărți, mai mici, de familie.

Am găsit ieri un ciob de demnitate creștină: tot căutând printre vase, mi-a arătat Dumnezeu, pe o râpă cu noroi, lângă un cimitir civil, niște blocuri socialiste în partea cealaltă, niște gunoi în jos, niște case, niște bordeie și o cruce singură, de lemn. Am mers prin noroi, m-a condus Înalt Prea Sfinția Sa, și acolo am găsit ciobul. Pe cruce scria: Mircea Vulcănescu. Era mormântul celui care a scris, din dragoste de țară, *Omul românesc.* Acolo a fost îngropat *omul românesc.* Dacă vreți să vedeți mormântul omului românesc, vă duceți la Aiud, pe Râpa Robilor, acolo, la marginea orașului. E de lemn crucea omul românesc. Dedesubt, sunt mii de cioburi, fără de nume, poate mai răsare un nume, ca al părintelui Ilarion Felea. *Acolo este cimitirul demnității creștine…*

Mai sunt cimitire în țară, unde găsiți cioburi de demnitate creștină, oameni sfărâmați: la Gherla, la Pitești, la Sighet, la Târgu Ocna, la Jilava ș. a. m. d.

Aceste cimitire ale demnității creștine sunt foarte bine păzite de *oceanul lașității noastre*. Și totuși, ieri, am avut un sentiment cumplit, care m-a răvășit. Coborând în vale, spre osuar, cu Înalt Prea Sfinția Sa, cu părintele protopop, cu preoții cu care eram, am avut sentimentul fizic al coborârii în iadul comunist, ca să-mi văd drepții. Părinții slujeau, murmurau rugi, și cred că din suspinele lor și din ruga lor, în aceea seară, s-a pavat din nou drumul demnității românești.

*

Înalt Prea Sfinția Sa: Aveți bunătatea să răspundeți și la întrebări?

Dan Puric: Da.

– Credeți că am plonjat dintr-un fel de manipulare – și vorbim aici de manipularea sistemului totalitar –, într-un alt tip de manipulare, cea pe care ne-o impune nonvaloarea?

D. P.: Este o întrebare, într-un fel, curativă, care diagnostichează situația în care ne aflăm. O mare vină față de această manipulare o poartă intelectualitatea din România, care nu mai este o intelectualitate creștină; în sensul că ea însăși este aceea care este implicată, de ani de zile, în procesul desacralizare, de demitizare. Am mai spus asta și vă repet: un om care are părinții numai în buletin, pe C. N. P., e un om terminat.

Demitizarea unei culturi are mai multe etape: prima este *deconstrucția*. De exemplu, demitizarea lui Eminescu; folosind ideea de deconstrucție critică, intelectualii noștri s-au grăbit să deconstruiască, motivând că nu putem să rămânem ancorați în mentalitatea comunistă. Dar cine a zis să rămână ancorați în fetișurile acelea, când, totuși, noi avem o tradiție culturală nemaipomenită, singura care ne poate ajuta să stăm în poziție verticală? Construcția europeană este pentru ei un fel de pat al lui Procust, unde trebuie să fie băgat la strung tot ce nu le convine.

După demitizare și desacralizare, urmează a doua etapă: au făcut *urmărirea penală*. Constantin Noica a fost... informator la securitate! Am văzut eu, mare de tot, scris pe o pagină de ziar! Constantin Noica, cel care a vorbit despre dăinuirea neamului românesc!

Iată cum actul de desacralizare, de demitizare, merge mână în mână cu activitatea Securității de dezinformare și de distorsionare a memoriei!

Dar mai există o lucrare a unui om al Bisericii, una dintre cele mai frumoase minți ortodoxe: Părintele Neofit de la Piatra Scrisă. Cu ajutorul ei am să vă răspund. Părintele ia o lucrare a grecului Plutarh, în care acesta se întreabă: de ce se deghizează caracatița, când se agață de piatră, luând culoarea și forma ei? Care este diferența între deghizarea caracatiței și aceea a cameleonului? Caracatița se deghizează, schimbându-și culoarea și disimulându-și forma, pentru a pândi și a vâna, nu din frică; în schimb, cameleonul își schimbă culoarea de frică. *Politropos,* îi zice grecul – *omul cu mii de fețe.* Partenerul și victima lui este *Efemeros – omul fără conștiință;* efemerida. Pentru care nu există trecut. *Efemeros te mănâncă.*

Legătura între *Politropos* și *Efemeros* este una de lanț trofic. *Efemeros* este cretinul național, care crede tot; mintea lui slabă și slăbănogită se prinde în mrejele lui *Politropos,* securistul, care intonează aria calomniei: „Calomniază, calomniază, că tot se prinde ceva!".

Să nu uităm și pe cel de-al treilea, care tronează în societatea de astăzi: este *mitocanul ajuns la putere,* care bășcălizează și blasfemiază tot. Mi-a întrebat unul, din teatru, un șmecher din ăștia: „Băi, vreau și eu să știu: ce le zici tu, mă, la popii ăia?". N-am avut ce să-i răspund. Zic: bine, ne vedem mâine, mă duc acum, că pierd mașina. Cu ei nu trebuie să vorbești. Eu îi trimit la *Efemeros.* Creierașul lor atâtica e, dar nu creierașul e important, ci sufletul lor. Creierul lor se mută, precum canalele TV, cu telecomanda. Să stea cu creierul în canale şi televiziuni (şi-n canalele de pe stradă, că sunt egale cu celelalte). Atitudinea mitocanului față de valoare este băşcălia.

Sigur că este o manipulare: când premiezi în teatru aberații, când premiezi în cinematografie aberații, când scoți o literatură aberantă. Lucrarea despre care vă pomeneam eu nu este literatură, nu o s-o găsiți la Uniunea Scriitorilor, nu o premiază nimeni. Ei cred că este ceva ce priveşte doar pe un monah şi pe popii ăia. Dar vă spun eu: asta nu e literatură, asta este rugăciune. Unde sunt creştinii intelectuali, care să avertizeze: „Treziți-vă, oameni buni!"? Ei nu vor să „se compromită" cu creştinismul! Când s-a inaugurat statuia lui Petre Țuțea, în curtea unei biserici din Bucureşti, m-a rugat cineva să vorbesc. Nu eram pregătit, am fost obligat să improvizez; atunci mi-au venit în gând cuvintele marelui filosof Heidegger, rostite într-o dimineață la curs: „A gândi înseamnă a te compromite". Țuțea s-a compromis, într-un stat comunist, gândind liber. *Să dea Dumnezeu să ne compromitem şi noi la fel.*

Cea mai compromisă persoană a fost Iisus Hristos; El n-a avut *imagine, imaginea* lui s-a făcut cioburi şi aşa a apărut icoana. El ne-a lăsat moştenire icoane de întrupare a adevărului. În perioada comunistă, Biserica trebuia anulată. Acum trebuie compromisă.

– Cineva spunea: „Mai demult erau cruci de lemn şi suflete de aur; acum sunt cruci de aur şi suflete de lemn". Credeți că este întemeiată afirmația? Dacă da, este posibilă o a doua răsturnare de situație?

D. P.: Da, situația este adevărată. Sufletele de aur cred că se pot recâştiga mărturisind, întorcându-ne cu fața spre Dumnezeu. Tot ceea ce vă spun eu acum raportez la generația de tineri interbelică. Sufletele acelea de aur au fost distruse, au fost distruse fizic. Cei care au rămas aici, în anonimatul puşcăriei care era întreaga Românie; cei care s-au salvat au scăpat fugind din țară și trăind altă cruce groaznică: a exilului. Acum nu mai pleacă în exil personalități, pleacă tot poporul român, toată forța de muncă.

Sufletele acelea de aur *trebuie refăcute fără frică*, trebuie să îndrăzniți. Hristos așa le-a spus celor ce se agitau inutil: „Îndrăzniți!". N-a zis să avem tupeu! Trebuie să îndrăznim, pentru că, altfel, lucrurile ni se vor întoarce împotrivă. Sunt experiențele de la vecini, care ne spun că nu e bine să te lași călcat în picioare.

– Ce filme ne recomandați pentru întărirea caracterului și a demnității creștine?

D. P.: M-am întâlnit ieri cu niște tineri minunați. M-au întrebat și ei ce film le recomand și le-am răspuns că le recomand *o radiografie la plămâni*, de-a mea, pe care am făcut-o acum doi ani. *Ăsta e cel mai bun film românesc.* E un plămân sănătos, se pare, nu mi-au găsit nimic. Ceea ce e ciudat, fiindcă în București mori sufocat pe stradă, din cauză că sunt multe toxine. Se găsește o copie la policlinica cu plată, unde sunt foarte cunoscut. Vă spun o glumă ca să ne detensionăm.

La policlinică, era o doamnă doctor pensionară, foarte avansată în vârstă, dar pesemne că voia să-și mai adauge ceva la venit, și de aceea lucra.

Eu tușeam și ea mi-a zis gâfâind (avea vreo 89 de ani):
– Respiră adânc!
Zic:
– Cine, doamnă, eu sau dumneavoastră?
– Dumneata, domnule! Respiră!
Apoi a venit cu stetoscopul:
– Așa! Și: unu, doi...
Zic:
– Nu mai numărați, vă rog, că număr eu (îmi era teamă că, dacă numără până la 10, se duce; am fost pus față în față cu eternitatea).
Pe urmă, s-a întors către mine:

– Cum te cheamă, mă?

Zic:

– Puric Dan.

– Puiu și mai cum?

– Nu, Puric.

– Unde lucrezi? Lucrezi în mediu toxic?

Zic:

– Da. La teatru.

– Aa... Ești vopsitor?

– Da, vopsitor!

Paradoxul e că, dacă oamenii te lasă, nu te lasă Dumnezeu. Astă vară am fost prin creierul munților, pe la mine, pe la țară, și m-am întâlnit cu un cioban, care mi-a zis: „Să-ți dea Dumnezeu sănătate, că le spui pe nume. Te-am văzut eu la televizor!". Deci, ciobanul m-a ghicit, doamna de vizavi de teatru, din centrul Capitalei, nu!

– O întrebare care, probabil, își găsește acum locul potrivit: ce cărți ne recomandați nouă, tinerilor de 18 ani, astfel încât să ne folosească?

D. P.: Sunt multe cărți: Ion Ianolide, Ioan Ioanide, Cesianu, Ion Gavrilă Ogoranu...

– Ce părere aveți despre demitizarea istoriei românești? Trimiterea se face la lucrările lui Lucian Boia și complementar, ce credeți că ar trebui să facem pentru a fi din nou uniți?

D. P.: La prima întrebare pot să vă răspund că am citit numai titlul și am plecat mai departe, pe stradă, liniștit. Am un soi de reducționism, numai cuvântul demitizare îmi spune foarte mult. Sigur că, acum, o armată de intelectuali o să sară în sus și o să susțină că fac afirmații aberante.

Vedeți dumneavoastră, ce paradox în cultura română! După avântul pașoptist, a venit „Junimea"; pe cei de la „Junimea", care erau nişte oameni de-o inteligenţă rară, i-au apucat brusc reacţionarismul şi aristocraţia.

O să ziceţi: aristocraţia, înţelegem, sigur, erau acolo Petre Carp, Negruzzi, erau boieri. Dar Titu Maiorescu era burghez, Eminescu era ţăran. De ce pe ţăranul Eminescu l-a apucat aristocraţia, de ce l-a apucat ideea de elită, de ce erau reacţionari? În sensul în care erau ei reacţionari sunt şi eu.

Mai departe, ce i-a apucat pe cei pe care Mircea Vulcănescu îi numeşte „generaţia de foc", în frunte cu Nae Ionescu, gândirismul şi ortodoxia, să caute mântuirea prin ortodoxie şi creştinism? De unde, într-o Europa care a evoluat faustic, aceştia s-au ancorat atât de „penibil" într-o instituţie care „ne trage înapoi, spre evul mediu"? Erau toţi stupizi, cum afirmă unii? Toate aceste mari personalităţi?

Iată ce le-aş recomanda eu celor ce face asemenea afirmaţii, fiindcă am văzut o emisiune, pe un anumit post, cu un obraznic din ăsta (nu-i dau numele, fiindcă chiar n-are nume; ăştia nu cred că trebuie să poarte un nume). Vorbea cu nişte ierarhi ai bisericii, având ceva din miliţianul care o controlase pe bunică-mea (numai că bunica-mea era mai tare decât ei!). Ierarhii respectivi erau surprinşi, pentru că nu sunt obişnuiţi cu golănia civilă. Atunci, mi-am adus aminte de părintele Stăniloae, care, cu vreo două luni înainte să moară, stătea, ca o lumânare, în curtea bisericii, la Darvari, şi-a zis: „Să-mi traducă cineva cuvântul cuviinţă". Cuvântul cuviinţă nu se poate traduce prin „respect", prin „admiraţie", e un tot. Cineva ar trebui să-i amintească obrăznicăturii ăleia cuvântul cuviinţă. Fiindcă el l-a sărit din tiparul limbii române.

Limba română este o taină, limba română se liturghiseşte, este sfinţită. Nimeni nu face un studiu de antropologie, să-i analizeze pe cei ce organizează mese rotunde.

– Aţi spus că în ţară nu mai este demnitate; când a fost? Mai sunt capabili intelectualii români să mărturisească demnitatea?

D. P.: Eu am spus când a fost demnitate: am început cu bunica şi am terminat cu Mircea Vulcănescu şi cu marii creştini din puşcării. Noi astăzi încă mai facem vocalize, abia ne ridicăm din patru labe. Intelectualii de astăzi sunt terminaţi. Aşteptăm să crească pruncul ăsta sau pe cei tineri, care mă înţeleg. Eu n-am venit aici să judec, din contră, am venit din dragoste; şi, la dragostea pe care mi-aţi oferit-o, v-am răspuns cu durerea mea. Discursul ar fi fost altfel dacă mă aflam în faţa parlamentarilor români, dar esenţa era aceeaşi. Numai că ei m-ar fi tratat ca pe Sfântul Apostol Pavel, când le-a zis atenienilor că învierea se va face în trup; şi ei i-au răspuns: „Despre asta discutăm noi mai târziu".

– Domnule Dan Puric, din experienţa dumneavoastră, care consideraţi că este elementul esenţial în dobândirea sau redobândirea demnităţii umane?

D. P.: În primul rând, eu alerg pentru redobândirea demnităţii creştine, făcând diferenţa între demnitatea umană şi demnitatea creştină. Sigur că e bună cea omenească, dar demnitatea creştină e cu faţa spre Dumnezeu. Eu m-am trezit într-un anumit fel, există secunde în viaţa asta când te poţi maturiza. O secundă în viaţă te poate maturiza, te poate lumina. Important este să-ţi dea bunul Dumnezeu ochi să vezi. Pentru aceasta trebuie să ne rugăm.

Apropo de secunda aceasta: ieri, invitat de Prea Sfinţia Sa la ritualul de tundere în monahism, la Remetea, când m-am dat jos din maşină şi am văzut biserica, în spaţiul acela înconjurat de munţi, creştinii care aşteptau, măicuţele şi părinţii cu icoană, într-o fracţiune de secundă, *am văzut România eternă*. Atât a durat. A fost ca un strigăt, care zicea: „Eu exist, n-am murit". Pe urmă, am văzut şi avioane supersonice pe sus, care treceau şi brăzdau munţii. Nu este o imagine păşunistă aceasta, nu este o imagine semănătoristă, este o imagine care-ţi intră în suflet. Dacă o recunoşti, *eşti ceea ce recunoşti*.

Mi-aduc aminte că fiul meu a găsit o insectă foarte frumoasă, când era mic, de o frumusețe extraordinară, cu niște antene, cu niște culori nemaipomenite; mi-a zis: „Tata, uite ce frumoasă e!". Și s-a dus, în bucuria lui, să o arate și altora. Tocmai atunci, un șofer trecea pe acolo; i-a zis: „Nene, ia uite ce frumoasă e!". „Ei, da, un gândac", a spus acesta.

Dumnezeu lucrează. Important e ca noi să mărturisim, important e să nu lăsăm lucrurile așa cum sunt, pentru că nu este cinstit. Mă întorc iarăși la corectitudinea controlorilor și cinstea bunicii mele; *corectitudinea este o normă morală, un fel de semafor,* cum am mai spus, *cinstea este o trăire.* De aceea *corectitudinea politică este o ipocrizie, iar cinstea creștină nu poate fi înlocuită cu corectitudinea politică, niciodată.* De la corectitudinea liniei de partid la corectitudinea politică nu e nici un pas, e același lucru cu altă formă, este o impostură. Cinstea creștină dă omului valoarea ființială: nu vreau să mă fac că exist, nu vreau să mai intru dintr-o zonă de inautenticitate, de fals, în altă zonă.

Ființa mea spune nu și ființa dumneavoastră spune nu, dar trebuie avut curajul de spus public, de a lua atitudine, cum se poate, nu e neapărată nevoie să se organizeze lumea în partide. Dezorganizați, dar fiecare să respingă, să boicoteze zona aceasta de inautenticitate, care mai devreme sau mai târziu ne face rău tuturor.

Vedeți, acum este atacată Biserica, pentru că ar fi făcut compromisuri cu securitatea. Compromisurile se fac cu compromisul; întrebarea este: a făcut compromis cu Dumnezeu? Nu ați întâlnit niciodată un șef idiot, care te freacă la creier să faci ceva? Zici: da, domnule director, mai vedem, facem, cum ziceți dumneavoastră. Lasă prostul să treacă. Compromisul se face cu compromisul, nu cu valoarea. Spuneți-mi și mie: care e compromisul pe care l-a făcut Biserica română vizavi de neamul românesc, vizavi de Hristos? A zis Părintele Arsenie Papacioc: „S-a botezat, s-au făcut toate ritualurile, înmormântările; bisericile existau, nu numai noi, cei care fugeam prin munți. S-a murit în pușcării. A trebuit, la un moment dat, să se facă niște compromisuri, ca să existe".

Vin dintr-un turneu la Sankt Petersburg. Am văzut bisericile nou-nouțe, vopsite. Și am întrebat: ce v-a apucat? „Păi, până acum 3 ani au fost magazii". Cum au fost magazii? „Da, au fost de decoruri, unele au fost grajduri de vite". Oranki a fost mănăstire, acolo a scris Tolstoi romanul *Învierea*; a ajuns lagăr pentru deportații români, pentru prizonieri. Sufletul rusesc creștin a pătimit îngrozitor. Totuși, la noi, lucrurile astea nu s-au întâmplat, a fost o abilitate, o înțelepciune a Bisericii. A fost o atitudine față de care nu se poate oricine pronunța. Știți că și Neagoe Basarab spunea: „Dacă vine dușmanul și-ți cere pământ, dă puțin de la tine, numai să iasă. Și, dacă mai vrea, mai dă-i puțin; dar, dacă vrea să-ți ia tot și să îți ia și familia, atunci îți iese sabia creștină din teacă".

Neagoe Basarab te îndemnă spre compromis: tratezi cu răul, cât se poate; dar tot el stabilea și limita. Lucrurile acestea trebuie gândite sub o alta optică, nu trebuie căzut în purismul ăsta intelectual.

– Spuneați cândva: e bine să aveți griji, dar să nu fiți îngrijorați. Cum ne vindecăm de îngrijorare?

D. P.: Grijile sunt umane; dar, în clipa în care ești îngrijorat, nu-i mai dai voie lui Dumnezeu să lucreze, te substitui Lui. Eu ziceam că poporul român s-a născut cu griji; la noi, situația este peste tragedia greacă, pentru că tragedia se întâmplă ca un spasm existențial, după care urmează consecințele. La noi, parcă tragedia s-a transformat într-o doză zilnică, care se numește: necazul de zi cu zi. A fi un popor necăjit are două consecințe: unii oameni se imbecilizează de suferință; alții sunt sărutați de Dumnezeu.

Eminescu a spus: „Eu îmi apăr sărăcia și nevoile, și neamul". A zis: *sărăcia*, nu mizeria. Mizeriabilitatea este altceva. Sărăcia, la fel ca și boala, ca și necazul, poate să fie o punte către Dumnezeu. Asta înseamnă trăire creștină: ți s-a dat ca să-ți aducă aminte. În sensul acesta, trebuie să trăim creștinește.

Diferența între trăirea noastră și cea occidentală a văzut-o foarte bine un medic creștin, care a zis: „Occidentul experimentează, Orientul observă"; e diferența între medicina alopată și de acupunctură. Occidentul politic a făcut un experiment ideologic asupra noastră, a populației din Est, care s-a numit comunism. Experimentul a fost cinic, criminal. *Ideea nu a fost a noastră.* Nu-mi aduc aminte ca noi să fi avut un ideolog cu care să dăm cancer tuturor națiunilor lumii. După acest experiment, ni se iau dimensiunile craniene, biologice, comportamentale, cu care am ieșit din lagăr. Dar noi, datorită experimentului acestuia, am ajuns cu fața către Dumnezeu. Trebuie să le spunem lucrul acesta. Că am scăpat, de multe ori schilodiți, nenorociți, dar că nu mai vrem alt experiment; și că ar fi cazul să spunem, ca la Mărășești: *„Pe aici nu se trece!".*

Să experimenteze în altă zonă. Comunitatea Europeană este un experiment pe care îl trăim cu toții, îl trăiește și Occidentul. Dar experimentul acesta nu mai are valoare ideologică fățișă, are preponderent una economică. Că va ieși, că nu va ieși, asta bunul Dumnezeu știe! Dar *nu căuta să-mi dizolvi mie, ca popor, ceea ce mi-a dat rezistență și dăinuire.*

Deci, trebuie să fim cu toții conștienți că a fost făcut un experiment asupra noastră. Rezultatul cel mai sinistru al acestui experiment este prostul aluat uman care s-a creat. Datoria noastră este să nu ne lăsăm supuși unui alt experiment. Știți că, apropo de frică, pe vremea cenzurii, ți-era frică de securitate, de aparatul coercitiv, ți-era frică de semenul tău, îți era frică de tine. Era *autocenzura.* Astăzi, metoda este mai parșivă. Nu mai este autocenzura, nu mai este totul coercitiv, nu mai este totul inhibant. Dar nici dezinhibant, este exhibant. Intimitatea este scoasă în public. Deci, dacă înainte intimitatea era urmărită, tu, cu gândul ca-n Orwell, te urmăreai pe tine: oare am zis bine? N-am făcut o gafă? Cum am vorbit? N-am supărat, n-am făcut ceva nepermis? Omul fricos, omul înspăimântat! Frica de Dumnezeu, care, în ultimă instanță, ajunge dragoste față de Dumnezeu, a fost înlocuită cu spaima de semen. De milițianul gras, plutonierul care era semenul meu, mie trebuia să-mi fie frică.

Acum este exhibiţionism, ni se propune să ne facem publică viaţa intimă; acum a apărut *Big brother*, acum au apărut camere de luat vederi peste tot, care intră în viaţa intimă, au apărut nefericiţii ăştia, care vin în public şi-şi spun tot sufletul. Nu-l spun duhovnicului, îl spun public. Mahalagiul, ţoapa ordinară îşi fac din viaţă repertoriu. Apare scandalul public. Mizeria aceasta nu ne caracteriza pe noi. Este o mizerie care vine de dincolo. Vin şi lucruri valoroase, mare atenţie, dar discernerea lor trebuie făcută de o conştiinţă creştină.

Cauză și efect[*]

Bogdan Gamaleț: Invitații mei din această seară sunt: Dan Puric, artist, și Marian Oprea, directorul revistei „Lumea". Poate părea ciudată această asociere, un artist și un director de revistă de politică externă, dar încercăm să răspundem la întrebarea: ce legătură este, dacă este vreuna, dacă mai exista vreuna, între politică, religie și cultură.

Domnule Puric, mai nou, din '89 încoace, politicienii, chiar și când depun jurământul de miniștri, spun: „Așa să-mi ajute Dumnezeu!". N-am prea constatat ca în manifestările domniilor lor de după aceea să-și dorească acest lucru, chiar fac câteodată lucruri împotriva acelui jurământ. Cât este fals și cât este adevărat în atitudinea lor? Cât folosesc religia ca instrument de manipulare?

Dan Puric: Mai întâi, trebuie să precizăm conceptele, așa cum spunea Voltaire. În primul rând, politicienii manipulează religia, și nu religia manipulează politica! Între politică și religie este aceeași legătură despre care spunea Caragiale că ar fi între teatru și literatură. Citez: „Între teatru și literatură este aceeași legătură ca între teatru și arhitectură, adică nici una". Sunt două linii paralele, ca la tramvai.

Sigur că se speculează de către omul politic zona aceasta de sensibilitate; metoda face parte din cabotinismul politic obișnuit. Nu putem să o măsurăm, pentru că ea de la început este în zona imposturii; este în zona falsului. Specularea este astfel făcută, încât, cel puțin în sistemul de referință al României, credinciosul creștin este o armă electorală de temut.

---

[*] Interviu realizat de Bogdan Gamaleț, difuzat în cadrul emisiunii „Cauză și efect", la postul de televiziune „N 24", în 18 decembrie 2007, ora 20,30.

Trebuie să identificăm diferența între creștin și omul politic. Între ei este o ruptură ontologică. Lumea sigur că se poate amăgi. Există acum, în confuzia asta infernală după '89, tendința de a amesteca lucrurile. Dar noi trebuie să le delimităm foarte clar. Deci, sentimentul religios este manipulat de omul politic. De aceea se spune că face „baie electorală" tot timpul, de aceea se vorbește despre spectacolul pe care omul politic îl face, mai mult sau mai puțin penibil.

Îmi aduc aminte o imagine, un contrapunct cinematografic; prin 1991–1992, liderii politici de atunci stăteau în genunchi, la crucea de la Universitate. Am observat că nici lumânarea nu le stătea dreaptă..., erau destul de penibili! Dar ei văzuseră cum trebuie să pozeze!

Pe margine era populația Bucureștiului, cenușie cum era ea îmbrăcată (inclusiv eu fac parte din această populație cenușie), cu sacoșele alea de plastic în mână, care scanda așa: „Cri-mi-na-lii! Cri-mi-na-lii!". Era un contrast, un contrapunct extraordinar! Ei pozau în virginitate politică și pietism religios, dar populația știa adevărul. Concluzia e clară!

Ca să mergem de la început pe un diagnostic clar, trebuie să identificăm foarte bine alte două realități: în ce măsură fac ei un compromis cu valorile religioase și în ce măsură te driblează un om politic în zona asta creștină?

Să lămurim apoi, pentru că ne aflăm totuși în România și trebuie să vorbim de creștinism, dacă un creștin poate și trebuie să facă politică.

Marian Oprea: Spunea d-l Puric că există o ruptură între creștin și omul politic și că nu ar fi normal ca politica să se amestece cu religia. Și totuși, trebuie să răspundem la o întrebare: de ce oamenii politici de azi fac tot mai mult apel la religie, la starea spirituală?

B. G.: Cred că-i simplu: în orice sondaj de opinie veți vedea că instituția care se bucură de cea mai mare încredere în ochii populației este biserica, iar clasa politică e ultima.

D. P.: E foarte bine sesizat, dacă îmi permiteți. Nu numai în România, peste tot în lume s-a intrat pe acest culoar al sensibilității religioase. De ce? Pentru că miturile fondatoare ale postmodernismului sunt moarte. Nu mai discutăm de iluminism, care ne-a dus unde ne-a dus; nu mai discutăm de acea superstiție a progresului continuu, a științei care ne rezolvă totul. S-au prăbușit miturile fondatoare. Și atunci, este zona aceasta care a rămas de recucerit... De exemplu: Occidentul s-a văzut dintr-o dată fără taină, fără mister; însă și-a dat seama că există un segment în societate care cere taină, cere mister. Și atunci, creștinismul, fiind falimentat sau compromis (nu mă refer aici la Biserică Catolică, ci mă refer la societatea secularizată), s-a trecut la artificialul acesta al neopăgânismului.

Te gândești, de pildă: de ce este atacată acum religia creștină? De sincretism, de sectarism și de secularizare? Secularizarea este deja consumată, și atunci apar tot felul de lucruri de genul acesta... Mai mult decât atât, se știe ce spunea Malraux: „Secolul al XXI-lea va fi religios, ori nu va fi deloc". (Dar asta nu l-a împiedicat să exerseze stânga. A avut și el o revelație pe ultima sută de metri.) Este într-adevăr o întoarcere puternică a spiritualului, o sesizăm nu numai în religia creștină, ci peste tot; și atunci, acesta devine teren de speculat din punct de vedere politic. Dar să nu credeți cumva că fiara politică este convertită: doar folosește substanța asta emoțională; de aceea face botezuri, nunți, cade în genunchi.

Într-un fel, dacă ai, așa, o distanță mai detașată și puțin umor, este un spectacol de-a dreptul felinian să-i vezi! Lumea se duce, vede, dar un om cu conștiință trebuie să nu intre într-un asemenea joc.

Deci, omul politic folosește religia, cum am spus, ca pe o armă electorală de temut. Iar în România, creștinismul, mare atenție, nu are o așezare, ca să-l citez pe Nae Ionescu, „teocratică, ci una națională". La un moment dat, analizând, într-un articol din perioada interbelică (e foarte interesant că sunt similare situațiile!), spune așa: Biserica are datorii și drepturi. *Ce datorii are Biserica?*, întreabă Nae Ionescu „Are datoria să amendeze toate noțiunile, inclusiv cele politice, în clipa în care se îndepărtează de morala creștină". Și are *dreptul* să susțină chiar formațiunile politice care susțin etica creștină; și mai are un *drept* fundamental: *să se suprapună cu națiunea* – mare atenție! –, chiar dacă o ia împotriva statului. Și iată că delimităm alte categorii: statul, națiunea, biserica. Eu aș spune însă, cu termenii Părintelui Stăniloae, nu națiune, ci aș spune *neam*.

Dacă statul a luat-o razna, Biserica asigură neamul. Din punct de vedere politic, noi considerăm acum că suntem o efemeridă pe harta Europei. Neamul și toată națiunea se retrag în Biserică. De aceea Biserica e atacată prin croșee puternice, directe, sau prin doze homeopatice și repetitive, pentru că ea este punctul de rezistență al neamului.

Când cineva intenționează să distrugă un popor, ce atacă mai întâi? Linia lui de forță! Și ultima citadelă de coagulare este Biserica. Nae Ionescu a surprins extraordinar de bine această mișcare, când a afirmat că Biserica poate să o ia împotriva statului, atunci când acesta pune în pericol ființa neamului. Este mișcarea care se face acum.

Noi suntem Biserica, deci nu putem lupta împotriva Bisericii. Nu putem să le cerem ierarhilor din Biserică: dați-i afară pe politicienii care vin și pozează în Biserică în fața electoratului. Nu, niciodată! Pentru că există o morală (nu o disciplină) creștină, care zice așa: te primim și pe matale, chit că faci figurație creștină, că, poate, până la urmă, s-o prinde ceva. În India, un hoț, nemaiavând unde să se ascundă de poliție, în disperarea lui, văzând un grup de budiști, s-a ascuns printre ei. Aceștia se opreau din când în când și se rugau. Hoțul, neavând încotro, făcea la fel, de frică să nu fie descoperit. După mai mult timp, stând între ei, a devenit budist. În sensul acesta, sperăm ca oamenii politici din România, frecventând bisericile, să devină creștini.

Creștinul adevărat are însă ceea ce aș numi un instinct creștin, care îl ajută să-și dea seama care om politic este în zona autentică și care este în zona falsului.

Dar astăzi creştinul are fragilităţile lui. Iar fiara politică se lasă condusă de instinct, ca animalul care te atacă noaptea. Lui n-am ce să-i reproşez, îmi reproşez mie, dacă cedez.

M. O. La noi nu mai există politică, este politicianism. Politicul trimite individul să apere cetatea, să lupte pentru cetate; politicianul, să distrugă, să fure.

D. P.: Asemenea se vorbea în perioada interbelică despre politicianism. Aristotel, în *Omul politic*, spune o chestie extraordinară: „Toată lumea are glas. Numai omul are voce, şi vocea aceasta trebuie să se facă auzită în cetate". Numai că statutul omului politic, la Aristotel, în cetatea ideală, era una; în vreme ce, aici şi acum, noi ne aflăm într-o stare de degradare.

M. O.: Atunci, omul politic era legat de conştiinţă.

D. P.: Da, el era conştiinţa cetăţii. El construia. Cei de azi dărâmă, nu construiesc. Acum vorbim de un alt metabolism al omului politic. Să ne gândim cum stau lucrurile la noi; facem o analiză regională, judeţeană, în România, că şi aşa suntem pe regiuni în noua structură. Ce se întâmplă în judeţul numit România, în Comunitatea Europeană? O mână de oameni, săltaţi din pepiniera Comitetului Central, la a doua sau la a treia generaţie, cărora nu trebuie să le punem conştiinţa naţională în spate, că-i jignim. Pentru ei, ţara se declină între mama soacra şi nepoţel. Identificaţi-i, că nu-i jigniţi, îi numiţi. Ăştia sunt generaţie spontanee, istoria s-a născut o dată cu ei. Ei n-au trecut. România există pentru ei atâta timp cât se poate fura.

Dacă ne gândim bine, noi nu mai avem oameni politici. Aici are dreptate d-l Marian Oprea, omul politic e altceva. Omul politic are responsabilitate. Să ne gândim la un Brătianu, să ne gândim la Take Ionescu... Ei construiau. Păi, Brătianu, ca să-l aducă pe rege, şi-a vândut moşia. Se sacrificau, se jertfeau. Primul lucru pe care-l face creştinul e să se jertfească. Dă de la el, fie că este boier, fie că este ţăran. Sigur că şi aceea era o

97

societate cu contradicții, nu era perfectă, erau inegalități sociale; nu idealizăm. Dar eu vorbesc aici despre un ghetou criminal, în care politicienii de azi au transformat țara, unde ei fură instituțional, fură *legal*.

S-au dat sume imense pentru mănăstiri, pentru biserici, tocmai pentru ca să se câștige electoratul. Sfântul Ioan de Kronstadt a profețit situația asta: „În clipa în care se vor construi biserici foarte multe și aurite, să vă feriți, scade credința". Nu vedeți ce paradox? Ceaușescu dărâma biserici și creștea credința. Acum se construiesc foarte multe biserici. E pericol! Asta nu înseamnă că Biserica Română nu trebuie să construiască. Asta nu înseamnă că nu trebuie făcută Catedrala Neamului.

Dintre cei care ne ascultă, cei cu minte de *efemeros* trag concluzii: „Ăsta ce vrea, domnule? Să nu se mai construiască?". Nu, să se facă! Dar e important să vezi și cum se mișcă politicul. Mulți și-au făcut biserici și s-au pus acolo, pe post de ctitori; n-ați văzut cum stau, cu cravată aia de Academia „Ștefan Gheorghiu", pe stânga la intrare în biserici? Da, și-au făcut mănăstiri...

Deci, trebuie văzut *gunoiul* ăsta național al nostru, această Biserică fugărită. N-ați văzut că legea lustrației e deja instrumentalizată? Am început-o invers!... Am început-o cu ierarhii! Știți cum e în nenorocita asta de constituție, pe care o avem? Este o constituție din aia la extemporal, copiată pe genunchi și făcută ca o haină pentru unul care n-are legătură cu poporul român.

B. G.: E remaiată de două ori.

D. P.: E remaiată de două ori, dar tot în sensul lor. Dă-mi voie să fur legal. Problema se pune așa. Ai dreptul reprezentării politice. Ați văzut, la gimnastică, exerciții impuse și liber alese? Să vedem care erau *impuse*: *dreptul reprezentării politice*. Vreau, nu vreau am președintele ăsta, îl respect. La *libere*, este *dreptul libertății de conștiință*. Dacă vreau, eu consider că este patriarhul meu sau nu. Deci *obligo* e politicul. Politicul este rezultatul unei mase de vot, votul este rezultatul unui număr, numărul este compromis calitativ. Eu sufăr ca cetățean al României datorită majorității, care, săraca, nici asta nu trebuie acuzată, că este terminată după 55 de ani, este amețită. Nu poți să zici: sunt idioți, sunt zăpăciți... Oamenii nu mai au repere! E un popor năucit!

M. O.: Iisus Hristos, atunci când îl ajuta pe sărac, atunci când îi dădea afară pe speculanți din templu, atunci când îl numea pe Irod „vulpe", când îi numea pe farisei „morminte spoite", făcea politică nobilă. Biserica trebuie să se implice în cetate făcând politică nobilă, creând acea grilă prin care trebuie să treacă toți oamenii care își asumă responsabilitatea cetății. O grilă morală.

B. G.: Ce trebuie să facă Biserica: să stea în defensivă sau să treacă la ofensivă?

D. P.: Noi suntem cu toții, bănuiesc, *sechelari*, după un sistem de genul acesta, care ne-a marcat. Ne-au marcat anii de comunism, dar și anii aceștia de *neocomunism*, și spunem: Biserica trebuie să stea în defensivă.

Știți, există un limbaj de lemn de la Academia „Ștefan Gheorghiu"; există un limbaj de lemn de la Bruxelles, unul de la Howard. Și există un limbaj de lemn ortodox. Limbajul de lemn ortodox s-a născut din autoapărare.

M. O.: Superb spus!

D. P.: Nu s-a născut din prostia ierarhilor! Ei trebuiau să se apere. Biserica a fost în defensivă, ca să ajute dăinuirea neamului. Acum se fac pași. Noi nu putem forța procesul. Biserica are forța să se autometabolizeze. Noi discutăm în termeni politici; dar Biserica este un sistem de referință în care nu intră termenul politic. Există termenul creștin. De exemplu, noi folosim cuvântul individ. Individul este produsul drepturilor omului, cetățeanul este produsul politicului. De fapt, acum, în sociologia contemporană, dându-şi seama de aceasta, Comunitatea Europeană şi-a zis aşa: omul, individul, va suporta o inflaţie de drepturi şi astfel va dispărea cetăţeanul. În concluzie, drepturile omului vor fi mai puternice decât constituţia cetăţeanului. Omul îl bate pe cetăţean cu drepturile.

Prin urmare, cetăţeanul dispare. Şi nu numai la nivel naţional, la nivel internaţional. Aici, Biserica va recupera imens, cred eu, pentru că ea cunoaşte o altă realitate, persoana, care reprezintă taina dezmărginită de politic.

Dar Biserica Ortodoxă nu e monofizită; nu e cu capul prin nori; ţine cont foarte mult şi de realitatea concretă, terestră. Dacă vă amintiţi de Iisus Hristos, în clipa tentaţiei politice – că El a fost tot timpul ispitit, a fost urmărit tot timpul –, i-au zis fariseii: „Ce facem învăţătorule, plătim impozitele?" Nu cred că există şopârlă mai urâtă ca asta!... Şi atunci Iisus a răspuns: „Are cineva o monedă? Ce e pe ea?" „Chipul Cezarului". „Atunci, daţi Cezarului ce-i al Cezarului şi lui Dumnezeu ce e al lui Dumnezeu".

Să analizăm lucrul acesta. Cezarul, cu forţa lui politică, era respectat, deci politicul, cu structura lui, se respectă. Înseamnă că un creştin are o altă existenţă, el asimilează politicul, este deschis politicului, numai să nu-l atingi în credinţa sa. Într-o chestiune de demnitate creştină, aţi observat, omul, creştinul răbdă toate ale lui. Poţi să-i faci tot ce vrei, pentru că *demnitatea umană* înseamnă chipul omului în om. Dar *demnitatea creştină* înseamnă chipul lui Dumnezeu în om şi, în clipa în care te atingi de chipul lui Dumnezeu în om, creştinul reacţionează, se sacrifică, ajunge la martiraj. Toţi martirii au ajuns în faza aceasta când chipul lui Dumnezeu în ei a fost atacat. Când chipul lui Dumnezeu din neamul românesc va fi lovit, sau încearcă să fie lovit major, atunci se va reacţiona major; şi nu numai la noi, la toate popoarele care au acest *sentiment*. Şi toţi au, în ultimă instanţă, această sensibilitate.

Noi trăim cu toţii astăzi un proces. Suntem integraţi într-o Comunitate Europeană, care este un corp politic nedeterminat;

nu se ştie dacă nu este determinat din premeditare, sau din faptul că se bâlbâie. În această nedeterminare, o structură administrativă, politică, în spate cu mecanisme rodate de multe sute de ani, se întâlneşte acum, la noi, cu o improvizaţie politică; pentru că, la noi, nu putem vorbi de un concept politic, de 19 ani încoace; este o cumplită improvizaţie...

Dar nu asta e important, că asta e trecătoare; ceea ce mi se pare important e întâlnirea între o Europă secularizată şi o Românie creştin-ortodoxă. Între ele nu se poate face o conciliere. Biserica nu se poate politiza. Spune Valeriu Gafencu un lucru extraordinar: „Biserica veghează". Acum nu prea mai are pe cine să vegheze. Gândiţi-vă, totuşi că noi astăzi trăim, în mare parte, un creştinism, cum se zicea la un moment dat, de duminică, ritualist.

Astea sunt rezultatele, astea sunt sechelele, dar nu înseamnă că Biserica nu este puternică. Este un proces de reformulare a ei, care se va face. Trebuie să fim foarte atenţi, să nu forţăm mâna Bisericii Ortodoxe să intre pe păcatul occidental, al instituţionalizării şi al colaborării în sensul politic. Gândiţi-vă la următorul lucru: dacă în toate guvernele, din 1989 până acuma, am fi avut o adunare de oameni creştini, în esenţă, noi o duceam extraordinar, pentru că un creştin are grijă de celălalt. El nu poate să facă altfel. În fiziologia lui, în metabolismul lui nu are gesturi de politician: a prăda, a fura continuu.

B. G.: Există partide care şi-au pus titulatura de creştin-democrat.

D. P.: Da., să ne gândim la Corneliu Coposu, care a fost un creştin. S-a văzut clar: avea respiraţie plenară, pentru toată ţara.

La noi, voievozii au fost creştini. Ce înseamnă să fii voievod creştin? Ştefan cel Mare făcea câte o mănăstire acolo unde câştiga bătăliile, dar a făcut şi acolo unde n-a câştigat: „Aicea a fost voia ta, Doamne". Îşi ţinea oştenii în post şi nu le dădea voie să spună: am câştigat datorită lui Ştefan cel Mare, ci datorită lui Dumnezeu.

Prelungirea humusului acestuia creştin a avut momentul maxim când, în perioada interbelică, s-a născut acea intelectualitate de trăire şi de atitudine creştină extraordinară. Azi nu mai avem norocul unei asemenea intelectualităţi. Intelectualitatea noastră de azi, în mare parte, fără să fac păcatul unei generalizări, nu mai este o intelectualitate creştină, ci una destul de marcată de sclipiciurile Occidentului...

B. G.: Ce are a face norocul aici?

D. P.: Norocul face parte din toaleta ateului. Creştinul nu are noroc. N-aţi văzut? Unul zice: „Baftă!", celălalt zice: „Doamne ajută!". Fiţi atenţi, ce diferenţă! Deci, nu norocul explică apariţia acestei elite intelectuale; a fost un demers istoric, o conjunctură, în aparenţă, dar, de fapt, a fost voia lui Dumnezeu. Intelectualii de azi n-au nimic românesc, sunt transfrontalieri – navetişti între idei europene. Au fizionomie de turişti; pleacă cu bagajele intelectuale pe trasee de „cultural exchange" şi-şi confundă ţara cu bursa din străinătate. Constantin Noica ar spune despre ei că „au cunoştinţe, dar nu au cunoaştere". Eu aş adăuga: n-au nici conştiinţă.

B. G.: Foarte interesant şi totuşi acum se propovăduieşte societatea cunoaşterii?

D. P.: Da, dar tocmai asta vorbeam şi eu. Vom cunoaşte totul fără să înţelegem nimic.

M. O.: Am înţeles. Să încercăm să înţelegem de ce în perioada interbelică am avut o intelectualitate profund creştină: pentru că noi trăiam atunci un moment când lumea respecta naţiunea, noţiunea de neam.

D.P.: Știți unde s-a întâmplat despărțirea Bisericii de stat? Mi-aduc aminte că Nae Ionescu este cel care a sesizat, iar astăzi o spune și Pierre Manent: „Biserica s-a rupt de stat în zona occidentală, când a apărut conceptul de națiune". Conceptul Bisericii Catolice era unul de universalitate – era suprastatală, cum sunt acum companiile multinaționale. Înainte, imperiile erau forme suprastatale și, în acest context, Biserica Catolică era suprastatală. Vedeți unde este diferența față de noi? Deci, Biserica s-a rupt de stat în clipa în care națiunea a devenit de sine stătătoare.

În România nu s-a întâmplat lucrul acesta, pentru că *națiunea* n-a intrat niciodată în contradicție cu Biserica. Remarca este absolut uluitoare, aparține unui gânditor român și aparține sociologiei de acum, numai că sociologia de acum nu mai ține cont de România.

Ce trebuie să facem noi acum? Trebuie să ne definim, ca să le spunem și altora cine suntem, ca să știe și ei cu cine stau de vorbă. Oamenii noștri politici, când se duc la Bruxelles, se duc fără definiție; și întreabă: „Ce vreți dumneavoastră să facem?". Au o atitudine de chelneri: „Ce vreți? Ciorbă de burtă, ciorbă de perișoare? Spuneți dumneavoastră ce să facem, că noi ne ducem la bucătărie..."

B. G.: Nici măcar nu cred că mergem cu meniul.

D. P.: Nu, nu mergem cu meniul, noi mergem cu posibilitățile. Ca în întâmplarea următoare. Un chelner, odată, zicea: „Domnule, avem aia, avem de-ailaltă..."; dar, cum vorbea foarte prost, i-am spus: „Nu vă supărați, n-aveți dicție!". „O clipă, mi-a răspuns el, să întreb la bucătărie". Chelnerul care fuge la bucătărie să întrebe dacă n-au în meniu dicție este politicianul român de astăzi, care este în stare să facă orice, până și cele mai cumplite absurdități, numai ca să supraviețuiască în fața șefului. Omul politic, la noi, care are dimensiune de vasal și fuge în virtutea porților care se mișcă, nu are de-a face cu conștiința.

De aceea, se cuvine să fim nu îngăduitori, ci să avem spiritul critic foarte bine îndreptat, ca să vedem prin ce trece Biserica. Iată, recent, ne-au băgat șmecherii ăștia o altă zâzanie: dosarele la securitate. Ați văzut ogarii ăia care aleargă după iepuri virtuali?

B. G.: Da.

D. P.: Cam asta este ocupația lor acum: ne dau sportul național de „100 metri garduri libere". Adică, trecem cu capul prin garduri, la liber. Și ei stau și râd cinic. Spectacolul este copios. Și totuși, nu asta este important, căci securiștii ăștia hazlii, mai devreme sau mai târziu, vor fi măturați de istorie. Important este că noi trebuie să fim responsabili, pentru că noi construim România. Societatea civilă din România trebuie să devină o forță fantastică – și va deveni! Tânăra generație nu mai stă la discuții cu flăcăii ăștia, este clar. Va deveni o forță, dar reperele trebuie puse. Și nu numai pentru România, paradoxal, ci și pentru o Europă care-și caută identitatea. Nici nu știe ce este: o federație, o confederație, o comunitate? Nu-i o comunitate – deocamdată cuvântul comunitate nu are acoperire. Este un agregat de interese economice și politice; e un construct artificial.

B. G.: Piața comună.

D. P.: Sunt trei factori, trei piloni: piața comună, securitatea și juridicul. Știți ce mi s-a părut interesant? Ei au grijă de viața cetățeanului, de viața individului; dar n-au grijă de suflet.

Biserica are grijă de suflet, creștinismul are grijă de suflet; și aici este o ruptură fantastică. S-ar putea ca din România să vină niște semnale în acest sens. Nu orgolioase, nu habotnice, închistate, ci de o mare finețe sufletească, intelectuală, din chiar nămolul ăsta. Din nămol cresc nuferi.

Pentru ca să nu fim tributari unor terminologii din astea, „autohtone", „destul de limitate", unor terminologii deterministe din punctul de vedere al Occidentului, care ne examinează cu superstiția ideologiei lui, aș vrea să stăruim puțin asupra felului în care ne privesc pe noi politicienii occidentali. Ei nu văd România; văd acea imagine a României de care au ei nevoie. Este ca și cum eu nu m-aș uita la dumneavoastră ca la un om viu, concret, care mă privește. Ci m-aș uita la imagine, ceea ce este fals.

Și ne spun: tu trebuie să fii pe piață. Ca să fii pe piață, trebuie să ai un „brand", o marcă, o chestie de genul ăsta. Sub „brand", sub marcă, sub imagine, *e pulsul unui popor*, pe care ei nu-l simt sau n-au nici un interes să-l simtă. E o paradigmă politică contemporană idioată, meschină, mercantilă, care ratează întâlnirea reală a Occidentului cu omul răsăritean. Iată, până în anul de grație 2007, n-au reușit să ajungă la concluzia, nu că trebuie să ne înțelegem, ci că trebuie să ne privim unii pe alții, *pe alte repere.*

Or, s-ar putea ca, în această privință, tânăra generație a României să ofere niște lecții de dezinhibiție politică, de inteligență creștină intelectuală, cutremurătoare. Și asta, acum, când noi ne aflăm pe un traseu destul de autolimitat și sufocat de „ai noștri cu ai noștri".

B. G.: D-le Puric, mărturisesc că v-am văzut în 1998 la Leipzig, era un festival internațional de carte la Leipzig, unde România era pilonul central. Acolo, cu forța tăcerii, tăcând, ați reușit, împreună cu fanfara „10 Prăjini", să fiți principalele puncte de atracție ale României. La Frankfurt, la Varșovia, am avut din nou prilejul să vă văd, acolo v-am și filmat, cu acel *Toujours l'amour.* Prin forța tăcerii ați făcut lumea să se uite și mesajul vă asigur că a ajuns, acel mesaj tăcut. Acum vorbiți, și nu cred că mesajul este diferit. Vorbeați de repere...

D. P.: Primul reper normal și de simplă toaletă este credința. Al doilea ar fi recuperarea memoriei, în sensul de trăire. Noi ne dezicem de memoria cinstită a acestui neam, cu acea frică pe care a avut-o Sfântul Apostol Petru, când a zis: „Eu nu-l cunosc pe acest om". Aşa ne dezicem şi noi astăzi, tot de frică faţă de *memoria apropiată a neamului românesc*. *"Nu cunosc acest popor!"* Acest popor, care a dat o jertfă uriaşă în puşcării, pe front, în războaie. Nu ne mai întoarcem la memorie! Deci, iată, credinţa şi această memorie...

B. G.: De unde frică?, vă întreb.

D. P.: Frica ne-a fost inoculată. Iar acum ni s-a inoculat altceva: *indiferenţa*. Toate marile naţiuni trăiesc pe memorie, pe memoria lor. Noi n-avem voie să accedem la această memorie; din contră, ea este distorsionată, este intoxicată, este poluată. Modelele morale, modelele culturale au fost nimicite. Gândiţi-vă ce bombardament s-a făcut în România asupra modelelor culturale, pentru compromiterea lor. Gândiţi-vă ce soartă a avut şi are Eminescu, să zicem. Noi nu suntem o cultură foarte bogată şi tocmai din cauză că nu suntem o cultură foarte bogată avem câţiva şi trebuie să-i păzim. Ni s-a luat şi această grijă faţă de modele. Ni s-a spus că suntem fixaţi, că am rămas fixaţi. Ce frumos mi-a răspuns Grigore Vieru, când am fost în Basarabia: "Frate Dan, fraţii noştri de dincolo de Prut ne acuză. Ei spun că noi am rămas la Eminescu; şi noi le răspundem că la Eminescu abia dacă se ajunge". A întors axa invers.

Deci, această compromitere a trecutului, a memoriei şi chiar a credinţei este poligonul de tir al forţelor autohtone atee şi poligonul de tir al celor de dincolo de graniţele României. Ca să decerebrezi un om, ca să-l manipulezi, trebuie să-i rupi reperele, trebuie să-i compromiţi ideea de familie, ideea de tată, ideea de mamă. Astea sunt lucruri foarte simple; de fapt, este un truism ceea ce spun eu. Cu demitizarea, cu desacralizarea, nu m-am ocupat eu, nici măcar securitatea nu s-a ocupat. Ea s-a ocupat de dezinformare, de diversiune, de izolare... *Cu demitizarea şi desacralizarea s-au ocupat intelectualii.* Ei nu ştiu că nu poţi să trăieşti numai cu acte, că ai nevoie de mit, ai nevoie de poveste, ai nevoie de sacru. Nu poţi să trăieşti numai din buletin. "Cine eşti?" "Dan Puric" Astfel apar şi eu pe post de cetăţean:

la deces, la naștere și la căsătorie. Acolo, niște acte... *România nu o faci din acte, ci din memoria vie.*

De ce este, de exemplu, Biserica importantă? Pentru că ea rememorează, evocă, actualizează, în cadrul Liturghiei. Spunea Nicolae Iorga o chestie extraordinară: „O dată cu tine mai mor încă o dată toți morții tăi". Această întoarcere către trecut ne dă nouă forța faptelor de astăzi. Orice națiune mare, care se respectă, a cultivat trecutul. Numai că noi, acum, suntem re-educați, este un Pitești mai edulcorat, mai frumos, mai... cum să spun... tentant. Ignatie Branceaninov spunea că „Dracul și-a dat seama că omul rezistă la ispite mari și chiar ajunge să fie martir, și atunci a scos ultima perfidie, păcatul mic". Păcatul mic, care erodează în doze homeopate.

Ai și tu un reper: Mihai Eminescu; și din zona criticii românești s-a spus – e doar un exemplu – că „este de Muzeul Antipa". Interesant, interesant...

M. O.: Știți cine l-a atacat pe Eminescu prima dată? Inte-lectualitatea noastră; aceasta nu are cum să facă parte dintr-un plan?

D. P.: Ei, face parte. Îi cumperi, îi convertești, le faci o ge-nerație spontanee... Nu ați văzut că sunt bine învăluiți sub ideea de deconstrucție, de critică? Ei sunt bine apărați. Nu știu, să-racii, decât două manevre: Deconstrucția nefiind a fetișizării, ci a tradiției înseși. Nu a zis nimeni să fetișizezi, să cazi în ge-nunchi, ci doar să respecți valorile.

Dar eu nu pot să am un raport democratic cu Eminescu, nu pot să-l am cu Constantin Noica, nu pot să-l am cu o valoare. Nu pot să-l am cu maestrul meu, care m-a învățat; nu pot să-l am cu părinții mei. Democrația dispare, acolo e vorba de raport ierarhic. Raportul democratic este un raport politic în alt sistem. Și atunci, noi trebuie să identificăm lucrurile astea și să le diferențiem.

Altfel, iată unde am ajuns: România e poligon de tragere. Tragem cu ai noștri în ai noștri. E ca la cancer, care te distruge cu propriile tale celule. Nu este nici un fel de problemă. Să priceapă că noi am înțeles și asta. De ce să tac? Pentru că m-au inhibat și spun că poporul român suferă de scenarită? Da, suntem suferinzi de scenarită! Dar dumneavoastră de ce suferiți?

Lasă-mă să-mi cânt *Miorița*! Nu îmi mai dați voi partituri.

Apropo de transhumanță, acum, ăștia, mai nou, se dau chiar la *Miorița*. Adică, în loc să ne ia lupii (securiștii) de pe cap, ăștia ne iau oile! Asta așa, ca să dăm o dimensiune de umor ultimelor imbecilități economice ce ni se impun.

Este vorba de o toaletă identitară, cu care trebuie să gândești și cu care trebuie să te duci dincolo, să le explici. Nu trimit europarlamentari (pe care îi dresează din România, ei nefiind decât vorbitori de limba română) să-mi spună ce vrea Europa de la România! Să-mi spună ce vrea România de la Europa; și după aceea vedem și ce vrea Europa de la România! Nu vedeți? Este din nou ca în Caragiale: „Europa este ațintită cu ochii asupra noastră..." etc.

Eu sunt o identitate; dumneavoastră sunteți o identitate, cu taina și cu misterul dumneavoastră. Raportul dintre noi trebuie să fie un raport tainic și plin de cuviință.

B. G.: Și cui spun nu-ul ăla?

D. P.: Nici nu mai are importanță... Dacă te întorci la lume zici: „Ce vreți, mă"?, atât spui: „Ce vreți?" – e suficient, ca să înțeleagă că putem avea și noi o atitudine, nu primim totul pasiv.

De aceea am zis că persoana și creștinul stau cu fața spre Dumnezeu și cu spatele la lume. Că, oricum, ești copilul lui Dumnezeu; și aici nu e vorba de fanatism, nu e vorba de bigotism, ci este o asumare a trăirii creștine. Mircea Vulcănescu nu spunea: „generația tânără", ci „tânăra generație" –, luând conceptul de la Mircea Eliade. E o diferență! *Generația tânără* este un dat biologic, *tânăra generație* e o atitudine. Așa și cu noi.

Haideți să vedem care este atitudinea poporului român în toată construcția asta, pentru că, oricum, clasa politică nu are nici un fel de atitudine, în afară de vasalitate continuă și de interes. Ea chiar nu mă mai interesează. Pe mine mă interesează o societate civilă, care se construiește și despre care marii sociologi ai lumii spun că va fi forța numărul unu; în vreme ce politicul și statul vor fi la liberul ei arbitru, în viitor.

Haideți să începem să desțelenim pe cont propriu, pentru că nu putem sta tot timpul în orizontul de așteptare al unor alegeri electorale, care se desfășoară în buclă, în cerc închis: se face rotația cadrelor, împrospătarea cadrelor din același nucleu. Nu putem aștepta mântuirea de la generația tânără de politicieni.

Nu putem aștepta mântuirea nici de la europarlamentari, decât în clipa în care se va găsi unul care să spună ce înseamnă România în Europa, ce aduce România la constructul european. O minte liberă, o minte dezinhibată, care să spună: „Ăstia suntem noi, asta am pătimit!". Ați văzut vreodată așa ceva într-un discurs politic? Anul trecut, a fost „capitala europeană" la Sibiu. În manifestările organizate s-a început cumva cu memoria neamului românesc? Nu. S-a făcut „Cântarea României" cu „Cântarea Bruxelului" la un loc! Noi îi felicităm pe organizatori, că tot sunt mândri că am intrat în U. E.

Dar s-a început vreun discurs politic cu cuvintele: „Sunteți vinovați pentru ceea ce s-a întâmplat în România"? N-am declanșat noi flagelul mondial. Noi am avut doar victime, dar despre ele n-a vorbit nimeni. Oamenii noștri politici au uitat trecutul și s-au grăbit să întrebe: „O luăm de la început? Spuneți ce avem de făcut, că noi suntem gata spălați!". După 55 de ani de pușcărie, de pușcărie comunistă! A spus vreunul ceva, a responsabilizat vreunul pe cineva? Nu-i vorba să culpabilizez și să victimizez în neant, dar n-am văzut această atitudine! N-a venit nici unul de dincolo să întrebe: „Ce-ați făcut, domnule? Care a fost atitudinea poporului român?".

Vedeți, polonezii au altă atitudine față de trecut. Se întorc cu fața spre el. Fac filme documentare cu Katinul. Eu asta aș fi făcut. La noi, „Memorialul durerii" este un lucru bine venit, dar televiziunea l-a programat la 11 noaptea, când populația, strivită de muncă inutilă, doarme.

M. O.: Ați spus foarte bine. Dar care este soluția? Este cumva această implicare a politicului, o legare de morala religioasă, sau care este?

D. P.: Din punctul ăsta de vedere, am să vă spun următorul lucru. Pesemne că discursul ortodox față de societate – deci, nu cel al Bisericii, acela este sfânt, nu se poate schimba; Biserica Ortodoxă nu are noutăți teologice și n-o să aibă niciodată; dogma e precisă și nu putem noi interveni în ea –, așadar, discursul ortodox către societatea civilă se va schimba. Însă nu trebuie să-l biciuim, ca să grăbim schimbarea aceasta. Ne asumăm cu liniște acest proces.

Cele trei priviri[*]

Robert Turcescu: Recitind câteva dintre interviurile pe care le-ați acordat în ultima perioadă presei scrise, am găsit într-unul din ele o propoziție foarte interesantă. Spuneți: *"Mătur poteca spre Biserică"*. Ați fost întotdeauna un individ evlavios, credincios, cu frică de Dumnezeu, chiar și în perioada comunistă, sau s-a produs, la un anumit moment în viața dumneavoastră, un punct de cotitură?

Dan Puric: Cred că a fost un lucru care s-a întâmplat treptat, neobservabil. Ceea ce este clar este că niciodată nu am avut pedeapsa de a fi ateu, adică, am avut prezența undeva, mai mult sau mai puțin concretă, a lui Dumnezeu.

Nu se pune problema sub forma fricii de Dumnezeu sau sub forma evlaviei, ci sub forma unei deschideri și a unei bucurii de viață extraordinare. Pentru că omul, creștinul în general, creștinul adevărat, nu are un comportament stresat. Adică, nu este o frică de a nu depăși niște norme, pentru că Hristos, în ultimă instanță, a dezmărginit, ți-a dat o libertate extraordinară, care este libertatea dragostei.

Fericitul Augustin spunea: *"Iubește și fă ce vrei!"*. Și, dacă observați, atunci când iubești faci tot ce vrei, fără să faci anumite lucruri care i-ar face rău celui iubit. Este un paradox. Deci, Dumnezeu trebuie articulat de către ființa noastră în aceea dimensiune a omului *"de taină"*.

R. T.: Da, în lumea modernă, în care trăim, puternic laicizată, a vorbi despre credință, despre biserică, pare un lucru,

---

[*] Convorbire realizată de Robert Turcescu, transmisă în emisiunea: *100%*, la "Realitatea TV", în 10 august 2007, ora 22.

cum să spun, rezervat – şi nu vreau să jignesc pe nimeni – babelor, ele merg la biserică, ele să vorbească despre asta, ele să ţină post. A vorbi despre creştinism, acum, când, vorba aia, s-a mai deschis un Mall în oraş, pare o chestiune aşa, de undeva, din alte vremuri.

    D. P.: Domnule Robert Turcescu, ştiţi ce se întâmplă? Se vorbeşte inflaţionist despre creştinism, în contextul în care trebuie să înţelegem două lucruri.

După un experiment de 45 de ani în comunism, pentru că a fost un experiment care s-a făcut asupra noastră, noi suntem cei cu sechele. E o societate, o numim noi de tranziţie, aproape criminală, în care lucrurile se amestecă. Asaltul Occidentului secularizant şi reflexele lui de tip intelectual astea sunt: să discute încontinuu.

Dacă observaţi, nu numai creştinismul se discută acum. Se discută ideea de naţiune, de identitate... În concepţia post-modernă, identitatea este ceva imaginar. Adică, eu îmi imaginez că sunt Dan Puric. Şi atunci, contextul ăsta de relativizare, de punere în discuţie a termenilor, creează, de fapt, o criză socială artificială. Problema României nu sunt icoanele din şcoli. Aici e vorba de tradiţie, de reflex simplu, firesc. Problema e că pensionarii mor de foame, problema e că tinerii sar gardul şi se duc în străinătate. Problema e că ţara s-a depopulat şi, de la 21 milioane, tinde spre 16 milioane cinci sute. Problema e că specialiştii noştri dau semnale de alarmă, iar oamenii politici trăiesc cu inconştienţa tuturor lucrurilor.

    R. T.: Problemele acestea nu au nişte grade de importanţă? Poate că, într-adevăr, cele de care vorbiţi acum sunt mai importante decât problema icoanelor din şcoli, dar şi acolo există, nu ştiu dacă o problemă, dar există un diferend.

    D. P.: Crizele artificiale sunt create de aceiaşi oameni care le-au creat pe parcursul istoriei. În momentul în care au vrut să dilueze o entitate sau o identitate, au creat scandaluri artificiale.

O puteți observa la bloc. Dacă este vreun vecin cu dimensiuni patologice, începe să dea drumul la robinet, ca să-ți curgă prin casă, să-ți facă inundație. Adică, sunt puși special să facă lucruri din astea.

Să știți că, înainte, torționarii pe care îi folosea securitatea, fie ca să prindă mâna omului în ușă sau să-l lovească cu vergeaua peste testicule, fie să-l electrocuteze sau să bage o pisică pe dedesubtul hainei, erau cu probleme psihologice, erau psihopați. De regulă, arunci un psihopat din ăsta, și el este vectorul de transmisie a unei infecții. Oameni cu probleme de genul acesta, aproape clinice, duc o idee patologică.

Știți unde este drama? Întâlnirea noastră, apropo de biserică și apropo de ceea ce se întâmplă acum, întâlnirea noastră cu Occidentul, cu societatea secularizată, este ca în povestea aceea, spusă de Lev Tolstoi. A trecut odată prin fața zidului Kremlinului și a văzut un cerșetor, un om în vârstă, și, normal, a băgat mâna în punguță să-i dea doi bani. Dar, în clipa aceea, spune el, a ieșit foarte fercheș gardianul și bietul bătrân a fugit. Și eu, spune Tolstoi, m-am uitat la gardian și i-am zis: „Dumneata știi să citești?" Și gardianul a avut, așa, o clipă de cutremurare și a zis: „Da, dar de ce mă întrebi?" „Ai citit *Evanghelia*?" „Da". „Păi, nu spune acolo ca omul să fie milos, să dăruiască?" Și, spune Tolstoi, „Pentru o secundă, l-am simțit cutremurat, după care o lumină total nouă a venit în ochii lui, care-i dădea, așa, sentimentul de siguranță. „Dar dumneata știi să citești?", l-a întrebat gardianul pe Tolstoi. „Da, dar de ce?" „Ai citit matale regulamentul?"

Deci, întâlnirea între *Evanghelie* și regulament este întâlnirea dintre România și Europa secularizată.

R. T.: Nu cumva idealizați, totuși? Am recitit, cum spuneam, niște interviuri și mi se pare, de fiecare dată (desigur, e foarte mult adevăr în ceea ce spuneți sau e o observație extrem de pertinentă asupra a ceea ce se întâmplă cu România), uneori mi se pare că, dintr-o dragoste foarte mare pentru România, dintr-un patriotism foarte mare, probabil, încercați să puneți

România undeva foarte sus, sau undeva foarte bine, ca să zicem aşa, în raport cu alte ţări.

D. P.: Ştiu ce spuneţi, şi, cum să zic, reflexul dumneavoastră este unul foarte bun, pentru că toţi jurnaliştii buni au reflex de foxterier. Urmăresc vulpea până în vizuină, ca să n-o scape. Numai că eu am alte reflexe, de artist; artistul se ocupă de dăinuirea României, nu de contingent. Din punctul de vedere al contingenţei, al istoriei şi al politicului, aveţi foarte mare dreptate; şi am să vă spun de ce.

Mizerabilitatea României de astăzi este una flagrantă; şi atunci, vedem noi cum se suprapune imaginea României peste viaţa ascunsă a României. Eu vorbesc de România asta ascunsă.

Chiar acum câteva zile am avut o întâlnire, să-i zic internaţională, şi se întreba acolo ce dă România Comunităţii Europene (acum suntem la schimb!). România dă Comunităţii Europene o emigraţie îngrozitoare, lume care fuge dincolo, familii disperate, care se duc şi muncesc în Occident, o economie de subzistenţă, o clasă politică, sigur, nu numai neputincioasă, ci şi inconştientă – o improvizaţie.

Apropo de clasa politică (şi am să mă întorc la întrebare), ştiţi ce sentiment am cu clasa politică din '89 până acum? L-am prins, cred, într-o imagine extraordinară, când predam la Viena. La un moment dat, am luat metroul şi, în capul scării, la scara rulantă, era un ţigan care cerşea. Un ţigan genial prin felul de a cerşi.

R. T.: Adică?

D. P.: Adică, stătea cu o vioară în mână şi se făcea că o acordează, dar nu ştia să cânte.

Tot austriacul, care este plin de muzică şi care are un respect faţă de muzică extraordinar, îi dădea bani, ca şi cum ar fi urmat să asculte un Händel, un Haydn. Nimeni nu apuca să-l asculte cum cântă, căci toată populaţia trecea pe lângă el şi se ducea pe scara rulantă.

Şi atunci, clasa politică, la noi, este exact ca omul ăsta, care nu ştia să cânte un cântec. L-am văzut pe urmă, după 20 de minute, când m-am întors; se uita la mine şi mă ura, că i-am observat impostura. El tot timpul îşi acorda vioara, ca şi cum ar urma să cânte dublul concert de vioară al lui Bach. În contextul acesta, cei care sunt pe scara rulantă sunt poporul român, iar ţiganul ăla este guvernul, care, ca şi ţiganul, se acordează tot timpul, dar n-are nici o partitură şi, de fapt, nu ştie să cânte. Scara rulantă este viaţa noastră, care se iroseşte în zadar, iar ţiganul reprezintă impostura celor care ne conduc. Ţiganul, în felul lui, era onest în ceea ce făcea, dar era ca în clasa politică românească. Ei ştiu numai atât: să mimeze. Ei nu au nici o partitură, ei nici nu ştiu să cânte. Nu au nici o idee politică. Nu vedeţi că ei tot timpul sunt pe cârpeli, ascultă ordine? Sunt într-un raport de vasalitate. Deci, acesta este raportul.

Şi acum, să mă întorc la: ce dă România Comunităţii Europene? România dă o economie de subzistenţă. Asta este România contingentă, de care dumneavoastră vorbiţi şi pe care o simţiţi şi o trăim cu toţii.

Dar există o altă Românie. Orice popor are o virtualitate, orice popor are o dimensiune şi o identitate care ies din contingent. Termenul de naţiune este unul contingent. Naţiunea este un construct istoric şi unul politic. Neamul, nu! *Neamul are origine transcendentă*, zice părintele Stăniloae. *Trece prin istorie, prin meteologia istoriei, şi dăinuieşte.* În sensul acesta, de dăinuire, ce poate să ofere poporul roman Comunităţii Europene? Ce dă el Comunităţii Europene?

El are ceva de oferit, de care Comunitatea Europeană nu are nevoie deocamdată.

R. T.: Ce putem să oferim?

D. P.: Eu m-am gândit să le trimit la Bruxelles un document, care ar putea regla poziţia României faţă de Comunitatea Europeană.

Iertați-mă, vreau să vă spun povestea asta, pentru că denunță mecanismul ființialității neamului românesc.

Mergeam către Sibiu și am trecut pe lângă comuna Cuca. Aici, pe la 1920, un țăran român a avut o vedenie. Era țăranul Ion C. Popa Gheorghe, din comuna Cuca, județul Argeș:

Se făcea că mor, aveam tifos, și am zis eu nevestei: „Fă, muiere, du-te și adu lumânarea, că eu mă duc!" Și a dispărut muierea, și a apărut Sfântul Arhanghel Mihail. Și a zis țăranul: „Unde mă duci? Am murit?" „Nu, n-ai murit. Mâine dimineață vei fi sub pătură, cu mâinile deasupra ei, cum stai acum, dar trebuie să te duc la Iisus Hristos, ca să vezi că ai făcut lucruri bune. Pentru că nu vei sta în iad, o să stai în rai". Povestea este minunată, pentru că ea denotă o mentalitate românească, precum și credința noastră. Și îl duce la Iisus Hristos, care îi spune: „Știi de ce ești aici?" Și țăranul zice: „Poate oi fi făcut vreo faptă bună, că eu, nemernicul de mine, numai păcătoșenii am făcut". Este extraordinar ce i se răspunde: „Nu, nu pentru fapte bune. Fapte bune fac foarte mulți. Nu, ci pentru că ai blestemat demonul".

Adică, *atitudinea creștină* este mai importantă decât *fapta bună*. Eu pot să fac o serie de fapte bune aici, în România, și să nu sesizez răul. În clipa în care eu mă opun răului și-l numesc, am o atitudine creștină. Blestem demonul. În țara asta? Nu! În familie? Nu! În copilul meu? Nu! Față de iubita mea? Nu! Eu blestem demonul, îl arunc! Deci, am atitudine creștină, am ceea ce se numește „furie sfântă".

Iată una din achizițiile de toaletă creștină excepționale, în această vedenie.

Arhanghelul continuă: „Acum o să te duci să vezi unde o să stai, în rai și nu în iad, deoarece ai avut această atitudine". Este frumos să stai în rai, dar întâi îl duce să vadă iadul. Și în iad, în loc să-l apuce frica pe bietul țăran român, îl apucă mila și compasiunea față de cei care sufereau acolo. Și zice: „Sfinte Arhanghel Mihail – era întuneric beznă –, dar noi nu putem să-i scoatem pe necăjiții ăștia de aici?" „Ba da, dacă te rogi, dacă faci pomelnice, dacă te duci la biserică, dacă aprinzi lumânări, toate

116

ritualurile bisericeşti". „Şi atunci ce se întâmplă?", întrebă ţăranul. Atunci, răspunde Arhanghelul Mihail, Dumnezeu trimite Îngerul de Lumină". „Şi ce se întâmplă? , întreabă omul. Vine Îngerul de Lumină în iad?" „Da!" „Şi ce se întâmplă?" *Atunci pentru prima oară, toţi păcătoşii se văd între ei".*

Deci, un lucru extraordinar! Şi ţăranul român întreabă, cu multă inteligenţă: „Dar, bine, Sfinte Arhanghele Mihail, ei nu au murit cu câte o lumânare fiecare? Ei nu au o lumânare?" „Ba da, zice, dar cu lumânarea aia nu se văd decât pe sine". Atunci, deci, fiecare se vede pe sine. Îşi vede fundul, picioarele, capul. Nu-l vede pe celălalt!

Poporul român trimite un Înger de Lumină la Bruxelles, ca ei să aibă capacitatea să-l vadă şi pe celălalt. Pentru că creştinismul asta înseamnă – *celălalt!*

Deocamdată, România, este conjugată la: „ce e România", nu la: „cine este România". Eu pot să întreb mâine: ce este d-l Robert Turcescu? Este jurnalist. Ce este domnul Dan Puric? Prestator de servicii cultural-artistice la Teatrul Naţional. Când o să întreb: cine este d-l Turcescu, am acces la sinceritatea, fiinţialitatea şi la taina lui – cât pot. Când vor întreba: cine este România, vor avea acces la taina ei.

Am zis că mai putem da un lucru extraordinar: capitalul de suferinţă. Dacă vor să acceseze pe www.suferinţa.ro, vor vedea că aici este un capital de suferinţă extraordinar, pe care noi nu-l putem da la gunoi, sub nici o formă.

Această vedenie, care este demnă de o poveste a lui Borges, sau, mai bine-zis, de *Pateric*, repoziţionează atitudinea noastră colectivă. Dacă aţi observat, ultima întâlnire europeană s-a soldat cu un compromis total. Au luat-o înapoi, de la statul federal, că sunt incapabili să se articuleze politic, şi s-au oprit, pragmatic, pe piaţa comună. Adică, prima cădere a Occidentului a fost din creştinism, a doua oară, din metafizică în raţiune, prin Kant, au înlocuit Duhul Sfânt cu morala. Iar acum şi-au vectorizat întreaga politică pe interesul economic.

Deci, numai acolo stau prinşi, pe societatea omului de consum. Nu numai la „a avea", m-am gândit, ci societatea lui a

„supra-avea". Nu mai este omul unidimensional al lui Marcuse, cu frigiderul plin. Este omul a-dimensional. Cu deplasare de geometrie radială, de meduză, am zis eu. Stă aşa şi fuge în toate direcţiile după hrană. El nu mai are identitate, nu mai e în raport cu Dumnezeu. Deci, societatea lui a *supra-avea*, într-o lăcomie fantastică, desfiinţează atitudinal pe celălalt. Eu, România, sunt un teren de colonizare. România nu mai e o problemă, domnule Turcescu, pentru ei...

R. T.: Cum nu mai este o problemă? Am avut, ca să zicem aşa, deunăzi raport de ţară, ni se dau note, suntem evaluaţi, că am făcut bine, n-am făcut rău, unii se bucură şi spun: iată, acest super guvern, venit de la Bruxelles, este cel care controlează guvernul nostru, pentru că, altfel, guvernul nostru, cum spuneaţi mai devreme, e ca ţiganul cu vioara dezacordată, oricum nu ştie să facă nimic.

D. P.: Da, dar noi trebuie să apreciem faptul că guvernul de la Bruxelles este un *incubator foarte bun pentru guvernul nostru*. Adică, ne mai şi convine un guvern de genul ăsta, care dă cu stânga în dreapta, pentru că ţara asta nu trebuie să aibă *o construcţie*, ţara asta trebuie să aibă *o improvizaţie*, şi atunci, pun şi eu un semn de întrebare: cât bine se vrea? (Fără să fiu din ăsta, eurosceptic, fără să sufăr de scenarită şi nu mai ştiu ce.)

Trebuie băgat în ecuaţie şi mecanismul acesta *cinic al politicii occidentale. Nu al Occidentului!* Să fim foarte atenţi. A zis Papa: „Biserica soră"; eu zic: fratele meu occidental. Aşa este normal să discutăm. Dar în sensul politic, de multe ori, lor le convine să creeze enclave de improvizaţie, în care se fac hemoragii economice; şi atunci, ei pot să gestioneze mult mai bine statul. Dacă vorbesc cu un om, şi om simplu, de pe stradă, el ştie că a ajuns consumator. El ştie că de la consumator ajunge cerşetor şi ajunge dependent economic.

Răspunsul dat de o babă la televiziunea română a fost fundamental şi lămuritor; au întrebat-o: „Măicuţă, ce-i gripa aviară?" Şi baba a spus: „Sunt doi oameni în alb, care îmi omoară mie găinile". Excepțional! Deci, a despicat ce se întâmplă cu o intuiție fantastică. Ca să nu mai fiți voi concurențiali cu găinile voastre, îți mai băgăm un microb. O fandacsie din asta, vorba lui Caragiale.

R. T.: Acum, o să alimentați, cum să spun, spaimele tuturor celor care, sau chiar imaginația tuturor celor care spun: Occidentul, nu Occidentul, politica occidentală, ați spus, vine peste noi, uite, vrea să ne facă rău, vor să ne ia gazele și petrolul și fabricile.

D. P.: Nu, ăia sunt o extremă, care, cum să zic, au o limită. Omul bun, omul cu echilibru, știe foarte bine ce am spus eu acum, că românul nu e dus... Românul are un echilibru extraordinar.

Eu am spus aici de un anumit paradox al relației noastre. De fapt, întâlnirea mare dintre România și Comunitatea Europeană, dintre omul de tip răsăritean și omul occidental, nu este altceva decât întâlnirea cu *omul răsturnat*. Ei stau cu picioarele la capul nostru. Omul de tip contractualist al lui Jean Jacques Rousseau are o singură dimensiune: viața socială. Pentru Comunitatea Europeană primează dimensiunea politică, cea socială și în ultimă instanță cea morală. Omul nostru, nu ăsta a "super-avea", *românul,* are o dimensiune *creștină,* sufletească; și în *ultimă instanță, una socială și politică.* El știe că socialul și politicul sunt o improvizație istorică, *el știe că nu ele mântuiesc.* Asta este extraordinar! Nu vedeți că s-a creat un comportament schizoid între clasa politică, ce se ocupă de doctrine și de lupte intraspecifice, și oamenii care fug la muncă? Oamenii fug la muncă, ei nu mai țin cont, ei caută săracii să se salveze singuri. Știți care este argumentul unui specialist când i-am spus că am rămas cu 16 milioane jumătate în țară?

R. T.: Care?

D. P.: Mi-a spus că actul de emigrație este normal. L-a avut și Spania. Și că, acum, Uniunea Europeană trebuie privită

119

ca o țară, așa e normal. Cum te duci de la Bacău la Iași și lucrezi, așa te duci și la Madrid.

Dar eu vroiam să-i spun specialistului în materie de emigrație și de migrație că nu-i tot una să pleci de la Iași la Bacău cu să te duci în Spania și să lași în spate pustiu. De exemplu, la Iași, sunt 11 000 de familii fără părinți, în care copiii se sinucid sau trăiesc cum trăiesc. Adică, *familii distruse*. El nu punea în ecuația *gândirii lui sociologice* faptul că se rupe familia, se distruge, și că oamenii ăștia au plecat de disperare. Mai mult, am citit acum, printr-un ziar, o chestie uluitoare: că e bine că vin asiaticii la noi în țară și că mai vin și alte populații. Eu nu am nimic cu ei. Am fost în Asia și, cum să zic, au o mentalitate extraordinară. Nu în sensul ăsta mă refer. Ziaristul spunea altceva: că ne mai schimbă nouă mentalitatea asta țâfnoasă, regională, naționalistă.

Eu vin și spun specialistului ăstuia în *multiidentitate*: un model care se poate da Europei este modelul dobrogean. Sunt 16 etnii acolo, care trăiesc fără plăcuțe identitare. Ce-ar fi să trimitem noi *Europei* un articol și să întrebăm: puteți trăi fără plăcuțe identitare? Cum? Uite așa: după modelul nostru. Printr-un metabolism de asimilare istoric, în Dobrogea sunt tătari, evrei, armeni, greci, nu mai știu câți alții, bulgari, albanezi. Stau acolo și trăiesc împreună. Centralismul comunist a încercat să-i egalizeze (*monoculturalismul* făcut de societățile comuniste nu l-am inventat noi, românii). Dar, pe dedesubt, era o fibră comunicațională extraordinară, care nu avea nevoie de nici o ideologie. Noi n-aveam nevoie de multiculturalism. Acum se discută de un fel de identitate multiplă. *Adică, mă faci navetist*, plec dintr-o cultură într-alta. Mă întreb de ce nu intră în Europa modelul dobrogean; unde unul mânca pasca lui cu celălalt, oul de la Paști îl împărțeau..., fără probleme ideologice.

R. T.: Bun, Europa: noi – ei. Totuși, nu suntem singuri în această poveste; avem și pe bulgari, care probabil traversează aceleași „drame" – să le numim, sau cum? Frământări? Polonezii, iată ce vocali sunt acum în Uniunea Europeană și ce supărați sunt, în momentul de față, chiar pe Uniunea Europea-nă. Și atunci, întreb dacă, dincolo de construcția asta economi-că, să spunem, ea funcționează? Sau: mai funcționează încă acel vis al Europei unite, are vreo șansă să se realizeze și altfel decât sub raportul acesta economic?

D. P.: Știți că, de la statul federal s-a trecut la o piață co-mună. În tratat sunt eludate drapelul comunitar, imnul, mone-da. Ele vor funcționa, dar nu mai sunt trecute în tratat. Deci, subconștientul e mai tare decât noua identitate. Noi ne-am îm-păcat, am zis: domnule, e bine că le pui în paranteză.

R. T.: Vor să rămână fiecare cu ce are acolo, e un „ceva" în interior...

D. P.: Vedeți, polonezii au vocalize... Dar de ce numai olandezii, cehii, englezii, românii nu? Românul autentic are, dar el este mai blând, așa, și zice: bine, mă! Du-te tu, cu ideologia ta, și mântuiește-te, că eu nu aștept nici un fel de mântuire de la voi!

R. T.: Acum, când ne-au trimis comisar pentru multi-lingvism, e cam greu să facem vocalize, spunând că vrem să ne păstrăm...

D. P.: Să fiți foarte atent la următoarea transformare: tot limbajul de lemn de la Academia „Ștefan Gheorghiu" a fost în-locuit cu *limbajul de lemn de la Bruxelles sau de la Harward.* Și atunci, tu trebuie să faci naveta între concepte, iar conceptele nu pot să acopere ființa, ființialitatea totală; Jung spunea: când folosești cuvântul *cal,* îl numești, atât, dar numirea nu acoperă toată ființa. A gândi în mentalități cu totul și cu totul diferite este a avea grijă de celălalt.

Există o tensiune a diferenței, care trebuie cultivată. Nu în sensul de... cum să spun... conflict, ci în sensul că avem nevoie de diferențe pentru a dialoga. Eu dialoghez cu dumneavoastră pentru că există o diferență. Această diferență – la un moment dat sunteți de acord sau nu sunteți de acord – este plăcerea întâlnirii noastre de aici și este și capacitatea îmbogățirii reciproce.

R. T.: Nu suntem pe poziții antagonice, ci suntem pe poziții în care avem păreri, sau idei poate, nu sunt neapărat diferite, dar poate-s exprimate altfel, sunt nuanțate altfel.

D. P.: Nuanțate altfel și avem posibilitatea de a ne îmbogăți.

Românul nu judecă la nivel de concept. Să vă dau un exemplu. Eram în Canada și vorbeam cu Grigore Leșe; el se uita la catedrala aia mare; și brusc mi-a zis o chestie extraordinară: „Mă, femeia dădea sân copilului și cânta cântec de leagăn să-l adoarmă; și era minunat. A venit unul și a numit chestia asta folclor".

Există, să zicem așa, o fiziologie, un metabolism fără de nume. Românul lasă lucrurile să se unească firesc.

Paradox. Am jucat acum o lună jumătate în Damasc, la Opera Națională. M-am dus acolo, au fost foarte drăguți: m-au dus să văd Moscheea Umayyad; în mijlocul moscheii era un sarcofag mare, verde, pe care musulmanii puneau mâna, îl adorau. Am întrebat: ce e cu sarcofagul acela? „Este mormântul Sfântului Ioan Botezătorul". Deci, un sfânt al creștinilor adorat de musulmani. Iată și aici niște capilare ale credinței, care au interferat unul cu celălalt, fără nici un fel de ideologie. Iată modele.

România este ștearsă de pe harta achizițiilor politice, istorice. Ea este trecută la marginal. Am mai găsit eu acum o frază, în gândirea franceză de stânga, cum că poporul român este un popor primitiv, care a exersat greșit ideile nobile ale marxismului. Săracul Marx, bietul de el! Știți că el nu simțea ca om chestiunea cu *identitatea națională*, nu avea reflexul acesta. Zicea că nu e importantă, ci importantă e lupta de clasă. Nu sunteți dumneavoastră important, important este un antagonism. Nu familia, ci abstracțiile. *Ducând abstracțiunea în ideologie, Marx creează crime împotriva umanității.*

Omul, judecat generic, este o crimă. Eu nu pot să vorbesc despre om generic, eu vorbesc despre om ca persoană. În sensul acesta, Joseph de Maistre (iată altă gândire occidentală!) a zis despre omul din cartea drepturilor omului: eu nu cunosc acest om, nu știu ce este omul acesta. Este o abstracțiune. Eu știu că există francez, că există italian și, datorită lui Montesquieu, am aflat că există și persan. La fel, parafrazându-l, spune Petre Țuțea același lucru, când îl întreabă o doamnă din Occident: cum stați cu drepturile omului? El zice: „Cucoană, eu nu sunt om, eu sunt Petrică al Valericăi, din județul nu știu care". O personalizare de genul acesta îți dă identitate. *Asta înseamnă persoană: cu fața către Dumnezeu.* Este o întâlnire totală.

Sigur, o să trăim administrativ, repet, e nevoie de lucrul acesta, în improvizația economică și în furtul îngrozitor din România, în hemoragia asta de bani, de tot. Comunitatea Europeană, ca legislație și ca administrație, are o experiență de împrumutat.

R. T.: Atunci, domnule Puric, de fapt, unde am ajuns, pentru că am parcurs niște etape cu toții. Să luăm chiar perioada de după ieșirea din comunism. Ne-am închipuit și ne-am dorit foarte multă vreme două lucruri: să intrăm în N. A. T. O. și să intrăm în Uniunea Europeană. Și ni s-a promis că, odată realizate, ele vor fi marcate ca niște performanțe, ale noastre, ale tuturor. Dacă noi, acum, am atins aceste obiective și dumneavoastră veniți și spuneți ele sunt sub nivel administrativ, dar dincolo de acest lucru am pierdut multe altele, sau suntem pe cale să pierdem foarte multe alte lucruri importante, unde am ajuns de fapt, suntem într-un punct de evoluție?

D. P.: Da, *am intrat, dar nu aderăm;* e ca o căsătorie forțată. Inima ți-e în altă parte. Noi ne racordăm în altă parte. Am intrat administrativ: este un proces de colonizare. Este normal? Cu structurile astea politice nu m-a mântuit pe mine, românul. Și nu numai românul, tot omul răsăritean îşi va căuta identitatea. Eu am mai spus, cred, tot într-o emisiune a dumneavoastră, de ciocnirea civilizaţiilor, după Huntington. La domnia sa, civilizaţiile se ciocnesc; la părintele Stăniloae nu, poporul român este un popor-punte între civilizaţii. *La noi nu se ciocnesc, la noi comunică.* Genul de gândire anglo-saxonă, concurenţială, e genul de gândire separatistă. E un dat de antropologie: noi suntem alţii. Asumându-ne că suntem alţii, trebuie să vedem cu luciditate şi să asimilăm cu luciditate, cu simţ critic, foarte bine ceea ce se întâmplă. Este bine că am intrat în Uniunea Europeană. Care sunt consecinţele, care sunt urmările, dar care sunt şi propunerile mele? Eu nu pot să vin peste dumneavoastră şi să vă impun fără să ascult şi ceea ce spuneţi. Înseamnă că eu nu sunt în dialog social, sunt în monolog social.

R. T.: Dar cum oare am devenit noi aşa de tăcuţi, că nu ne e în fire?

D. P.: Avem practică; ne-a strivit istoria.

R. T.: Comunismul?

D. P.: Nu, comunismul a definitivat-o! De-asta vroia Eminescu înapoi la Muşatini, la dimensiunea voievodală. Am fost striviţi; totuşi, 600 ani de turci.
Ştiţi ce se întâmplă? *Ca să vă deblochez identitar, vă creez şi o identitate falsă. Haideţi să ne bucurăm împreună că suntem cumani!* A fi cuman înseamnă a fi în neant.

R. T.: V-a supărat rău povestea asta...

D. P.: Nu! M-a distrat copios, pentru că are sută la sută dreptate. Dacă te uiţi la oamenii politici, au faţă de cumani. Adică, eu *îi simt migratori pe ăştia în propria lor ţară.* Pe ei nici nu-i interesează. Nu au identitate. Ăştia vin cu invazia pe 4 ani. Deci, are perfectă dreptate istoricul şi biata populaţie a României emigrează. Pot să-l contrazic pe domnul istoric respectiv şi să-l anunţ că mai sunt câteva enclave geto-dacice, latine, în care comunicăm, mai supravieţuim.

R. T.: Dar, ştiţi care e povestea aici? E un rus care, la un moment dat, a fost întrebat: din ce crede el că se trag oamenii, din maimuţă sau de la Dumnezeu sunt lăsaţi? A răspuns că cei care cred că se trag de la Dumnezeu se trag de la Dumnezeu, cei care cred că se trag din maimuţă se trag din maimuţă. Aşa poate fi şi aici, cu cumanii: românii care cred că se trag de la cumani se trag de la cumani, iar cei care cred că se trag de la geto-daci se trag de la geto-daci.

D. P.: E chiar mai fixat, eu chiar am mai spus într-o emisiune; fiul meu m-a întrebat, când avea vreo cinci anişori: „Tata, pe om l-a făcut Dumnezeu, sau se trage din maimuţă?" Şi i-am zis: „Pe om l-a făcut Dumnezeu, dar sunt câţiva din maimuţă, ţi-i arată tata mâine la teatru".

Deci, despre asta este vorba. *Eu le urez cumanilor drum bun!* Rămân cu identitatea mea; asta care o mai am. Jocul de-a identitatea nu este făcut arbitrar, este făcut clar, este gestionat. Este făcut aşa, ca să te ameţească. Într-o lume care *trebuie să se relativizeze* şi să se rupă repede.

Avem probleme mari, domnule Turcescu: se moare de cancer, se moare de SIDA, este o lume inegală... De ce să ne ocupăm noi de toate lucrurile astea şi de ce să nu ne ocupăm de celelalte?

V-am mai spus de nebunul acela, care dă drumul la robinet... Altul îţi pune un incendiu, altul îţi bagă un gunoi prin faţă, pe acolo. Că sunt din aceştia, subspecii, care fac asemenea lucruri. Sunt scandalagii de ocazie, care au, pesemne, o problemă a lor, şi sunt folosiţi, v-am mai spus eu, ca *vectori de transmisie a infecţiei.* De ce să mă ocup de lucrurile astea, când sunt spitalele pline, copiii terminaţi, vai de capul lor, fără nici un fel de viitor... De ce să mă ocup eu de lucrurile astea, când toţi banii umanităţii ar trebui alocaţi pe chestii de boală.

Ar trebui schimbată paradigma politică. Să nu se mai coabiteze cu foştii securişti, care şi-aşa vor dispărea la un moment dat. La noi s-a clădit numai în paradigma politică. Or, dacă rămâi numai în administrativ, numai în economic şi numai concurenţial, vei trage consecinţele.

Ar trebui să li se facă un duş extraordinar oamenilor politici, pentru că omul, cum să zic, european trebuie să ţină cont de întâlnirea lui cu lagărul est-european. Acolo nu s-a făcut nici un fel de evoluţie, dacă ne referim la cele sfinte; şi diferenţa de mentalitate între noi şi ei este una uriaşă.

Să vă dau un exemplu. Ştiţi că Paul Morand, diplomatul francez, a scris despre România frumos. Dar, la un moment dat, scrie că românii au o dambla: se închină, în Biserica de pe Dealul Patriarhiei, unor moaşte, ale unuia, Dimitrie Basarabov, care are o mână uscată, ca de maimuţă, învelită într-o dantelă. Asta a înţeles el! Putem răspunde, ca la radio Erevan: *mâna aia, ca de maimuţă, învelită în dantelă, m-a împiedicat pe mine să-mi dezgrop regii din mormântul lor, cum aţi făcut-o voi la Saint Denis.* Adică, ştiu de lucrurile sfinte! M-a împiedicat tainic! Eu nu fac lucruri de genul ăsta, care au rămas şi au pătat istoria omenirii. Ei şi-au dezgropat toţi regii în furia revoluţiei. (Asta nu înseamnă să aduci acuză poporului francez, ci să aduci acuză unui virus care a intrat pe bietul popor, că, aşa, am avut şi noi damblalele noastre.)

Iată, este o întâlnire nefericită, în care ei au nişte valori şi noi alte valori. Şi noi ne poziţionăm: eu vreau mâna aceea, este mâna noastră. O laşi acolo. Vezi-ţi dumneata de treabă! Ei nu au curajul unei toalete identitare, şi atunci, imediat, umblă cu etichete: ăsta e taliban religios, ăsta este naţionalist, ăsta este mai ştiu eu ce...

R. T.: Pun etichete?

D. P.: Pun etichete, asta fac! Ca să te inhibe! Şi ei n-au nici o treabă. Lasă lucrurile fireşti, domnule!

R. T.: Dar, când pun astfel de etichete, ne dau și senzația că există un pericol iminent, că, dacă nu se procedează rapid la această etichetare, dacă nu se extirpă răul reprezentat de aceste categorii etichetate, riscăm foarte multe lucruri: să fim atacați, să ni se arunce în aer gările, șoselele, stațiile de metrou, vine Al-Quaeda, asta este justificarea etichetărilor.

D. P.: Nu trebuie intrat în dialog cu asemenea concepte. Știți cum sunt comisarii europeni vizavi de ființa românească? Sunt ca obtuzitatea lui Pillat din Pont vizavi de Hristos. Pillat din Pont era un funcționar al Imperiului Roman, un simplu funcționar, și chiar avea un comportament bun, în sensul că nu voia să judece el. Și a zis, la un moment dat: „De ce ai venit?" Și Hristos a răspuns: „Am venit să mărturisesc Adevărul". Iar întrebarea pe care o rostește Pillat din Pont (el, având în spate toată educația grecească, știa că a vorbi despre adevăr este o aporie, o gaură neagră), a fost: „Ce este adevărul?"; și nici n-a așteptat răspunsul. A plecat.

El a ratat întâlnirea, pentru că Hristos a spus: *„Eu sunt Calea, Adevărul și Viața"*. Vedeți ruptura? Ei discută la nivel de concept: „Ce e România?" „România este un market"; „România este platformă pentru avioane"; „România este gubernie rusească"; dar *cine* este România, ăstia nu întreabă.

R. T.: Ratează, practic, să pătrundă în ființă...

D. P.: Exact! În ființă!

Noi am mai fost căsăpiți istoric. Apropo de Paul Morand și de imaginea prin care ne văd apusenii: gândiți-vă că acum, în august, e sărbătoarea Sfinților Martiri Brâncoveni. Martiriul lor a fost făcut *spectacol*. A fost un „mega-show", făcut de Ahmed al III-lea, cu ambasadorul Rusiei, ambasadorul Austro-Ungariei, ambasadorul Franței, cu tobe, cu trâmbițe... Închipuiți-vă un „show mediatic". Mergeau desculți, cu capul gol: un puști de doisprezece ani, cu frații lui și cu bătrânul lor tată, care în ziua aceea împlinea 60 de ani. Bătrânul Brâncoveanu, decapitat de ziua lui, după trei luni de zile de tortură. (Aş face filmul ăsta!) Un sfert de oră, un sfert de oră a durat.

După această crimă, „Gazette de France" a scris: „A fost decapitat un domnitor valah, pentru că nu şi-a plătit datoriile". Ei n-aveau nici o treabă cu mărturisirea creştină!

Bătrânul şi-a văzut copiii decapitaţi. Înainte să înceapă decapitarea – lucru pe care ar trebui poporul român să şi-l reamintească, să privească la Brâncoveanu – le-a zis: *„Staţi tari, nu luaţi seama la moarte! Priviţi la Mântuitorul nostru, Iisus Hristos!"* Din clipa aceea a început masacrul. Bătrânul a zis: *„Staţi tari, nu luaţi seama la moarte!"*

A fost o pauză, la micuţul Matei, căruia i-a fost frică. A fost, într-un fel, tremuratul fiinţei, sau acea nelinişte pe care a avut-o însuşi Mântuitorul, când a zis: „Părintele meu, pentru ce m-ai părăsit?".

Fiţi atenţi unde este frumuseţea creştină a crucificării româneşti! Copilul acesta, Matei, a avut un balans hristic. A zis: „Nu pot!". Şi atunci, tatăl lui, bătrânul voievod, i-a spus: *„Neam de neamul nostru nu s-a dezis! Dacă e să mori de mii de ori, să o faci, dar să nu te dezici!".* Şi, în clipa aceea – un scurt-circuit care a făcut coloana vertebrală a dăinuirii neamului nostru –, Matei s-a uitat la călău şi a zis: *„Vreau să mor creştin, loveşte!".*

Pe urmă le-au tăiat capul, i-au aruncat în Bosfor, o mizerie istorică...

Privindu-l pe Brâncoveanu, privindu-l pe Matei şi privind şi pe împăratul Constantin (care, în ajunul unei bătălii, a văzut pe cer o cruce şi a auzit un glas: „Prin acest semn vei izbândi!") – *iată cele trei priviri ale neamului românesc.* Astea sunt! Restul este o figuraţie istorică destul de penibilă, încâlcită în concepte. De ce-i sărbătorim pe Brâncoveni? Putem să-i scoatem din fiinţa noastră? Haideţi, de mâine, să-i relativizăm şi pe ei şi să ne luăm după „Gazette de France"!

Eu nu pot să o iau după „Gazette de France", o iau după Brâncoveanu! Şi asta este foarte bine. Un copil mă întoarce pe mine; acest Matei, care este sfânt. Matei Brâncoveanu a zis: *„Vreau să mor creştin, loveşte!".* Eu pot să privesc Europa, Statele

Unite, lumea, şi să zic aşa: vreau să mor creştin, loveşte! Acesta este testamentul poporului român şi aceasta este condiţia dăinuirii lui.

Şi să ştiţi că românii aceştia, prăpădiţi cum par, care pleacă în Occident, pleacă în spate cu o mică biserică, cu o cochilie. Mai şi încreştinează ei, pe undeva, pe-acolo. Şi, în firea lor, amărâţii ăştia, care sunt acum la căpşuni, vor reacţiona ca Matei Brâncoveanu. Ei sunt mutilaţi de istorie, de economie; firea aia adâncă a românului tot va izbândi.

R. T.: Dar cine le spune, domnule Puric – aducând această imagine în prezent –, cine le spune: neam de neamul nostru nu s-a dezis?

D. P.: Nu o să apară nimeni să ne spună. Este o vorbire tainică cea care le va spune. Mie cine mi-a spus, domnule Turcescu?

R. T.: Ăl de Sus!

D. P.: Vedeţi! Şi Cel de Sus, vorba părintelui Nicolae Steinhardt, nu răspunde la apeluri telefonice: „Alo? Am cancer!". Coboară El! Important e ca tu să te rogi. Ştiţi cum spunea Arsenie Boca, un mare părinte: „Omul, în genunchi în faţa lui Dumnezeu, este mult mai mare". Şi, dacă stai în genunchi în faţa lui Dumnezeu, poţi să te ridici în picioare în faţa lumii şi să o înfrunţi.

Călătoresc peste tot în lume şi îmi dau seama că omenirea s-a transformat într-un ocean de suferinţă. În supa asta intrăm şi noi. Dar avem şi noi achiziţiile noastre de adus. Cel mai creştin vers este acela al lui Eminescu: „Eu îmi apar sărăcia şi nevoile, şi neamul". N-a zis: eu îmi apar bogăţia, abundenţa şi identitatea europeană. A zis: *sărăcia.* Sărăcia, care este o asceză, este o dimensiune duhovnicească. Sărăcia nu este mizerabilitate. Mizeria, care acum ne toacă pe toţi, interioară, vorba lui Dostoievski, îţi transformă omul într-o nenorocire.

R. T.: Şi vine din acumulări materiale.

D. P.: Da, sărăcia poate să fie sfântă, mizerabilitatea, niciodată. Când eşti sărac, îi mulţumeşti lui Dumnezeu pentru sărăcie, fiindcă este punte spre Dumnezeu. *Nevoile.* Iată că nevoile astea – toţi avem copii, avem mame, avem taţi, avem nevoile şi, cum să zic, supărările vieţii – îţi gestionează drumul, îţi fac scară către bunul Dumnezeu. Nu le dai deoparte, nu faci o anestezie. Nu zici: tata e bolnav şi, pentru că nu suport, îmi trag şi eu o cocaină în venă. Bun, asta este modalitatea dumitale. Eu, prin suferinţa pe care o am, îmi asum suferinţa bătrânului meu tată şi prin ea ajung la Dumnezeu. Îmi fac şi datoria de fiu, şi îmi trăiesc şi nevoile şi neamul.

R. T.: Pe post de concluzie, cred că a fost un ton destul de amar al discuţiei sau, pe undeva, discuţia s-a dus în zone destul de triste; plec cu un soi de amărăciune din emisiune asta.

D. P.: Ce bine aţi surprins; vedeţi, pe sensibilitatea asta a coexistenţei, eu mă bazez. Eminescu a scris aşa: *„Dumnezeul geniului m-a smuls dintr-o mare de amar".*

„Marea asta de amar" era neamul românesc, pe care l-a simţit. Aşa este; tonul a fost amar... Să-l îndulcim? Ce să facem acum?

R. T.: Un pic măcar, o umbră de optimism, ca de fiecare dată.

D. P.: Cu asta se ocupă clasa politică, cu imaginea, cu narcotizantul. Vă aduc o ultimă imagine a ei, într-un minut.

Au filmat, la *Discovery*, un babuin cu o oglindă, care arăta exact precum clasa politică românească. Babuinul, când a văzut ce urât este, a aruncat oglinda; a doua mişcare: a început să palpeze spatele oglinzii, să prindă volumul imaginii; a treia: a dat cu capul în ea, vrând să treacă printr-însa ca printr-o fereastră, la cel ce-l privea; şi a patra: s-a pupat!

Ăştia nu se pupă, că am intrat în N. A. T. O. şi în U. E.? Se pupă! Asta este imaginea clasei politice româneşti.

R. T.: . Tristă şi asta.

D. P.: E tristă, dar le-o lăsăm lor. Eu nu mă ocup de imagine.

R. T.: Fereastra aceea prin care priviţi cu speranţă spre România, unde este, domnule Puric?

D. P.: În Biserică, către Dumnezeu...

Zece leproşi[*]

Domnul nostru, Iisus Hristos, în drum spre Ierusalim, trecând prin ţinutul Samarei şi al Galileei, intră într-un sat. La marginea acestui sat, 10 leproşi ridică braţele şi strigă: „Învăţătorule, miluieşte-ne!". Domnul nostru, Iisus Hristos, spune atât: „Duceţi-vă şi arătaţi-vă preoţilor!". Iar ei, ducându-se, pe drum s-au curăţit, adică s-au vindecat.

Unul dintre ei, văzând minunea, se întoarce şi, cu glas mare, îi aduce slavă lui Dumnezeu, căzând în genunchi. Domnul întreabă: „Numai unul s-a întors? Dară ceilalţi nouă nu s-au curăţit şi ei?". Numai unul s-a întors şi acela de alt neam: „Scoală-te şi du-te, credinţa ta te-a mântuit".

Tulburătoare *Evanghelie!* Scurtă şi tulburătoare. Din ea se citesc, deopotrivă, hidoşenia nerecunoştinţei şi lumina recunoştinţei; deopotrivă, tristeţea Mântuitorului, dar, mai mult decât atât, iubirea lui neasemuită de oameni, care-i înfrânge propria tristeţe. Ţâşneşte, deopotrivă, orbirea necredinţei, dar şi lumina credinţei, care-ţi aduce pace în suflet atunci când îl vezi pe Dumnezeu.

Deci, Domnul, în drum spre Ierusalim, intră într-un sat. La marginea satului stăteau leproşii. Pentru lepră, această cumplită boală a trupului, această descărnare, această cădere în putrefacţie a trupului de viu, era rânduit, prin însăşi Legea lui Moise, ca cei bolnavi să fie departe de comunitate. Nu aveau voie să trăiască decât departe de comunităţile omeneşti. Erau nişte oameni condamnaţi, care trăiau în alt timp. Pentru ei, timpul cetăţii nu mai conta; pentru ei, timpul istoric nu mai conta; ci doar boala lor. Am putea vorbi de un timp al leprosului, ce

* Predică rostită la Mănăstirea Petru Vodă, în 20 ianuarie 2008.

este timpul bolnavului care nu mai are nici o şansă, timpul bolii care te scoate din viaţă. Erau obligaţi să strige: „Necurat! Necurat! Necurat!". Mai târziu, în Evul Mediu, chiar aveau un clopoţel, cu care-şi anunţau venirea.

Dar, totuşi, să fim atenţi, pentru că nu putem descifra cu de la noi putere această *Evanghelie*. Ce spune un Sfânt Părinte, Grigore Palama? „Lepra trupului, mare căinţă!" În *Evanghelie* poate să fie şi lepra sufletului, a păcatului.

Ce ne învaţă *Evanghelia*? În primul rând, ne învaţă mila, căci din glasul leproşilor se vede că cereau milă. „Fie-ţi milă, Învăţătorule!" Şi Învăţătorul are milă; dar, în acelaşi timp, din glasul lor ţâşnesc necunoaşterea şi necredinţa, pentru că nu i-au spus „Doamne!", i-au spus „Învăţătorule!". Nu L-au recunoscut! Să fim foarte atenţi! Nu L-au recunoscut, au zis „Învăţătorule!".

Învăţătorul nu este Dumnezeu. Cu câtă seninătate Iisus Hristos trece peste lucrul acesta şi vindecă de la depărtare, fără să se apropie, prin cuvânt. Prin forţa cuvântului dumnezeiesc vindecă! „Duceţi-vă şi arătaţi-vă preoţilor", le spune.

Şi acum, să vorbim de forţa cuvântului. A mai fost o vindecare făcută de Mântuitorul, când orbul L-a recunoscut şi-a zis „Doamne!". N-a zis „Învăţătorule!". A spus: „Doamne, dacă voieşti, poţi să mă curăţeşti!". „Voiesc, a spus Mântuitorul, curăţeşte-te!"; şi s-a vindecat. Forţa a fost instantanee. De data asta, vindecarea este de la depărtare.

Se spune că Miriam, sora lui Moise, s-a îmbolnăvit de lepră şi Moise s-a rugat şapte zile ca ea să se izbăvească. Dar – Hristos este instantaneu – de data aceasta puterea este extraordinară! Să fim foarte atenţi la puterea cuvântului! Dumnezeu cuvântă, nu vorbeşte! Omul vorbeşte, omul are vorbe. Dumnezeu cuvântă, iar această puterea a cuvântului, să fim foarte atenţi, este dată creştinului şi credinciosului, creştinului profund.

Ca să vedeţi cum se moşteneşte forţa hristică a cuvântului de către sfinţi şi de către oamenii credincioşi, pentru că suntem într-o lume plină de vorbe, suntem linşaţi de vorbărie! Numai

Domnul nostru, Iisus Hristos, a cuvântat. Şi-n ţara asta, acum şi aici, se cuvântă creştineşte, numai că nu suntem atenţi.

Antiohia, care era un centru spiritual, pe vremea unui împărat creştin, Teodosie cel Mare, a trecut printr-o mare urgie. Atunci, în Antiohia, trăia Sfântul Ioan Gură de Aur. Oamenii erau disperaţi, pentru că Teodosie cel Mare – de altfel, împărat creştin – vroia să sărbătorească 50 de ani de existenţă a imperiului şi, având nevoie de bani, a pus impozite uriaşe. Impozitele, pe vremea Imperiului Roman, erau cumplite. Intrau peste oameni, îi schingiuiau, le luau tot. Speriaţi, oamenii din Antiohia au fugit la guvernator să-l roage să intervină la împărat, ca să-i ierte de impozite, că nu au de unde plăti. Guvernatorul fugise. Au mers la episcop. Episcopul fugise şi el. Atunci, revoltaţi, în furia lor, săracii, au distrus statuia împăratului.

A distruge statuia împăratului însemna un sacrilegiu, care se pedepsea prin moarte. Mai rău decât atât, împăratul a hotă-rât să radă Antiohia de pe suprafaţa pământului. Aşa făceau legiunile romane, veneau şi rădeau un oraş întreg pentru acest sacrilegiu. Disperaţi, oamenii s-au dus la Sfântul Ioan Gură de Aur, aşa cum disperaţi venim la sfinţii noştri părinţi, pe care îi mai avem încă, în această ţară şi-n acest locaş.

Aşa cum lumea, disperată, se duce la părintele Iustin Pârvu, la Arsenie Papacioc, aşa şi ei, săracii de ei, i-au zis: „Ce facem părinte?". Iar părintele a avut un gest atipic. A anunţat, cum a putut, pe toţi asceţii şi monahii care erau prin pustie, pentru ca să întâmpine cu o armată de asceţi şi de monahi legiunea romană. Pare o copilărie, pare un lucru neadevărat, pare un lucru prostesc... Cum poate un monah, şi mai ales un ascet, un om bătrân, un om slab, să înfrunte miile de soldaţi, care erau mercenari, tăiau, nu vedeau nimic? Erau educaţi în sensul acesta. Şi, cu toate acestea, uşor, din pustie, la chemarea sfântului Ioan Gură de Aur, au început să vină monahi, asceţi, oameni bătrâni, care abia se mişcau, îmbrăcaţi cu o piele de capră pe ei.

De aceasta am făcut această mică, de fapt, nu este o paranteză, ci este o prelungire a puterii Cuvântului lui Dumnezeu, un capitol pe care istoria l-a marcat. Închipuiţi-vă o armată romană şi în faţa ei un bătrân ascet, care a spus atât: „Descălecaţi!". Iar romanii, care totuşi erau creştinaţi atunci, erau pe vremea lui Teodosie cel Mare, din strategie, au descălecat, pentru că nici pentru ei nu era o onoare să treacă prin sabie un biet monah. Au descălecat şi au zis: „Să vedem ce ne spune". Iar ascetul le-a spus: „Duceţi-vă şi spuneţi-i împăratului vostru – împăratului vostru, deci nu al lui! – că va putea să ucidă un om atunci când va putea să dea viaţă altuia". Romanii au încălecat înapoi, uşor, tot politicos, şi au plecat spre guvernator, crezând că, gata, s-a terminat. Şi totuşi, pe drum, voinţa lor de a ucide a scăzut, forţa cuvântului a fost extraordinară.

Prin întâlnirea aceasta cu ascetul, Antiohia a fost salvată, cuvântul a lucrat mai târziu, nu imediat. La Hristos, lucrează imediat. Uitaţi ce moştenire! Haideţi să redăm puterea cuvântului, acum, aici, în această Sfântă Mănăstire.

Un om de mare sfinţenie, de mare curăţenie sufletească, din Bucureşti, îmi spunea aşa: „Am ascultat la radio, acum două săptămâni, pe părintele Atanasie, de la Petru Vodă". Zic: „Ştiu, îl cunosc! Da!". „De 50 de ani n-am auzit un om vorbind aşa, îmi dădea sentimentul că ne cheamă la luptă, parcă într-o mână avea sabia şi într-o mână crucea".

De 50 de ani nu s-a mai vorbit în România aşa, nu s-a mai cuvântat. Vedeţi forţa cuvântului Dumnezeiesc, nevoia neamului românesc de-a auzi cuvânt sfânt, acum, aici (şi poate că trebuie să ne rugăm pentru această lumină de monah, care acum trece printr-o mare încercare). Pe cerul acesta tulbure, al ortodoxiei româneşti de astăzi, Monahul Atanasie este flacăra veşniciei neamului, este din Petru Vodă.

Să ne întoarcem la *Evanghelie* şi să vedem că Iisus, de la depărtare, spune: „Duceţi-vă şi arătaţi-vă preoţilor!". De ce? Pentru că preoţii erau singurele instanţe abilitate să spună când un lepros devenea un om sănătos şi putea să reintre în societate. Deci, Hristos nu dărâmă legea, respectă legea care era. Dar, mai mult decât atât, nimeni nu-şi dă seama, decât Sfinţii Părinţi care au primit *Evanghelia* cu har de la Dumnezeu, era lecţia lui

Hristos, pe care o dădea preoților care își pierduseră credința. Căci preoții, la rândul lor, văzând că s-au vindecat, vor mărturisi; este o lecție, dată prin leproși, preoților necredincioși. Leproșii devin trezire.

Cât de minunat lucrează Iisus Hristos! Iată că ei, rugându-se pe drum, s-au curățit, s-au vindecat. Dar numai unul se întoarce și cu glas mare, n-a zis în șoapte, ci cu glas mare, îi aduce mulțumire lui Dumnezeu, căzând în genunchi. *Unul singur!* Recunoștința! Unde sunt cei nouă? Există aici o tristețe hristică înfiorătoare. Au nu și cei nouă s-au curățit, s-au vindecat? Și întreabă Iisus Hristos: „Unde sunt?".

Atunci când Adam a căzut în păcat, s-a auzit vocea lui Dumnezeu: „Unde ești, Adame?". S-au vindecat cei nouă, dar, celui care s-a întors, Dumnezeu i-a dat peste vindecare Mântuirea. Mare atenție! Pe ceilalți, în tăcere, i-a pedepsit la lipsa de mântuire. Ce înseamnă sănătate fără credință? O să vedem noi, nimic.

Acesta de alt neam, samarinean – de fapt, samarinenii erau asirieni –, s-a întors și, în genunchi, a dat slavă lui Dumnezeu. Aici este unul din lucrurile minunate, pe care Sfântul Nicolae Velimirovici îl remarcă. Ce-i trebuie lui Dumnezeu recunoștința noastră? Are Dumnezeu nevoie de recunoștința noastră și de rugăciunea noastră? Nu! Și, cu toate acestea, ni le cere. De ce? Spune Sfântul Nicolae Velimirovici: „Dacă nu putem înțelege lucrurile mari, să învățăm din lucrurile mici". Și iată cum un lucru de genul acesta, care pare un lucru mare, ca recunoștința față de Dumnezeu, ca mulțumirea față de Dumnezeu, care pare puțin abstract, un sfânt îl desface și ni-l aduce nouă în biserică. Și ne spune că, dacă nu înțelegem lucrurile mari, să învățăm de la cele mici. Care sunt cele mici?

De ce un părinte, spune Nicolae Velimirovici, are nevoie de recunoștința copilului? Are nevoie? Nu! Prin actul de recunoștință, copilul sporește! Din recunoștință crește mila, iar omul cu milă merge slobod în viața aceasta. Dumnezeu, ca să te rogi și să ai recunoștință, nu schimbă El firea, tu ți-o schimbi. E ca și cum îți întinde o scară și zice: „Urcă, fiule!". O treaptă este recunoştinţa. Recunoştinţa, de fapt, este tot o rugăciune de mulţumire. Iată ce înseamnă actul de recunoştinţă. Să reţinem: unul s-a întors, nouă nu. Vedeţi cât de cumplit, de tragic şi de actual este lucrul acesta! Căci, de o parte, este această hidoşenie a nerecunoştinţei; şi de altă parte, este această lumină, a samarineanului care-I mulţumeşte lui Dumnezeu. Ce face Iisus Hristos? Nu spune: „Te-am vindecat", nu-şi arogă puteri. „Scoală-te şi du-te, credinţa ta te-a mântuit". Îşi împarte vrednicia, spune Sfântul Nicolae Velimirovici

„Iisus Hristos îşi împarte bogăţia cu săracii, îşi împarte slava cu cei umiliţi şi îşi împarte bucuria cu cei mâhniţi". Ce minune! Împarte! Este un lucru de smerenie hristică uluitor! Fiţi foarte atenţi, că această *Evanghelie* este una dintre cele mai concentrate pilde, în câteva cuvinte: „Scoală-te şi du-te, credinţa ta te-a mântuit". Ne vorbeşte despre smerenia hristică.

Grigore Palama spune: „Numai un părinte poate să vadă. Cel care n-a căzut din vederea lui Dumnezeu, ci l-a păstrat pe Dumnezeu în vedere, se împacă cu Dumnezeu, se împacă cu sine, se împacă cu ceilalţi, este pacea sufletească, este salvat, este mântuit". Dacă i-ar fi vindecat doctorii, s-ar fi dus la doctori să le mulţumească. I-a vindecat Dumnezeu. Şi ne întoarcem şi spunem că acest act al samarineanului, total izolat, acest act al întoarcerii inverse – nouă au plecat, unul s-a întors – este tot timpul acelaşi, acest act de împăcare cu Dumnezeu, cu veşnicia. Vă spun cum este.

Când Sfântul închisorilor, Valeriu Gafencu, bolnav de tuberculoză, într-o stare terminală, a spus în celulă: „Fraţilor, eu mâine mă duc", atunci a intrat plutonierul şi-a spus: „Unde te duci, mă nenorocitule, că eu sunt hristosul tău, unde te duci?". Iar el, care stătea cu faţa spre veşnicie şi nu spre istorie, a spus: „Domnule plutonier, o să mă duc acolo unde o să veniţi şi dumneavoastră". Şi din clipa aceea n-a mai spus nimic, nici nu l-a condamnat; lucrul acesta l-a făcut firesc marele Gafencu, pentru că este putere dumnezeiască. Vedeţi, Hristos a zis: „Ceilalţi nouă unde sunt?" şi a tăcut. Nu i-a condamnat, nu i-a blestemat, i-a lăsat să se ducă. Asta nu înseamnă că nu trebuie să ții cont de istorie. Dacă neamul acesta a rezistat, a rezistat datorită celor care au părăsit plutonul și s-au întors la Dumnezeu în genunchi, să-I mulțumească, pentru că ceilalți au fost oameni care și-au pierdut credința. Poporul român n-a rezistat datorită oportuniștilor, ci datorită martirilor și sfinților.

Am auzit, la un moment dat, că un sovietic, pe vremea ocupației rusești, când a văzut câtă trădare, cât oportunism, a zis: „N-avem noi atâtea topoare, câte cozi de topor aveți voi în România". Și, peste timp, eu vin și spun sovieticului: „N-aveți voi în Rusia atâtea mănăstiri și biserici câți sfinți vă putem da noi!". Fiți foarte atenți: poporul român este acuzat că nu poate să facă nimic, că nu este demn, că este bun numai să fie vasal, dar nu se spune nimic de martiraj, nu se spune nimic de suferința din închisori. Iată că un Om părăsește plutonul; și-am să vă spun cum se traduce lucrul acesta: când țara a fost invadată de lepra comunistă (și este încă invadată), câțiva, o mână de oameni, s-au întors să-i mulțumească lui Dumnezeu. Acei samarineni s-au dus în munți, să lupte cu arma, sau au fost trimiși în închisori. Au spart zidul închisorii prin rugăciune. Și astfel este posibil ca eu, în anul 2008, să aflu și să vorbesc despre Valeriu Gafencu, care a fost un tânăr de 33 de ani, student la drept, și care a murit pentru că și-a iubit prea mult țara.

Ați fost vreodată la Aiud să vedeți cum se înalță blocurile socialiste peste oasele martirilor noștri? Ce forță a fost din partea părintelui Iustin Pârvu și a foștilor deținuți politici, să facă un monument! Monumentul este mic, e o capelă. În capelă este un Monah din Petru Vodă, nu este cineva de la guvernul României. Acolo este o cruce mică, de lemn, a lui Mircea Vulcănescu. Unde sunt ceilalți, amintirea acestora? Omul îngroapă, Dumnezeu dezgroapă. Vorbește această *Evanghelie* despre orbire, pentru că pe cei nouă Hristos i-a vindecat de lepră, dar au plecat orbi. „Și-am venit pe pământul acesta ca pe cei care nu văd să-i fac să vadă, iar pe cei care văd, să orbească". Pentru că fariseii văd, dar sunt orbi.

Fiți foarte atenți! Orbirea aceasta i-a făcut să nu vadă dintru început că este Hristos. Orbirea aceasta este acum în noi, în poporul român. Nu ne vedem ortodoxia, nu ne vedem credința izbăvitoare. Atacuri la adresa ortodoxiei o găsiți în toate gazetele „intelectuale": este religia care „ne-a tras înapoi, la coada istoriei"; este „ceea ce ne împiedică să ne civilizăm". Uitați orbirea! Nu ne vedem tradiția! Poporul nostru are o tradiție și nu ne interesează. Nu ne vedem eroii, nu ne vedem valorile! Uitați-vă la televizor și-n ziare! Peste tot nonvalori! Valorile noastre, și cele trecute și cele prezente, sunt ascunse sub pământ, nu le vedem. Suntem orbi! Nu ne vedem sfinții! Îi izolăm, facem cerc în jurul lor. Securitatea, această lepră a sufletului, întotdeauna a avut metode foarte subtile. Cea la care mă refer se numea „agent de izolare": „Nu vă duceți la ăla, că e nebun; nu vă duceți la mănăstirea respectivă, că cei de acolo nu sunt cum trebuie". Izolare! Și tocmai acea mănăstire și tocmai acel om reprezintă credința samarineanului, aceea care a rămas în picioare.

Aici, în această mănăstire, este o insulă, cât a mai rămas din autenticitatea acestui neam. Vedeți orbii? Acei orbi sunt milioane de români, care, după ce au scăpat de comunism – (închipuiți-vă ce lepră a fost comunismul!) –, nu s-au rugat și-au zis: „Învățătorule, slavă ție, îți mulțumim!", c-am scăpat de comunism ca de lepră.

Milioanele de oameni sunt cei nouă, care au uitat să-i mulțumească. Și este sfântul, care vine și zice: „Doamne, Ție îți mulțumesc!". Închipuiți-vă dumneavoastră că acest popor ar îngenunchea, ar întoarce spatele istoriei și-ar spune: „Doamne, Ție îți mulțumesc!". Ce forță fantastică ar fi în acest neam!

Ați văzut dumneavoastră vreun Sfânt Părinte pe care îl avem, îngenunchind și mulțumind leprei că i-a izbăvit? Ați văzut dumneavoastră așa ceva? Eu nu! Eu am văzut pe părinții sfinți din România, pe monahi, îngenunchind în fața lui Dumnezeu; deci, drumul invers.

Cei care se duc acum dincolo, îngenunchează și așteaptă mântuirea de acolo sunt orbi. Vreau să vă traduc această *Evan-*

ghelie, acum și aici, ca să simțiți tăria credinței, să simțiți tăria recunoștinței. Numai cu fața spre Biserică, numai cu fața spre sfinți, recunoscându-i, să te duci și să mărturisești: „Doamne, Tu m-ai mântuit".

Nu vedeți că nu ne mărturisim sfinții, ne este rușine de istoria noastră! Ne este rușine de sfinții noștri care au murit în închisori! Au apărut aici, la Petru Vodă, atâtea cărți despre sfinți; deci, acesta este samarineanul, care spune o altă poveste despre poporul român.

Aș vrea să înțelegeți că forța credinței, forța noastră, stă tocmai în această întoarcere din pluton. E de ajuns unul să se întoarcă! Există o lepră care intră în sufletele noastre și-n viața civilă. Să știți că a intrat lepra și în Biserică. Pe vremea lui Grigorie Teologul și Vasile cel Mare, tot Imperiul de Răsărit era plin de arieni, inclusiv împăratul, toți fugeau cu episcopul, cu monahul, în partea cealaltă. Au fost doi care au stat drepți și-au mărturisit. Se numeau Vasile cel Mare și Grigore Teologul.

Este aceeași situație în România. Se aleargă către tot felul de concesii politice, diplomatice, religioase. Sunt doi care stau în picioare și mărturisesc sfânta credință, nu din intoleranță, nu din talibanism, ci din credință autentică. O să vedeți că întotdeauna marii sfinți au fost izolați de autorități, dar au fost iubiți de popor. De asta sunteți dumneavoastră aici, de asta sunt și eu aici: ca să mărturisesc. Nu luați *Evanghelia* ca pe un lucru depărtat, ci gândiți-vă la toate etapele care sunt acolo: să-ți recunoști valorile, să-ți recunoști tradiția, să-ți recunoști sfinții, și să-ți recunoști, mai ales acum și aici, oamenii care te-au ajutat să scapi de lepră. Poporul român încă suferă. Ghetoul acesta neocomunist a fost o improvizație politică, n-are decât picioare de lut, este o lepră de tip nou, sufletească. Întoarceți-vă cu fața spre Biserică și o să aveți forță să faceți curat în țara aceasta. Întoarceți-vă și rugați-vă, că datorită lui Dumnezeu am trecut prin istorie. Poporul român are putere să mântuiască și alte nații.

M-am întâlnit zilele trecute cu un preot catolic, student al papei Ioan Paul al II-lea, și i-am spus: „Părinte, știți cum sunt

globalizarea şi Comunitatea Europeană faţă de creştinism?".
Au mai existat globalizări de genul acesta, pe vremea
imperiilor. Imperiile erau nişte forme din astea suprastatale, în
care erau amestecate mai multe popoare. Şi, într-o zi, Bismarck,
cancelarul de fier, în a cărui armată erau multe naţionalităţi, în
inspecţia armatei, se opreşte în faţa unui soldat şi spune: „Tu
ştii să te rogi?". El răspunde: „Da, Înălţimea voastră, ştiu *Tatăl
Nostru*". „Să-mi spui *Tatăl Nostru*". Şi el, în poziţie de drepţi,
spune în germană *Tatăl Nostru*. Bismarck se uită mai atent la el
şi zice: „Ce naţie eşti?". „Polonez, să trăiţi înălţimea voastră".
„Spune-mi în poloneză". Şi-n clipa aceea el îngenunchează şi
spune *Tatăl Nostru*. Iar Bismarck zice: „De ce ai îngenunchiat
când ai spus în poloneză?" „Aşa m-a învăţat mama".

Noi stăm în genunchi aici, la Petru Vodă, dar dincolo
stăm drepţi. Şi părintele a înţeles, mai ales că era şi el polonez.

Ce lumină extraordinară, ce lumină! Dacă ne-a găsit în
poziţie de drepţi, ne-a găsit datorită celor care au stat în
genunchi, rugându-se la Dumnezeu. N-au stat în genunchi în
faţa Partidului Comunist, n-au stat în genunchi în faţa tuturor
mântuirilor ideologice care vin astăzi peste noi. Şi-am să vă
spun că va veni clipa unei mari întrebări. Căci, aşa cum Dum-
nezeu a întrebat pe Adam, cu tristeţe adâncă: „Unde eşti,
Adam?", atunci când a căzut în păcat; aşa cum Mântuitorul a
întrebat: „Dar cei nouă unde sunt?", ţineţi minte că va veni
clipa în care Dumnezeu va întreba: „Unde eşti, popor român?".
Să stăm în genunchi în faţa lui Dumnezeu şi ne vom izbăvi!

Dumnezeu să ne ajute, să binecuvânteze neamul româ-
nesc şi această Sfântă Mănăstire. Amin.

Cine suntem

— Părinte Atanasie, cum trebuie să vorbim cu cei care nu ne
respectă credința, neamul, dragostea de țară?
— Acestora, Dan Puric, li se spune: Marș!

Cine suntem, ca strigăt identitar, cu scop de trezire a
conştiinţei naţionale, a apărut pentru prima oară, ca o definiţie
clară, în cultura noastră socială, politică şi istorică, cu Şcoala
Ardeleană; a fost continuat de către paşoptiştii obligaţi să se
definească faţă de lumea modernă şi civilizată; apoi, acest strigăt
a devenit lămurire a specificităţii naţionale, a particularităţii
etnicului românesc, de către Mihail Kogălniceanu, Alecu Russo,
B. P. Hasdeu, culminând prin cristalizarea unei direcţii sociale,
cu Titu Maiorescu, care, la vremea respectivă, se întreba: „Cum
evoluăm şi cu ce mijloace?". Temperatura morală şi culturală
creată de Societatea „Junimea" face posibilă manifestarea, fără
precedent în cultura noastră politică, a vârfului de conştiinţă
naţională care a fost Eminescu. Intuiţiile lui vizavi de acest
popor n-au fost egalate şi nici depăşite până acum. Gândirea lui
Eminescu despre poporul român având în acest sens valoare de
destin.

Rămâne antologică discuţia lui cu Titu Maiorescu, revol-
tat de exagerările lingvistice şi exaltările Şcolii Ardelene. Răs-
punsul lui Eminescu vine prompt: „Lasă-i aşa, exaltaţi!". Câtă
înţelegere profundă, la Eminescu, a unui fenomen, în surprin-
derea vulnerabilităţii lui, faţă de naşterea conştiinţei naţionale
în rana Ardealului!

Maternitatea firii lui Eminescu faţă de neamul său n-o s-o
mai regăsiţi decât la cei care au fost martirizaţi în închisorile
comuniste. Acolo a fost crucificat poporul lui Eminescu. Căci, în
România, există şi o populaţie, cea descrisă de Caragiale, a lui

Mitică. Mitică este identitatea veşnic versatilă, parazitul de serviciu al neamului românesc. La Mărăşeşti, Oituz, pe frontul din Răsărit etc. au murit cei din poporul lui Eminescu, în închisorile comuniste, tot ei; iar astăzi, cei care mai suferă pentru ţara aceasta provin tot din această *sumă lirică de voievozi,* care a fost Eminescu.

Lucrarea *Din psihologia poporului român,* a lui Dumitru Drăghicescu, este o încercare de a surprinde structura psihologică a poporului român, marcată însă profund de o decepţie vizavi de rostul nostru şi de felul nostru de a fi. O lucrare rămasă total izolată în contextul epocii sale (apare în 1907), dar care închide în ea gustul amar al intuiţiei destinului tragic al românilor.

Examinarea ideii de identitate atinge o fineţe analitică inegalabilă în perioada interbelică, prin marii reprezentanţi ai culturii române din acea perioadă, care şi-au adus contribuţia din perspective disciplinare diferite:

prin Nicolae Iorga, care, prin bogăţia documentară istorică despre români, îi aduce acestuia din urmă o dimensiune simfonică;

prin Dimitrie Gusti, acest adevărat arheolog al etnicului, creatorul şcolii româneşti de sociologie;

prin viziunea etnopsihologică a lui C. Rădulescu-Motru;

prin înălţarea ortodoxiei la rangul de principiu metodologic şi principal predicat identitar al fiinţei româneşti, la Nae Ionescu;

prin cristalizarea în sistem filosofic, pentru prima oară, a firii româneşti, a gândirii ei, de către Lucian Blaga;

prin surprinderea creştinismului ca dat ontologic în neamul românesc, la Simion Mehedinţi;

printr-o „viziune românească asupra fiinţei", a lui Ovidiu Papadima;

prin gândirea *de atitudine* asupra identităţii, a lui Mircea Eliade;

prin regândire în esenţa sufletească a spiritului românesc, în lucrarea lui Constantin Noica, *Pagini despre sufletul românesc;*

prin sinteza, care culminează în *Dimensiunea românească a existenţei*, a lui Mircea Vulcănescu;

şi nu în ultimul rând, prin definirea fără precedent a ortodoxiei româneşti şi a Omului Răsăritean, în lucrările părintelui Dumitru Stăniloae.

Aceştia, şi alături de ei încă mulţi alţii, de valoare (Traian Brăileanu, Nicolae Petrescu, Nichifor Crainic, Vasile Băncilă etc.), au reuşit să contureze la vremea respectivă dimensiunile autentice ale acestui neam.

Pe acest context, de fertilizare majoră a inteligenţei şi sensibilităţii româneşti, de început de cheag identitar, cultural şi de conştiinţă politică şi naţională, vine catastrofa comunistă. Primele consecinţe ale acestei catastrofe au fost tocmai decapitarea identităţii sufleteşti a românului şi mutilarea, pentru un timp nedeterminat, a gândirii libere.

Abia se articulase neamul acesta într-o dimensiune mai civilizată, abia crescuseră florile de cultură, de artă şi de viaţă normală, că a venit ciuma roşie. Cincizeci de ani, românul n-a m-ai fost în hotarele firii, ci în cele ale unei abstracţiuni. A fost silit să abdice de la gândirea Omului Răsăritean, ca întruchipare a spiritualităţii creştine ortodoxe, la mentalul de supravieţuitor al omului estic, prizonier al ghetoului comunist. Şi astfel, în urma acestei traume, românul de astăzi a ajuns să trăiască *non-identitar* în propria-i ţară.

În această poziţie ne-a surprins, cu garda jos, derutaţi şi distruşi sufleteşte, o nouă abstracţiune; şi anume: globalizarea.

În faţa acestui nou neant, iată, suntem obligaţi, oare a câta oară, la un demers identitar. *Cine suntem?* Sau, mai bine zis: *Cine mai suntem?* Acesta este strigătul de alarmă al timpului pe care îl trăim.

Ca să avem o coerenţă metodologică eficientă, trebuie făcute mai multe precizări, care se impun de la sine şi care ar ajuta mai bine şi mai onest la depăşirea labirintului identitar în care ne zbatem astăzi:

– clarificarea din punct de vedere ortografic-lingvistic a expresiei *Cine suntem?*, amănunt de importanță vitală;
– precizarea, ca statut gnoseologic, a identității;
– identificarea felului de a fi autentic românesc, ca dimensiune anistorică (*Ce ni s-a întâmplat? Ce-a pățit neamul acesta?*);
– mutilarea acestui fel de a fi prin catastrofa comunistă;
– actul de măsurare al identității prin noi înșine, vizavi de noi și prin prisma altora;
– identitatea ca națiune și ca neam;
– identitatea ca Memorie;
– Memoria credinței ca reînviere identitară.

În ceea ce privește clarificarea din punct de vedere ortografic-lingvistic, avem de-a face cu un act atât de corectitudine lingvistică, cât și unul de sinceritate ortografică; am spune noi, o întâlnire față către față cu morala limbii române. *„Filosofia este o luptă împotriva vrăjirii intelectului nostru de către limbă"*(Ludwig Wittgenstein). Astfel, din punctul de vedere al ființialității românești, *cine suntem* nu este egal cu *cine sîntem*. În primul caz, ne aflăm în fața unei expresii autentice, identitare; în al doilea caz, în fața unei măsluiri deliberate, cu scopul de a estompa originile. Căci *„î din i"* a fost introdus cu forța în limba română, cu tancurile sovietice (v. „reforma ortografică din 1953"). A sări peste aspectul acesta este o eroare de început de drum, fundamentală...
Nu dați importanță amănuntelor, că acolo se ascunde diavolul! (Michelangelo Buonarroti)

Diferența dintre Hamlet și Don Quijote este, de fapt, tensiunea ireconciliabilă dintre existențialismul *avant la lettre* al lui *„a fi sau a nu fi"*, trăit de Hamlet în limitele și angoasa omului renascentist, și *„tu poți să fii"* ca dezmărginire creștină a omului însenitat de prezența permanentă a lui Dumnezeu.
Identitatea unui neam, ca și aceea a unui om, apare cu mult mai mult timp înainte ca ea să devină „observabilă". Cu alți termeni, *existența* nu este egală cu *aparența* sau cu *apariția*,

aşa după cum *adevărul* nu este egal cu *exactitatea.* Altfel, am coborî la cinismul acelor minţi medicale (contemporane), care spun că prevalarea de embrion se poate face până în 14 zile, deoarece după această dată apare sistemul nervos şi el începe să simtă. A egala viaţa cu apariţia sistemului nervos denotă un *reductio* cinic, cu perspectivă utilitaristă. În acelaşi fel, a asimila identitatea profundă a unui popor cu cristalizarea ei istorică presupune de la sine un risc amputatoriu. Căci, în dimensiunea ei profundă, identitatea unui om, ca şi a unui popor, rămâne o taină. Iar taina, vorba lui Evdokimov, nu se trăieşte, ci *te trăieşte.*

A discuta, deci, taina este un demers nefiresc. „În cetatea în care se vorbeşte despre virtute înseamnă că virtutea nu există" (Lao Tse). Obişnuit cu taina ca dimensiune fundamentală a existenţei sale, românul a ştiut instinctiv, dar şi prin credinţă, să o respecte, fără să o discute. Atitudinea lui în faţa lucrării lui Dumnezeu şi a vieţii s-a manifestat prin mirare, şi nu în iscodirea lui Dumnezeu Însuşi. Căci, pentru român, *mirarea* nu este tot una cu *curiozitatea* iscoditoare. A întreba necunoscutul îi stă în fire, căci ştie că Dumnezeu i-a dat această putere şi datorie de a cunoaşte creaţia, dar a întreba incognoscibilul, pe Dumnezeu Însuşi, pe Creator, el ştie că nu poate şi nici nu vrea să o facă.

„Occidentul are probleme, iar Răsăritul, taine", spune filosoful francez Gabriel Marcel. În contextul acesta a vorbi despre identitate înseamnă a face dintr-o taină o problemă, iar omul Răsăritean refuză instinctiv această confuzie.

Şi dacă „a fi conştient de procesul istoric pe care-l parcurgi este o legitimare către civilizaţie" (Vasile Pârvan), în aceeaşi măsură ar trebui să fim conştienţi că *identitatea* unui om nu se legitimează numai în *vizibilul* istoric, ci este plină de necunoscute, până la frontiera incognoscibilului, şi că ea creează o *nouă perspectivă asupra lumii,* o altă cale de abordare şi un salt, nu către evoluţia speciei, ci către desăvârşirea ei.

„Proprietatea de bază a inimii este structura sa musculară, iar principala proprietate a unui muşchi este faptul că noi nu-l înţelegem. Cu cât ştim mai mult despre ele, cu atât înţelegem mai puţin; şi se pare că vom şti totul şi nu vom înţelege nimic", sunt cuvintele unei mari personalităţi a medicinii secolului XX. Puneţi în locul inimii *identitatea* şi veţi avea acelaşi răspuns.

„Argentina este o ţară uşor de studiat, dar greu de înţeles", spunea Martínez Estrada. Şi pe acest raport invers proporţional intră şi România, care, ca orişicare altă taină, cu cât e cunoscută mai mult, cu atât riscă să fie mai puţin înţeleasă. De aceea, respectul faţă de taină nu înseamnă paralizia cunoaşterii, ci *o altă cunoaştere.*

„*Un om, ca şi un popor, atâta preţuieşte, cât a înţeles din Evanghelie*" (Simion Mehedinţi). Cugetul românesc din secolul al XVI-lea, cristalizat în *Învăţăturile lui Neagoe Basarab către fiul său, Theodosie,* ne arată dimensiunea întru totul creştină a fiinţei româneşti. De la ţăranul roman la Domnitor, ţara era o Biserică vie. Traseul iniţiatic, treptele desăvârşirii sunt descoperite de către Neagoe Basarab fiului său cu un fior de *Pateric.* Prin el, Omul Răsăritean îşi consolida biserica fiinţei sale în faţa istoriei. De partea cealaltă, omul apusean îşi exersa demult automântuirea.

De aceea, deşi contemporane, între *Il Principe,* lucrarea lui Nicollò Machiavelli, şi *Învăţăturile lui Neagoe Basarab către fiul său, Theodosie* se ridică o prăpastie de netrecut.

„Că mai întâi de toate este tăcerea, iar tăcerea face oprire, oprirea face umilinţă şi plângere, iar plângerea face frică şi frica face smerenie, smerenia face socoteală de cele ce vor să fie, iar acea socoteală face dragoste şi dragostea face sufletele să vorbească cu îngerii. Atunci va pricepe omul că nu este departe de Dumnezeu." În aceste cuvinte ale lui Neagoe Basarab se află portretul esenţei creştine a neamului românesc.

Comentând acest paragraf în lucrarea *Pagini despre sufletul românesc,* Constantin Noica defineşte conştiinţa românească a secolului al XVI-lea ca având o dimensiune *anistorică.* Tocmai această dimensiune, cred eu, a făcut creştinismul să dăinuiască în istorie. Rupându-se de gravitaţia contingentului, paradoxal, creştinismul s-a manifestat ca atitudine fiinţială în orice împrejurare nefericită a acestui neam. A avut ceea ce putem numi, o *dăinuire participativă*, definindu-se nu numai ca tradiţie, ci şi ca *atitudine* concretă în faţa vieţii. Mergând pe urma comentariilor filosofului Constantin Noica, constatăm că tăcerea, ca atitudine care opreşte mersul lumii, face parte din repertoriul tuturor tehnicilor spirituale, religioase sau filosofice. Cuvântul este suspendat şi, ca urmare, tăcerea capătă dimensiune de asceză. Numai că aici ruptura între creştinism şi celelalte spiritualităţi este mare. Dacă la cele din urmă tăcerea face loc spiritului să vorbească, este o propedeutică, nu acelaşi lucru se-ntâmplă în sufletul creştin.

În faţa tăcerii, conştiinţa creştină e cuprinsă de *umilinţă* şi *plângere*, iar treptele identificării neputinţei noastre cresc prin *frică* – frica omului singur, fără Dumnezeu –, iar această *frică* aduce smerenia. Şi numai de pe pragul *smereniei* omul face *socoteala* de cele ce vor să fie, iar această *socoteală*, comentează mai departe Constantin Noica, face *dragostea*. Numai că dragostea, aici, este limbajul sufletesc. Este alt limbaj decât cel obişnuit. Este canalul de comunicare cu îngerii. Dragostea este un limbaj, cum ar spune Dionisie Areopagitul, deasupra firii. Iar acest dar pe care ţi-l face Dumnezeu necesită parcurgerea, conştientizarea şi pătimirea personală a întregului drum. Şi, când omul vorbeşte cu îngerii, atunci pricepe că nu este departe de Dumnezeu.

Aproape tot acest traseu l-au făcut întocmai martirii puşcăriilor comuniste. Căci, şi pentru ei, a fost la început *tăcerea*. Tăcerea unei Românii în care ei au crezut, pentru care au luptat, pentru care s-au jertfit şi s-au rugat. Tăcerea unui popor pe care l-au iubit şi pentru care s-au crucificat. A urmat apoi tăcerea impusă forţat celor dragi. Tăcerea şi spaima mamei, care nu ştia dacă îşi va mai revedea vreodată fiul sau fata. Tăcerea cruntă a copilului, care nu ştie dacă îşi va mai revedea părinţii. Tăcerea soţiei sau a soţului, tăcerea iubitului sau a iubitei. Tăceri, mii de tăceri, în ore, zile, luni, ani, zeci de ani. O Românie creştină, frumoasă şi cinstită, ferecată în tăcere. Inima ţării, îngropată în tăcerea puşcăriilor. *Dar bătăile ei le auzea Dumnezeu.*

Vin apoi *umilinţa* şi *plângerea.* Umilinţa din partea semenului lui, omul, devenit între timp ne-om. Umilinţa din partea fratelui lui, românul, devenit între timp ne-român. Şi apoi plângerea, acea plângere cu disperare, acea plângere dincolo de fire, care a secat lacrimile. *Dar Dumnezeu vedea şi le-a făcut din ochi icoane.* Şi *frică;* frica înnebunitoare de orele de anchetă, de acuze mincinoase şi calomnii, de turnătoriile celor care cădeau disperaţi, de bătăile şi torturile cumplite. Nu, aici nu mai era frica de Dumnezeu, aici era frica de omul căzut; şi abia atunci Dumnezeu şi-a deschis braţele şi i-a primit ca pe nişte copii.

Acolo, cei care au ajuns acolo, în braţele Tatălui, au putut învăţa dragostea cea adevărată de Dumnezeu şi aşa s-au *însfinţit* cei ce au crezut, puşi fiind în lanţuri, cei ce-au crezut, batjocoriţi fiind în credinţa lor, cei care, în singurătatea celulei lor, au crezut în ceea ce o lume întreagă nu mai credea sau era ispitită să nu mai creadă. Acolo, în braţele lui Dumnezeu, au învăţat limbajului îngerilor. Şi astfel, într-o noapte, cuvintele durerii lor au trecut nevăzute printre zidurile reci, printre zăbrele, şi s-au întrupat pe nesimţite în inimile noastre, fără de veste, ca noi să-i pomenim şi să-i purtăm – cruci vii – în inima noastră:

Ne vom întoarce într-o zi,
Ne vom întoarce neapărat.
Vor fi apusuri aurii,
Cum au mai fost când am plecat.

Ne vom întoarce neapărat,
Cum apele se-ntorc în nori,
Sau cum se-ntoarce, tremurat,
Pierdutul cântec pe viori.

Ne vom întoarce într-o zi,
Şi cei de azi, cu paşii grei,
Nu ne-or vedea, nu ne-or simţi,
Cum vom pătrunde-ncet în ei.

Ne vom întoarce ca un fum,
Uşor, ţinându-ne de mâini,
Toţi cei de ieri în cei de-acum,
Cum trec fântânile-n fântâni.

Cei vechi ne-om strecura, tiptil,
În toate dragostele noi
şi-n cântecul pe care şi-l
vor spune alţii după noi.

În zâmbetul ce va miji
Şi-n orice geamăt viitor,
Tot noi vom sta, tot noi vom fi,
Ca o sămânţă-n taina lor.

Noi, cei pierduţi, re-ntorşi din zări,
Cu vechiul nostru duh fecund,
Ne-napoiem şi-n disperări,
Şi-n răni ce-n piepturi se ascund.

Şi-n lacrimi ori în mângâieri,
Tot noi vom curge zi de zi,
În tot ce mâine, ca şi ieri,
Va sângera sau va iubi!

Radu Gyr

După atâta pătimire, poporul acesta are o *tristeţe hristică.* Căci tristeţea hristică nu e deznădejde, este doar suspinul lui Dumnezeu privind către omul căzut.

Statutul fiinţial al românului ca tristeţe ontologică nu-l paralizează pe acesta în credinţa sa, ci din contră, paradoxal, îl întăreşte. Căci adevărata nădejde creştină nu înseamnă suspendarea necazului prin aşteptarea optimistă, ci folosirea acesteia, a suferinţei, ca poartă ce-l duce spre pragul mântuirii. Felul acesta de a fi al românului adevărat a spart zidurile închisorilor comuniste, a spulberat piatra uitării ce se aşezase pe memoria cinstită a acestui neam.

Creştinismul *omului românesc* s-a născut dintr-o lumină aparte. *Omenia, ca dat strămoşesc al acestui neam, a fost aeroportul pe care a aterizat lin credinţa creştină şi din această îmbinare de rai şi de înger al lui Dumnezeu s-a născut Grădina Maicii Domnului, numită România.* Peste ea a căzut necruţător, nedrept şi barbar, istoria, iar dincolo de istorie, cu mult în afara ei, comunismul.

Acest comunism este rana neînchisă a poporului român.

– *Părinte Atanasie, care a mai fost sensul vieţii în puşcărie?*

– *Să învăţăm să murim, Dan Puric.*

În întâlnirea – celebră – dintre zidurile Mănăstirii Royaumont, între creatorul gramaticii generative, Noam Chomsky, şi cel al psihologiei şi epistemologiei genetice, Jean Piaget, organizatorul conferinţei pentru o „Nouă ştiinţă a omului", filosoful Jacques Monod, îşi punea întrebarea: *Ce face omul să fie om?*

Altfel a sunat această întrebare între zidurile puşcăriilor comuniste din România: *Ce face omul să devine neom?* şi, deopotrivă: *Ce face omul să devină sfânt?*

„Arta eliberează omul din fiară, nu fiara din om", spunea părintele Dumitru Stăniloae. Comunismul a făcut invers; ba, chiar mai mult: a mers dincolo de limitele naturii, căci fiara nu ucide de dragul de a ucide. „Eu nu pot să mă duc la Biserică", spunea, firesc, un fost torţionar, devenit între timp un simplu pensionar paşnic. „Nu mă duc pentru că pe mine nu mă poate ierta Dumnezeu! N-are cum să mă ierte! Eu omoram zilnic opt sau nouă tineri după ce îi torturam. Ăştia..., Coposu, Ţuţea, sunt nimic pe lângă tinerii şi personalităţile de valoare pe care le-am omorât. Aşa că Dumnezeu n-are cum să mă ierte" (interviu cu torţionarul Ţandără).

Această dublă căderea omului din *omenie* şi din *umanitate* a atacat drept în inimă fondul sufletesc al poporului român.

„Mă întrebam, pentru nu ştiu a câta oară, de ce prigonitorii noştri nu se mulţumeau să ne ia pur şi simplu viaţa, fără să ne supună acestui regim de exterminare lent, imund, inuman. Probabil, se temeau că ne-ar fi fost prea uşor să plecăm aşa, fără nici o tortură, şi ar fi fost, probabil, prea eroică jertfa noastră totală, pură, fără a fi întinată de umiliri josnice, de chinuiri diabolice și de tot arsenalul de degradare inumană la care eram supuși ceas de ceas. Ca să ne distrugă personalitatea, respectul de sine, și să ne îngenuncheze în spirit, moartea noastră trebuia administrată lent, picătură cu picătură, rezultatul fiind, sigur, experimentat în Rusia, cu cea mai mare precizie.

Viața noastră urma să fie un vagabondaj perpetuu prin închisorile cele mai dure, uitați de lume, morți pentru cei dragi, agonizând în frig, foame, mizerie, și, mai ales, degradare. Sub teroare, într-un regim de exterminare atât de bine pus la punct, coborât mult sub bariera omenescului, iadul nostru era mai infernal decât infernul dantesc, deoarece acolo chinuiții plăteau infamii reale, și nu o anumită demnitate morală. *Desăvârșită era fapta urii lor*" (Aspazia Oțel-Petrescu, *Adusu-mi-am aminte*).

Parametrii existențiali ai Omului Răsăritean, ai creștinului ortodox – ai omului ortodox român – nu sunt cei ce se pot aproxima prin conceptele de evoluție sau involuție, ci prin cele de *desăvârșire* și *cădere*, dimensiuni care n-au corespondent biologic, depășind natura în datele ei.

Călăul născut din propriul popor nu este un act de involuție, ci unul de *cădere* din mâinile lui Dumnezeu, așa cum desăvârșirea o asigură numai harul lui Dumnezeu.

Jean Piaget afirma că, atunci „când un sistem de *înaltă complexitate* este supus unor procedee radicale, ca, de exemplu: tăieturi, zdruncinături, fricțiuni etc., părțile componente sunt susceptibile să găsească o nouă reorganizare, să se asambleze din nou, după reguli inedite și neașteptate; pe scurt, să ducă la formarea unui nou sistem, printr-un nou grad de ordine. Acest grad de ordine poate deveni tot atâta de ridicat, chiar mai mult, decât sistemul inițial". Constatarea, făcută la nivelul microbiologiei, ducea la ipoteza că viața are capacitatea de *auto-reglare*.

Dar, ce te faci, când acest sistem de cea mai înaltă complexitate, care este omul, este supus torturilor, chinurilor insuportabile și inimaginabile, atât fizice cât și sufletești, și când programul genetic de *autoreglare* este dat complet peste cap, când viața ca viață este distrusă, fără să fie ucisă, și când nimic nu se mai poate reface? Ce se-ntâmplă, genetic-biologic, atunci când natura ca natură este răpusă și, totuși, omul rezistă, pe baza unei *necunoscute*, prinde puteri nebănuite, *transfigurează* suferința, celula, pușcăria? *Care este mecanismul ce-l face pe om să devină sfânt?* Care este programul genetic ce poate să sară peste datul biologic și să iasă din orizontala existenței pe *verticala ființialității*?

„*Ce poate să facă peștișorul cel mic, urmărit tot timpul de peștele cel mare? Să-nvețe să zboare!*" (Vivekananda)

Zborul acesta s-a numit rugă. Îngerul care ducea ruga la Dumnezeu nu putea fi văzut de paznicii închisorii, și numai astfel *Aseară Iisus a venit în celulă* nu a mai fost doar un vers de Radu Gyr, *ci o realitate*, a cărei forță s-a concretizat în curajul și în seninătatea de martiri creștini, în plin secol al XX-lea, undeva, într-o țară din estul Europei.

> *Numai tu, singură, tu, dragoste sfântă,*
> *Sub talpă îmi ești ca o treaptă de stei.*
> *Nu luneci, nu tremuri, ci sângeri neînfrântă,*
> *Mai tare ca munții, mai înaltă ca ei.*

În felul acesta, s-a născut sfântul din Omul Răsăritean înlănțuit.

Involuția biologică, la rândul ei, este chiar o realitate biologică, dar ea nu explică CĂDEREA...

„Între timp, embriologia a furnizat argumente zdrobitoare contra ideii evoluționiste, cum ar fi unele specii de pești, care, în dezvoltarea ontogenetică, parcurg filogenia în sens invers evoluției, având mai întâi caractere de amfibieni, pe care apoi le pierd, pentru a retrograda în pești" (ieromonahul Grigorie, prof. dr. ing. Gheorghe Sandu). Pesemne că și plutonierul de la Gherla sau Aiud a fost la început om și a retrogradat în fiară. Aceasta este o posibilă involuție, dar nu este o cădere. Căderea este dincolo de datul naturii, este diabolică, este o *altă natură*.

– *Părinte Atanasie, cât de vinovat e dracul?*

– *Nu tot răul vine de la diavol, mai vine și de la om. Să nu-l nedreptățim pe diavol că păcătuim în fața lui.*

Ca un român, de dragul „evoluției politice", să renunțe la *identitatea lui de om* și de creștin, să-și tortureze fratele în chinuri inimaginabile, aceasta nu se mai explică prin mecanismele naturii. Natura însăși a fost trimisă să se odihnească.

Una dintre remarcile etologiei este că *agresivitatea* nu apare între specii, ea este *intra-specifică*, se desfășoară în cadrul aceleași specii. Konrad Lorenz a făcut într-o zi o experiență. A pus, într-un acvariu cu pești fitofagi, pești răpitori. Aceștia din urmă se hrăneau cu cei fitofagi atât cât să-și asigure existența. Ceea ce în termeni biologici ar însemna *lanțul trofic*. Dar, într-o zi, a scos specia de pești răpitori și a înlocuit-o cu alta, tot fitofagă, dar mult mai lacomă. Aceștia, în două zile, au mâncat toată hrana speciei băștinașe, care, în curând, a murit.

Situația aceasta pare similară cu plecarea sovieticilor din țara noastră, *țara fiind acvariul*, și decimarea populației băștinașe de către o specie autohtonă, dar – culmea! –, mult mai lacomă, comuniștii.

Cam astea ar fi mecanismele biologice, dar ele nu explică cinismul, ura în sine și căderea în neant.

Pe parcursul istoriei, românul a fost multă vreme învecinat cu „omul așa cum nu trebuie să fie". Dar, paradoxal, vecinătatea aceasta nu i-a distrus *omenia nativă*, ci i-a întărit-o. La un moment dat însă, dintr-o dată, s-a văzut față în față, în propria țară, cu propriu-i frate, român, într-o postură diabolică. Pentru omul care trăiește perpetuu în prejudecata progresului continuu, există erori, greșeli corectabile, dar nu căderi, prăbușiri. În vreme ce, pentru Omul Răsăritean, comunismul nu este o greșeală, o eroare ideologică, ci o *cădere demonică*.

Lipsa de înțelegere a *tragediei răsăritene* din partea lumii libere denotă o *fixitate mentală* ce se pregătește de pe acum să recidiveze. Există, în medicina chineză tradițională, o diagnosticare cel puțin ciudată pentru reflexele medicinei clasice europene: o altă perspectivă asupra funcțiilor organelor interne.

Astfel, intestinul gros este responsabil cu transportul şi elimi-
narea deşeurilor preluate de la intestinul subţire, dar mai este
responsabil şi cu eliminarea deşeurilor mentale care blochează
flexibilitatea mentală. Deci o disfuncţie a intestinului gros poate
să ducă la o constipaţie, în sensul clasic al cuvântului, dar, în
aceeaşi măsură, poate să ducă şi la o *constipaţie mentală*.

Într-o asemenea *stare mentală* se află lumea civilizată de
azi, incapabilă să înţeleagă tragedia fără precedent a Omului
Răsărit. *Un popor umilit de istorie, dar înălţat de Dumnezeu.*

„Socotitorilor, socotiţi, calculaţi, că a voastră e lumea!" (Jean
Jacques Rousseau). *Obsesia măsurătorii*, în ştiinţele exacte, începe
o dată cu critica radicală a lumii sensibile, când „decizia lui
Galilei de a instaura o cunoaştere geometrică a universului
material nu întemeiază numai ştiinţa modernă, ci duce la
substituirea *corpului sensibil* cu un corp până atunci necunoscut,
corpul ştiinţific.

Această *extracţie a sensibilului* din om are drept consecinţă
faptul că legile vieţii devin cele ale unei realităţi străine, o rea-
litate oarbă, care nu simte, care nu gândeşte, care n-are nici o
legătură cu cea a vieţii noastre. Şi astfel, sărutarea pe care şi-o
schimbă între ei iubiţii nu mai este decât un bombardament de
particule microfizice" (Michel Henry).

Marea deturnare de la umanismul teocentric la cel antro-
pocentric, pe care o surprinde citatul de mai sus, a adus cu sine
nesocotirea valorilor transcendentale.

Decizia intelectuală a lui Galilei de a face acest mare
reductio asupra naturii avea, desigur, la vremea respectivă, ca şi
acum, valoare metodologică de studiu. Orice ştiinţă îşi reduce
premeditat câmpul de observaţie, tocmai pentru a-l avea sub
control. Acest câmp mic devine unul al competenţei ştiinţifice;
dar cum rămâne cu celălalt, considerat de aici înainte un câmp al
incompetenţei ştiinţifice şi un ocean al necunoaşterii în general?

Geometria exista şi înainte de Galilei, intuiţia lui majoră a
fost să o extindă; dar *păcatul* său fundamental a fost să o trans-
forme într-o *superstiţie* a cunoaşterii totale. Această superstiţie

s-a întins pe durata mai multor secole, transformându-se din metodologie a cunoaşterii ştiinţifice în *dictatură gnoseologică*.

Mult s-a chinuit ştiinţa să iasă din propria-i izbândă, devenită, între timp, *corectitudine ştiinţifică;* mult i-a trebuit să iasă din această zodie a măsurabilului.

„Există anumite procese fizice şi mărimi fizice determinate, pe care natura reuşeşte să le ascundă observaţiei şi să le facă inaccesibile unor teste experimentale", sublinia Niels Bohr. Dar tocmai aceste elemente metafizice ale teoriei sale l-au incitat pe Heisenberg la o nouă obsesie a măsurătorii.

Există în spiritul uman această pulsaţie de diastolă şi sistolă a raţiunii care se crede când atotcuprinzătoare, când îşi trăieşte febril criza limitelor ei. Construindu-şi, cu bună ştiinţă, o metodă epistemologică din care îndepărta deliberat nemăsurabilul metafizic al lui Bohr, Heisenberg porneşte la lucru în zona strictă a măsurabilului. Dar rezultatele la care ajunge sunt, paradoxal, *incertitudini ştiinţifice;* în fond, el descoperă o altă metafizică, cea a incertitudinii.

Nostalgic după obsesia cauzalităţii, despre care spunea Einstein că o are fiecare om de ştiinţă, Karl Popper opune acesteia, în final, o altă metafizică: *metafizica cauzalităţii;* iar dacă adăugăm acestora şi reflecţia lui Bergson asupra a ceea ce el a numit o *metafizică a cunoaşterii*, putem spune că *era măsurătorii*, obsesia ei, şi-a găsit sfârşitul aporetic, ca o ultimă încăpăţânare – nu în credinţă, ci în surogatul ei, metafizica.

Înrădăcinării acesteia orgolioase a spiritului faustic, Omul Răsăritean îi răspunde: „Metafizica este ratarea mântuirii" (Nae Ionescu).

Şi totuşi, profeţia genială a lui Jean Jacques Rousseau, din *Contractul social: „*Socotitorilor, socotiţi, calculaţi, că a voastră e lumea!", se-mplineşte sub ochii noştri. Trăim într-o lume nu din ce în ce mai măsurabilă, ci din ce în ce mai supusă penibil măsurabilului. Măsurăm orice, nu ne e jenă de nimic!

Secolul XX a debutat cu experienţa unui doctor american (dr. Ducan MacDougall, în 1907), care nu s-a sfiit să măsoare... sufletul. Experienţa este macabră, dar este consecinţa imediată a spiritului științific castrat de credință. Un muribund a fost cântărit cu câteva minute înainte să moară și, după deces, la alte câteva minute, a fost cântărit din nou. S-a constatat la cântar o diferență de 56 de gr. (materie gazoasă). Concluzia a fost rapidă și precisă: sufletul unui om cântărește 56 de gr. de materie gazoasă!

Oare cât o fi cântărit sufletul neamului românesc înainte și după comunism?

Pesemne că în acestea este sensul la care s-a gândit Auguste Comte, când i-a numit pe toți aceștia *„veterinari umani"*!

Și, poate, în acest sens, dacă n-avem bunul simț și onestitatea să lăsăm identitatea în mâna lui Dumnezeu, măcar să o lăsăm, din minim instinct, fizicii cuantice, că aceasta, cel puțin, este probabilistică, se ocupă de fenomene care nu sunt tangibile și care sunt, în ultimă instanță, neobservabile.

– *Care este profesia ta?*, întreabă un reporter de la BBC pe un șef de trib aborigen.

– *Meseria mea este să-ți aduc aminte*, răspunde aborigenul.

Cred că noi, românii, ar trebui să ne angajăm la într-o asemenea activitate – *exerciții de anamneză* – cu cei care ne anchetează ciclic, istoric, asupra identității. Să le aducem aminte ce au făcut cu noi și din noi.

– *Ai fost vreodată prin pădure?*, îl întreabă, de data aceasta, șeful de trib pe reporterul BBC.

– *Da*, răspunde surprins acesta.

– *Și te-ai uitat la copaci?*

– *Da!*, răspunde și mai mirat reporterul.

– *Și n-ai observat că și copacii se uită la tine?*

E timpul să ne întrebăm: cine pe cine privește, cine pe cine măsoară și, mai ales, cu ce ochi?

O doamnă, antropolog american, făcea un studiu *de la distanță* asupra poporului român, în 1943. Ce este interesant este faptul că analiza interpretativă a reacțiilor poporului român, în perioada celui de-al doilea război mondial, este făcută din perspectiva reflexului gândirii de tip limitativ-evenimenţial, istoric şi politic, fără nici o conotaţie de altă dimensiune.

La acest microscop, sub ale cărui lentile „obiective" se desfăşoară pulsul emoţional şi tainic al unui neam, nu numai cu o altă *forma mentis*, dar şi cu un alt suflet, putem vedea răsturnat felul de a gândi şi de a simţi al celui care ne observă. Lectura strict „ştiinţifică" şi politică a unor evenimente este total opusă firii româneşti.

Sfântul Nicolae Velimirovici, din Serbia, spunea despre români că sunt un exemplu de credinţă: îi mulţumesc lui Dumnezeu când au recoltă, iar atunci când n-au, nu dau vina pe Dumnezeu, ci se gândesc la păcate. Ochiul antropologului observă, cu *distanţă obiectivă*, „superstiţia creştină" a poporului român vizavi de dezastrul naţiunii în război.

Acest *„la distanţă"* îmi aduce aminte de o poveste orientală, în care doi călugări budişti traversau un râu furtunos, pe o punte aşezată *la distanţă*. Unul dintre călugări, curios, îl întrebă pe celălalt dacă ştie ce adâncime are râul. Iar celălalt, în loc să-i răspundă, îl împinge în apă. Abia atunci, cel aruncat în apă, nemaifiind *la distanţă*, a măsurat şi alte măsurabile decât cea iniţială. Şi anume, pe lângă adâncimea râului, a măsurat sensibil: temperatura scăzută a apei, viteza periculoasă a râului; şi a mai măsurat *o nemăsurabilă*, mai preţioasă ca toate: *frica de a nu se îneca.*

Aruncaţi-i de pe acest pod *la distanţă*, în apa periculoasă a istoriei noastre, pe mai mulţi *observatori de la distanţă*; şi atunci, cărţile despre istoria noastră s-ar scrie altfel, ar fi mai meditative, mai profunde şi mai drepte. Lăsaţi-i să înoate în apa de iad a Aiudului, a Sighetului, a Piteştiului, pe cei care fac astăzi studii de *la distanţă* asupra totalitarismului şi-o să vedeţi că nu vor mai fi specialişti, ci vor deveni victime; şi, printre ei, poate se va găsi şi vreun mărturisitor. Istoria contemporană are nevoie acum mai mult ca oricând de mărturisitori.

Ei, mărturisitorii, sunt singurii care pot da măsura adevărată a identităţii neamului românesc.

Francezii spun că popoarele fericite n-au istorie. Pesemne că cele nefericite se încarcă şi cu istoria netrăită a celor fericite. *Toate familiile fericite se-aseamănă între ele. Fiecare familie nefericită este nefericită în felul ei.(Lev Tolstoi)*

Cerându-i-se să definească conceptul de naţiune, Alexandru Dragomir, unul dintre marii noştri filosofi, fost elev, printre altele, şi al lui Heidegger, face un demers de metodă fenomenologică asupra conceptului de naţiune.

Reamintind că, în concepţia lui Aristotel, *existenţa* este formată din substanţă – *ousia* – (casă, pom), sau are dimensiune temporală (ziua, războiul), subliniază că naţiunea se circumscrie în zona *existenţei temporale*, care este caracterizată prin veşnică schimbare, dovedind mereu altceva şi conţinând, în ultimă instanţă, *straturi de existenţă.*

Dimensiunea temporală nu este tangibilă fizic, pe ea nu se poate pune mâna, ca în cazul *ousiei* (casă, pom). Naţiunea ca existent aparţine acestei dimensiuni. Ea este făcută *din timp* şi *în timp*, ceea ce ne translatează rapid din domeniul realităţii în cel al *semnificaţiei*. Naţiunea este acest mod de a fi, temeiul ei nefiind *ousia* („substanţa"), ci dimensiunea *temporală*, iar esenţa acestei dimensiuni ţine de domeniul semnificaţiei.

Orice semn, spune Alexandru Dragomir, „trimite la ceva, se raportează la ceva. O săgeată care devine indicator nu mai este săgeata pe care o slobozesc din arc, ci un semn, adică ceva care trimite la altceva decât la sine însuşi".

Şi astfel, un teritoriu fizic oarecare, un spaţiu geografic, măsurabil şi cartografiabil, devine PENTRU MINE *patria mea*. Un fenomen lingvistic devine PENTRU MINE *limba mea*. O istorie oarecare devine PENTRU MINE *trecutul meu*.

Istoria poate să fie, astfel, tragem concluzia, o suită de evenimente, dar *trecutul* comportă în substanţa lui o suită de semnificaţii ale acestor evenimente. În felul acesta, naţia se defineşte şi ca *investiţie* a omului în timp.

În spaţiul realităţii, semnificaţia acestora: limbă, trecut, ţară, „devine pentru mine *ob-iectum*, adică pot fi văzute din afară, cu detaşare, ca ceva aruncat în faţa ta şi care poate fi considerat şi contemplat ca atare. Intrând însă în domeniul de semnificaţie, ele devin *sub-iectum*, ceea ce înseamnă că eu mă aflu dedesubtul lucrului care mi se-ntâmplă" (Alexandru Dragomir). Demonstraţia se încheie metaforic, filosoful făcând o analogie între cele două atitudini – *ob-iectum* şi *sub-iectum* – şi aceea, total diferită, a doctorului care consultă şi a bolnavului care pătimeşte boala; cel din urmă este sub-boala sa, o îndură.

Această raportare a unei realităţi obiective la MINE devine *intraductibilă* şi *netransmisibilă*, nu poate fi vehiculată în termeni raţionali, rămânând astfel una subiectivă şi iraţională. În consecinţă, ţara este „tot ce-am investit material şi sufleteşte de-a lungul timpului într-un anumit teritoriu geografic, istoric şi lingvistic; dar acest teritoriu întreit m-a investit pe mine ca român" (Alexandru Dragomir).

Încercând să ducă judecata la nivel de imagine, adică să cuantifice în alt sistem de referinţă ceea ce e greu de cuantificat la nivel de concept – o *imponderabilă* –, Alexandru Dragomir descoperă, în chip minunat, această graniţă dintre *ousia* („substanţă") şi dimensiunea temporală, mai bine zis între *vizibilul* puterii istoriei şi *invizibilul* puterii lui Dumnezeu, pe care o ilustrează cu fragmentul eminescian din *Scrisoarea a III-a*, al întâlnirii dintre Baiazid şi Mircea cel Bătrân.

Îmi permit să reamintesc şi să comentez raportul întâlnirii, ca o continuare a gândului filosofului. Baiazid trăieşte uimirea opoziţiei din partea unui *nimic* istoric:

> *Cum, când lumea mi-e deschisă a privi, gândeşti că pot*
> *Ca întreg Aliotmanul să se-mpiedice de-un ciot?*

Ciotul fiind prezenţa în istorie a lui Mircea cel Bătrân. Raportul dintre cei doi trebuie analizat mai profund, pentru că el denotă atitudini diferite, plecate din substanţe umane diferite, şi, în ultimă instanţă, din credinţe diferite.

Nietzsche spunea undeva că „nu poţi cere fiarei să nu fie fiară"; dar, cel puţin, adăugăm noi, să-ncerci să o îmblânzeşti. Şi cam aceasta a fost îndeletnicirea poporul român de-a lungul veacurilor: s-a ocupat cu îmblânzirea celor din jur. Vulpea îi spune Micului Prinț: de vrei să ne împrietenim, îmblânzește-mă. Am văzut această vocație ratată, a poporului român, de Mic Prinț încercând perpetuu să îmblânzească ceea ce nu era de îmblânzit și să se împrietenească cu neprietenii din fire. Și poate că lucrul acesta l-a făcut pe Gheorghe Brătianu să spună că singurul prieten al poporului român este Marea Neagră. De aceea, aș spune că *acest popor are o singurătate istorică de dimensiuni tragice.*

> *De-o fi una, de-o fi alta, ce e scris și pentru noi,*
> *Bucuroși le-om duce toate, de e pace, de-i război!*

Este răspunsul dat de Mircea lui Baiazid. Este, de fapt, răspunsul popoarelor veșnic crucificate de o istorie barbară.

Mai târziu, peste sute de ani, undeva în America de Nord, un șef de trib indian, aflat în fruntea alor săi, înarmați cu arcuri și săgeți, adunați să-și apere țara cotropită, privea dincolo de miile de soldați colonialiști înarmați cu puști și tunuri, spunând: „Ce zi frumoasă de murit este astăzi!". După masacru, s-au scris și se scriu mii de tomuri despre identitatea indienilor. Și unul și celălalt, și domnitorul Mircea și indianul american, anulează agresivitatea și puterea vizibilă a istoriei printr-o *atitudine* neașteptată: o împăcare cu moartea, dar nu ca fatalism, ci ca trecere în *nemurire.*

Instinctul de conservare biologică este anulat cu un firesc incredibil. Adversarul se aștepta la frica, disperarea și groaza celui strivit de forța vizibilă a sa. Și, brusc, se întâlnește cu o seninătate dincolo de curaj. Am putea spune că *substanța neamului este formată din privirea calmă a eternității, contemplând istoria.*

Întorcându-ne la confruntarea dintre Baiazid și Mircea, să reamintim că acesta din urmă îi opune inamicului său nu numai seninătatea dincolo de marginile firii, ci și o confruntare atipică pentru fiara istorică:

> *N-avem oști, dară iubirea de moșie e un zid,*
> *Care nu se înspăimântă de-a ta faimă, Baiazid.*

161

Va fi fost, probabil, pentru prima oară când sultanul, obiş-
nuit să-ngenuncheze lumea cu sabia, era provocat la un alt fel
de confruntare. Pe harta lumii cotropite de el a văzut şi a întâl-
nit numai spaimă şi groază concretă, fizică. Acum i se propune
să lupte cu *o imponderabilă* – iubirea de moşie –, care nu are tea-
mă, i se propune să lupte nu cu o armată, ci cu o *stare de spirit.*

Alexandru Dragomir aminteşte numai un singur răspuns
dat lui Baiazid de Mircea:

> ...*tot ce mişcă-n ţara asta, râul, ramul,*
> *Mi-e prieten numai mie, iară ţie duşman ţi-este.*
> *Duşmănit vei fi de toate, fără a prinde chiar de veste.*

Este aceasta, poate, cea mai frumoasă definire a neamului,
coborât în mişcarea istorică: ACATISTOS – mişcare! Fiinţa nea-
mului în mişcare către Dumnezeu. Fiinţa neamului iese din vir-
tualitate în concretul istoric, dar invizibil, într-un tot impon-
derabil, pe care fiara istorică nu poate să-l adulmece: *râul,*
ramul,/ mi-e prieten numai mie.

Este o alianţă fără precedent, venită din senin şi marcată
de *prietenie.*

Alexandru Dragomir îşi încheie demersul fenomenologic
arătând că naţiunea, făcută *din timp,* este o forţă uriaşă; dar,
fiind proiectată *în timp,* va cunoaşte, vrând nevrând, precarita-
tea pe care o presupune acesta.

Aici trebuie făcută distincţia, cred eu, dintre fiinţialitatea
ontologică a naţiunii şi cea a neamului.

Căci naţiunea, fiind făcută din timp şi în timp, îşi are
prezenţa ei limitată istoric. Dar, *ceasul bate, timpul trece, vremea*
stă şi vremuieşte, spune poporul român. Prin urmare, în vreme
ce naţiunea, ca un construct, este *fiică a timpului,* neamul este
copil al vremii care vremuieşte.

„Timpul mort şi-ntinde trupul şi se aşterne-n veşnicie",
spune tot Eminescu. Aşternut în veşnicie este neamul, ca chip al
lui Dumnezeu în lume. Undeva, Alexandru Dragomir intuieşte
diferenţa, dar nu o creditează specificând-o, atunci când arată

că: „Moise îi duce pe evrei spre Țara Făgăduinței, teritoriul care aparent lipsește; există, de fapt, sub forma făgăduinței, ceea ce nu i-a împiedicat pe evrei să devină un popor, și încă, unul foarte puternic".

Când tancurile sovietice au invadat și distrus națiunea română, neamul s-a retras în munți, în sufletele partizanilor, în actul mărturisitor și în atitudinea martirică din închisori, în lacrima ascunsă a celor rămași în „libertate", în opoziția surdă din inima fiecărui român. *Acolo era țara.* Și, dacă națiunea este făcută din timp și în timp, ea are nevoie de spațiu, ca manifestare. Neamul, în schimb, are nevoie de *spațiu sufletesc.* Acest *spațiu sufletesc* este locul unde Dumnezeu a sădit neamul. Astăzi, mai mult ca oricând, se atentează la acest ultim refugiu al omului, ca să fie distrus.

Nici o teroare istorică n-a reușit să schimbe omul pe dinlăuntru. L-a schingiuit, l-a torturat, l-a omorât, l-a forțat să se lepede de credință, dar n-a urmărit, cu perversitate criminală, ani de zile, să modifice și să distrugă sufletul.

Tancurile sovietice ne-au ocupat țara, comunismul a vrut să ne invadeze și să ne mutileze sufletul. Astăzi, pericolul dispariției neamului este mai mare ca oricând; căci astăzi se anesteziază suflete, nu se mai chinuie; se adorm, nu se mai torturează; se cumpără, nu se mai vând; se încurajează spre nicăieri, nu mai sunt silite să se dezică. Iar în inimile schilodite, neamul nu va mai avea țara.

Țara neamului este inima neîntinată ce privește spre Dumnezeu. „*Numai întoarcerea noastră către trecut ne dă forța faptelor de azi*" (Nicolae Iorga).

Și în sensul acesta putem spune că identitatea înseamnă și *memoria inimii*, nu memorie resentimentară, ci ceea ce inima nu ne-a lăsat să dăm uitării.

Îngerii căzuți îi cer lui Dumnezeu golul total, uitarea, dar Dumnezeu nu admite golul, spune părintele Ghelasie de la Frăsinei. Și tot el adaugă: „Păcatul aduce tocmai *golul de Memorie*, cu pierderea IDENTITĂȚII, până la somnul-întunericul, zis moarte. Pierderea MEMORIEI se mai asociază cu iadul. Iadul este înfricoşătorul coşmar al memoriilor ce nu se pot şterge, ce reapar fantomatic în golul de Memorie. Coşmarul cel mai adânc este *chinul reamintirii* numelui propriu".

Tocmai de aceea se fac astăzi atâtea eforturi pentru a se crea *golul* de Memorie, căci aducerea aminte ar crea, celor care au acţionat criminal asupra propriului neam, chinul *reamintirii numelui propriu*. Viaţa tristă de azi ne face să stăruim în amărăciune, dar să nu ne lăsăm biruiţi de ea, pentru că „rădăcinile amărăciunii duc la pierderea Memoriei", spune Sfântul Apostol Pavel.

A nu te întoarce cu toată fiinţa la memoria neamului înseamnă a prelungi zodia păcatului, în care ne aflăm, a cărui pedeapsă va fi uitarea de sine, sau neantul, moartea de viu.

Antrenamentul de uitare la care este supus poporul român, astăzi, face ca gândirea şi inima să se rotească pe loc şi, din această rotire în gol, paradoxal, o dată cu trecutul, dispare şi viitorul. El, omul de azi, pedalează zadarnic într-un *prezent continuu*. A locui cu fiinţa doar într-o dimensiune a timpului – şi aceea distorsionată – înseamnă moartea lentă, dar sigură, a identităţii. O autoizolare în prezentul total ar fi, pentru noi, o sinucidere fără precedent în istoria lumii. Această izolare în *azi*, în *acum*, este creată prin accelerare continuă. O umanitate biciuită de prezent, în viteza asta continuă, stă cu capul în pământ. Nu-l va mai ridica niciodată spre stele. Puşcăria prezentului utilitarist fiind celula cea nouă a deţinutului de azi.

„Viitorul, umbra", spunea Mihai Eminescu; această umbră a viitorului este creată de poziţia noastră din prezent, iar *poziţia noastră* în prezent devine *vertical-bipedă* numai dacă privim în trecut şi ni-l asumăm. Hegel spune că poziţia bipedă este poziţia spiritului divin. Ca să recâştigăm această poziţie, trebuie să ne recuperăm fiinţial, cinstit şi curajos trecutul.

Dar a gândi astăzi că MEMORIA este forţa fundamentală a prezentului şi a viitorului pare o absurditate, într-o lume ce trăieşte paradigmatic clipa.

Obiecţia adusă de Descartes ideii atracţiei la distanţă a corpurilor grele se exprimă astfel: „Cum ar putea o planetă, *A*, să cunoască prezența unei planete *B* decât printr-o transmitere de informație, care ține de ocultism, și nu de o știință rațională?". Parafrazând, am putea spune: cum ar putea un eveniment, petrecut acum câteva sute de ani în inima unui popor, să marcheze esențial reacția lui de azi?

Și totuși, *gravitația există*! Căci *memoria* asta înseamnă: atracția de la distanță. *Iar un neam fără gravitația memoriei este sortit pieirii!*

Hristos ne-a dăruit această minune, căci înălțarea sa nu a fost sinonimă cu disparția lui din lume; Liturghia fiind o astfel de reactualizare în prezent, memoria ca viață-amintire, nu ca simplă amintire. Cămașa lui Hristos, pusă în fiecare Duminică la biserică, te dezmărginește de prezentul minor și-ți redă respirația prezentă, acum și aici, a integralității tale. Haina memoriei actualizate te reface ca om. Căci recursul la memoria neamului nu creează o vale a plângerii continue, un paseism al fricii de prezent, ci îl ridică pe om din mâlul mediocrității la demnitatea autenticului, anulând frica de moarte și înlocuind firesc progresul umanității cu *desăvârșirea ființei*.

Memoria – ca un coeficient de putere și nu ca refugiu al slăbiciunii! Memoria – ca demnitate și nu ca frică a mărturisirii! Memoria – ca viață vie și nu ca trecut mort! Memoria – ca un permanent duh al neliniștii pentru cei ce au greșit și ca o veșnică cămașa a pocăinței lor în fața lui Dumnezeu! Memoria – ca *re-ndrăgostire* de poporul român, ca eliberarea noastră din iadul uitării și ca reîntrupare a neamului întru Hristos!

Așa să ne ajute Dumnezeu!

Lumină de om şi de neam românesc[*]

Părinte Atanasie, lumină de om şi de neam românesc, iată, a sosit clipa despărțirii. Cine de cine se desparte, Părinte?

Căci nu *despre* tine am să vorbesc, ci am să vorbesc *cu* tine. Se despart viii de morți... Cine este viul şi cine este mortul? Mi-ai spus într-o zi, în chilie, că cineva ți-a spus: „Viule!". Nu ți-a spus: „Monahule!". Aşa vin şi eu şi spun: Viule întru Domnul, ce tristă-i clipa despărțirii!... „Ce rău îi pare sufletului după trup, atunci când vine clipa despărțirii!"... Dar tu, Părinte, eşti sufletul şi noi suntem trupul. Căci tu eşti Viu întru Domnul şi morți suntem noi... Am văzut..., am văzut cum ai înfruntat moartea, dar mai întâi am văzut cum ai înfruntat viața...

Ai închis ochii, Părinte, dar nu i-ai închis înainte de a ni-i lumina nouă. Şi eu ştiu că n-ai murit, pentru că eşti Viu întru Domnul. „Cel ce crede în Mine, deşi va fi şi murit, viu va fi, iar la Judecată nu va veni, căci s-a mutat de la moarte la viață". Deci, Viule întru Domnul, Părinte Atanasie, eu am ştiut că n-ai murit, am ştiut doar că ai murit cu mult înainte pentru lumea aceasta. Când ai murit tu, Părinte Atanasie? Ai murit atunci când lumea aceasta ți-a pus cătuşe la mâini şi la picioare, la mâinile şi la picioarele tale de copil nevinovat. Când te-au închis în puşcării, atunci ai murit pentru lume...

De ce te-a închis lumea aceasta, Părinte? Pentru că ți-ai iubit neamul şi l-ai iubit pe Dumnezeu. Atunci pesemne că sufletul tău a murit pentru lume, dar tot atunci sufletul tău a înviat pentru Dumnezeu, căci, în celula neagră în care erai închis, fiii risipiți şi fiii sminti ți ai acestui neam îi chinuiau pe fiii

---

[*] Cuvântare rostită la înmormântarea Părintelui Atanasie, la Mănăstirea Petru Vodă, în data de 4 martie 2008.

lui credincioşi. Ce-ai putut, tu, Părinte, să găseşti, decât lumina lui Dumnezeu? Ce-ai putut, tu, Părinte, să găseşti în torturile cumplite pe care populaţia satanizată a României le făcea poporului român creştin, decât mila lui Dumnezeu? Cine venea la tine în celulă, Părinte, să te mângâie? Cine venea, Părinte, la tine să te întărească? Venea Iisus...

La fraţii tăi creştini, Iisus a coborât în celulă, cum spunea fratele tău de suferinţă şi credinţă, Radu Gyr. Restul poporului tău unde era, Părinte?

Eu ştiu când ai murit, şi de aceea spun: Viule Părinte întru Domnul, ai închis ochii, dar nu înainte de a ni-i deschide nouă, pe care ne laşi în această lume.

Te-am cunoscut în această mănăstire. Te vedeam printre monahi, ca o lumânare vie, şi, când m-am apropiat de tine, mi-am dat seama că tu erai făcut din rugă... Era rugăciunea aceea tainică, pe care ţi-ai purtat-o în inimă, ca să zdrobeşti zidurile închisorii. Te-am văzut păzind mănăstirea, ca să nu se risipească sufletul românesc hăituit în ţară, te-am văzut în această cetate creştină, ridicată de Părintele Iustin Pârvu, ca să păzească neamul.

Îmi va fi dor, Părinte, îmi va fi dor de inteligenţa ta, de libertatea ta nefirească, în acest ghetou în care încă stăm. Ce libertate nefirească aveai... Îmi şopteau doctorii de-o boală cumplită care te-a cuprins şi murmurau cu frică – căci toţi se înfricoşează în faţa morţii. Iar tu îmi spuneai: „Sufăr de închisoare, Dan Puric, nu sunt bolnav de boală!". Şi eu vedeam că sufereai de neam distrus, de ţară umilită.

Unde te duci tu, Părinte, şi unde ne laşi pe noi?... Tu, Părinte, abia acum ţi-ai găsit locul, căci groapa ce te-aşteaptă nu poate să te îngroape. Groapa ce te-aşteaptă nu va îngropa nici măcar un trup, *ci va îngropa un bulgăre de suferinţă şi de durere.* Încă un *suspin* va înghiţi pământul românesc plin de suferinţă. Trupul tău se va transforma în ţărână, dar va fi ţărână care ne iubeşte şi va fi cărămidă vie a acestei mănăstiri, aşa cum dincolo de râu mai este o cărămidă vie*, care a refuzat să fie îngropată în alte părți și pe pământ străin, și a vrut să fie temelie pentru această cetate ortodoxă. Acolo te duci tu, Părinte, ca să fii cărămidă vie pentru această mănăstire și pentru acest neam. Ți-ai iubit neamul. Rar mi-a fost dat să văd un om prin care să trăiască țara atât de viu, rar mi-a fost dat să văd un om care păstrează în el o inimă de voievod! Cum se refugiază câteodată sufletul unui neam în inima unui om...

La tine, Părinte, am venit ca să întreb: „Ce facem acum, când identitatea noastră ca neam e din nou pusă în lanțuri, cum să discutăm, Părinte, cu cei care ne atacă credința? Ce dialog să avem?". Și îmi aduc aminte că te-ai uitat la mine și mi-ai spus: „Acelora care calcă neamul și care calcă credința, să le spui atât: marș de aici!". M-ai învățat demnitatea. Te-am văzut cum ai blestemat demonul, ca răul să nu intre în neamul românesc. M-ai învățat să nu stau de vorbă cu răul.

Unde te duci tu, Părinte? Te duci la viii tăi, la frații tăi de credință, care s-au jertfit pentru neam și țară. Te duci la voievozii noștri și te duci la sfinți, ca să le spui că suntem un neam de neînvins, că ne-a umilit istoria, dar ne-a înălțat credința în Iisus Hristos. Acolo te duci, Părinte! În sfârșit, între ai tăi!

Eu știu că un monah se roagă lui Dumnezeu tot timpul. Eu te-am văzut pe tine, Părinte, rugându-te și când mergeai prin mănăstire... Când îi priveai pe oameni!

Îmi va fi dor, Părinte, de tine, de inteligența ta nefirească și de libertatea ta nefirească, într-un neam care și-a uitat libertatea, într-un neam care nu mai vrea să judece. Îmi va fi dor de tine, Părinte, de delicatețea ta, dar și de forța ta extraordinară.

Ce poți tu, țărână neputincioasă, să acoperi? Vei putea îngropa lumina veșnică a lui Dumnezeu? Căci lângă tine, Părinte, am văzut neputința morții, am văzut frica ei. Ce demn ai întâmpinat-o, ca tot neamul acesta! Nu ți-a fost frică o clipă, pen-

---

* Este vorba de părintele Gheorghe Calciu, care a lăsat prin testament să fie îngropat la Mănăstirea Petru Vodă, refuzând să fie îngropat în America sau în altă parte în România.

tru că tu ai văzut-o demult, prin puşcării. Şi ai murit atunci, în închisori. Câte nopţi de groază ai petrecut, Părinte, plângând pentru neamul ăsta? Câte torturi ai văzut, Părinte, şi ai suferit? Cum ai văzut întregul neam torturat, floarea acestei ţări? Tot tineretul şi tot ce-am avut mai bun în ţară, tu i-ai văzut chinuiţi şi nu te-ai lăsat! Ai mărturisit credinţa în plin iad! Şi-atunci cămaşa sufletului tău s-a sfâşiat de durere şi-ai murit pentru noi. Aceasta este boala care te-a răpus. Monahul nu ia nimic cu sine. Ia doar ce are pe el.

În chilia ta vom găsi medicamentele cu care ai ajutat pe monahii de aici şi pe cei care veneau să-ţi ceară ajutor. Medicamente pentru trup şi pentru suflet. În chilia ta vom găsi cărţi, vom găsi o cruce, dar nimeni nu va găsi ce voi găsi eu... Monahii nu iau nimic cu sine. Acestea sunt ale mănăstirii. Părinte, te vom duce acolo, la ţărâna aceea neputincioasă, ca tu să fii cărămidă a mănăstirii, iar eu mă voi întoarce în acea noapte tristă, pe care tu ai traversat-o pe punţi de lacrimi, cu dragoste în inimă pentru ţara aceasta chinuită. Şi-ţi voi lua un lucru pe care l-ai ascuns lumii, pe care nu l-ai arătat nimănui, dar care ţi-a dat tărie; pe care îl păstrai nu ca să te răzbuni, ci ca să nu uiţi de izbăvirea pe care ţi-a dat-o Hristos. Am să vin, Părinte, într-o noapte şi am să iau cătuşele pe care le ţineai sub pat şi am să le zdrobesc!...

Dumnezeu să te odihnească în odihna lui sfântă, lumină de om şi de neam românesc, căci eu neodihnit o să fiu până când acest popor nu va fi liber!...

Dan Puric, un foc nestins

Siluetă pregnantă şi voce singulară în care se contopesc omul, artistul, gânditorul şi cetăţeanul.

Dan Puric este, la urma urmei, o conştiinţă înaltă a vremii noastre. Cu o energie neistovită, mânat de o vocaţie dominatoare, el creează incontinent, distribuindu-se în arta teatrului, în arta pedagogiei teatrale, în arta retoricii verbale şi aceea a omului public, gratificându-le cu excelenţă, dar fără să se împartă. Crede nezdruncinat în puterea germinativă a spiritualităţii noastre româneşti de tip răsăritean şi în dăinuirea sa valorică demnă, angajată în dialogul cu alte viziuni asupra lumii, şi deplânge precaritatea ei de azi, produsă de o istorie inumană.

Incoruptibil, glasul său se aude din ce în ce mai mult, iar simpatia şi preţuirea publică pentru el cresc, aşa încât se prezintă ca o referinţă bine aşezată. Citeşte imens, cărţi de mare valoare din domeniul ştiinţei, al filosofiei, esteticii, teologiei, psihologiei, ale căror idei, atunci când e cazul, le pune „la lucru" (cum zicea Hegel despre concept), fără obedienţă culturală, fiindcă la el există un centru de veghe şi o exigenţă critică din care se nutreşte originalitatea lui, evidentă în tot ce zice şi face. Iniţiativele lui, căci este un om la care se îngemănează gândul cu acţiunea, sunt marcate de o mare doză de noutate, ceea ce face, prin forţa lucrurilor, să se opună rutinei canonizate şi banalităţii leneşe. De aceea, el ni se înfăţişează ca un biruitor şi deschizător de drum, dar aflat pe culmea înaltelor valori pe care noi, moştenindu-le activ, fără să fim moşteniţi de ele cu pasivitate, le denumim, generic, tradiţie.

Teoretic şi artistic, în mod consecvent şi cu argumentaţie convingătoare, el pledează pentru păstrarea ierarhiei valorilor şi caută să o legitimeze implicit, dar şi pronunţându-se explicit împotriva proiectării ei în deriziune de către instinctul gregar împresurător şi mediocritatea zeflemitoare. Vocea lui este şi un strigăt de alarmă privitor la disoluția aplatizantă și nivelatoare care ne terorizează modul de viață, voce din care străbate altitudinea morală exemplară și spiritul de finețe pascalian, puse cu inspirație seducătoare în slujba culturii românești. Grija pentru cristalizarea optimă a conștiinței noastre „de sine" și de a fi cunoscută pe multe meridiane culturale pe care le-a frecventat, ca fiind un „altceva" în concertul lumii, a fost și rămâne o constantă a conduitei sale de creator de artă. El este împovărat de „ușurătatea" acestei nobile misiuni pe care o resimte ca pe o datorie impregnată de iubire.

Dar nu orice iubire, ci iubire creștină, căci Dan Puric este un ortodox autentic. Am spus că ființa lui este unitară, dar ceea ce apare nemijlocit este arta lui și discursul logico-verbal, vorbit sau scris. În ceea ce privește arta teatrului, ca nucleu al ei, de 20 de ani, cu fiecare spectacol-operă, de grup sau individual, el rafinează un limbaj artistic propriu, angajat în spațiul spiritual unde cuvântul nu are acces, și de unde scoate și născocește fermecătoare splendori în care se împletesc organic liricul, comicul și dramaticul. Fiindcă iese din rând (să pomenim numai de Hlestakov-ul lui, de *Visul* și de *Don Quijote*) și ne arată că se poate, trebuie să ne mândrim cu el și să-l încurajăm în continuare.

Nimic morbid în arta sa, nimic macabru, lugubru sau agresiune și violentă, ci tandrețe sub forma ironiei blânde și învăluiri diafane cu humor de ordinul bunului gust estetic, menite să genereze un autentic *katharsis*. Operele sale spectaculare sunt povestiri atrăgătoare, în absența și nu în lipsa cuvintelor, ceea ce suscită, cu mult mai mult decât ele, inteligența, intuiția și imaginația spectatorilor. Sclipitoare și uimitoare, imaginile pe care le construiește cât și surprinzătoarele asocieri de idei și plastice caracterizări ale anomaliilor contemporane nouă, cărora le opune, nădăjduind, activarea virtualei elite înzestrate cu responsabilitate, sporesc încrederea celor care năzuiesc ieșirea din haos și intrarea în istoria autentică. Publicul se aglomerează la spectacolele regizate de el sau în care el joacă, dar ceea ce este mai important este că pleacă înseninat, cu sufletul mai bun și cu mai multă încredere în restaurarea binelui.

Inflexiunile metafizice în arta sa vin să consoneze cu atitudinea distinctă şi clară pe care o exprimă în interviuri, a cărei radicalitate ar putea supăra pe unele spirite ancilare altor orientări, dar atitudinea însăşi respinge, prin natura ei, jumătăţile de măsură. Şi el ştie bine acest lucru.

Cartea aceasta este rodul unor vaste lecturi, bine asimilate, argumentate însă cu o sensibilitate rarisimă şi de o propensiune îndepărtată. E vorba de o atitudine cultivată îndelung şi insistent, de orientare răsăriteană în baza unui orizont cultural de universalitate, întrupată într-un discurs strălucitor bine închegat şi argumentat urmărind câteva idei constante de bază.

Autorul Dan Puric este un „trezitor", întrucât rafinează cunoaşterea de sine românească prin recursul la memorie ştiind că aceasta este calea închegării şi păstrării conştiinţei de sine a unui popor. Sineceritatea-i n-ar fi suficientă, dacă ideile lui n-ar avea o valoare de adevăr general. El crede nelimitat în ceea ce spune, spune ceea ce gândeşte şi gândeşte la regenerarea spiritului românesc resuscitând şi imaginaţia-i bogată, spirit maculat de vicisitudinile istoriei recente. Întreprinderea teoretică a autorului de revenire la puritatea originară a neamului este asemănătoare intenţiei lui J. J. Rousseau, care râvnea la curăţirea omului de zgura civilizaţiei pentru a-i restitui şi restaura puritatea iniţială şi nu pentru a-l întoarce la fazele de început cum l-au interpretat unii.

Ca persoană, Dan Puric e fermecător, ca vorbitor în public e fascinant, ca actor este original şi inspirat, ca pedagog este model elastic. El însuşi este un exemplu pentru ceea ce năzuieşte să devenim toţi, adică să ne primenim, revenind din rătuteală (zăpăceală).

Pe de altă parte, el este o conştiinţă asumată, ori aceasta înseamnă dedicare voluntară în spaţiul fără limite, dar fertil, al neliniştii. Prin ce face pe scenă şi ce spune în faţa miilor de tineri care îl aclamă entuziast, şi prin această carte, el destinde spiritul românesc, îl însenineză cu humorul său tandru, îl cheamă la regenerare, la a fi ceea ce este prin esenţă, la demnitate şi la sfidarea istoriei nefaste.

Cartea conţine teme şi probleme de o actualitate dureroasă, aşa încât ea poate fi considerată o strădanie arheologică izbutită a etnicului românesc. Problema şi ideea de identitate e privită analitic din mai multe puncte de vedere şi stăruie asupra tensiunii: mutilare versus dăinuire şi regimul de exterminare versus tăria credinţei creştine. Naţiunea şi neamul în cuprinsul acestui discurs sunt una şi împreună, concrescute, fac o valoare supremă pentru noi, dar care poate fi, cum sugerează autorul, fără orgoliu, un model pentru alţii.

Imboldul acestei lucrări este realizarea regenerării demnităţii naţionale şi răspunsul la ispita interogativă a rădăcinilor. Ea se înfăţişează ca un sublimat de idei trăite şi trăiri ridicate la rangul de idee. Totodată, cartea este un simpton, printr-o conştiinţă sensibilă, la fenomenul primejdiei în care se află neamul şi ţara, subţiindu-şi identitatea ca efect al globarizării formale şi al domniei cantitativului, care se conturează tot mai precis la orizontul istoriei, aflată sub zodia sfârşitului; o istorie impersonală, făcând elogiul diversităţilor mărunte în defavoarea entităţilor istorice tradiţionale şi mânate de spiritul secularizant şi desacralizant cu sorgintea în secolul al XVIII-lea francez.

Compararea între Omul Răsăritean şi omul globalizat al postmodernităţii, de asemenea, este o problemă analizată în carte, şi faţă de care autorul ia atitudine întemeiată. Avem în faţă o constelaţie de reflecţii antropologice, politice, morale, sociologice şi religioase de tip creştin ortodox, ca tot atâtea aspecte şi probleme ale întregului care se numeşte România, cu toate etapele pe care le implică. Constelaţia la care ne referim este convingătoare prin argumente şi atrăgătoare prin stil. Aş fi cel puţin nemulţumit dacă cei care-l iubesc pe Dan Puric şi-i admiră opera l-ar considera vedetă. Nu, acest adjectiv l-ar degrada, mai ales de când este banalizat prin toate căile de comunicare. El e celebru prin conţinutul ideilor, prin limbajul artistic-teatral pe care l-a creat, prin atitudinea curajoasă şi demnă şi prin arta de a produce învelişul acestora.

Oricine îşi iubeşte ţara şi neamul, valorile lor identitare şi perene, are, citind această carte, ocazia unei întâlnire simpatetice, mirabilă şi stimulativă, pentru solidarizarea cu ele.

Gheorghe CEAUŞU

THE CIVILIZATION OF THE AMERICAN INDIAN SERIES

FRAUD, POLITICS, AND
THE DISPOSSESSION OF THE INDIANS

Fraud, Politics, and
the Dispossession of the Indians

*THE IROQUOIS LAND FRONTIER
IN THE COLONIAL PERIOD*

Georgiana C. Nammack

UNIVERSITY OF OKLAHOMA PRESS : NORMAN

Standard Book Number 8061–0854–1

LIBRARY OF CONGRESS CATALOG CARD NUMBER: 69–16722

Copyright 1969 by the University of Oklahoma Press, Publishing Division
of the University. Composed and printed at Norman, Oklahoma, U.S.A.,
by the University of Oklahoma Press. First edition.

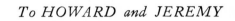

To HOWARD and JEREMY

PREFACE

THIS STUDY of a century of conflict, politics, and rivalries over Indian lands on the Iroquois frontier during the era of British control from 1664 to the outbreak of the American Revolution in the 1770's is an attempt to throw light on an important aspect of American–British–Indian relations. The problems which confronted the natives and colonists in this area were in many respects common to the other British continental colonies. Land was basic to the growth of a new nation, and means had to be devised to make available more and more land for settlement. Because the Indians were so few and held so much land, it was almost inevitable that they would have to surrender their heritage as the waves of colonists and land speculators advanced into the hinterlands.

Whereas the Indians possessed and occupied the land in accordance with the traditions of their ancestors, the Europeans were determined to possess and occupy the same land in accordance with the property laws of their fatherlands. The resulting struggle for control of the land was a three-sided affair, with the British government in many cases playing the third role—that of protector when the natives were subjected to abuse and fraud in the purchase of lands by the colonists.

The conflict over land occurred in all the colonies, but the story in the New York area is of special interest because of the character of the participants. The Iroquois, considered the most formidable of the Indians of the Northern Hemisphere, were pitted against the shrewd, land-hungry British and Dutch. Within the colony itself, the settlers of Dutch ancestry and the English vied for power and control of the government. Those who seized control had the opportunity to acquire large landholdings at the expense of the native population.

The Crown's apparent purpose in acquiring and granting lands to colonists was to increase the King's revenue by having the land occupied and used. The land policies of the colonial officials (and even of some royal officials) defeated this purpose, however. The custom of granting large tracts of Indian land to individuals held back the development of the colonies and the expansion of settlement. The incoming European settler had no easy access to acreage that he could turn into farm lands. Indeed, the colonial landowners and speculators in the Iroquois country were primarily concerned with their own immediate financial interests rather than long-range plans of imperial design.

The dispute over landownership never was resolved, as far as the Indians and the Crown were concerned. The natives lost all but a small part of their birthright, and England, by alienating many of the colonists in her attempts to protect the Indians and their lands, undoubtedly contributed to the growth of revolutionary sentiment.

The contest over Indian lands continued throughout the colonial era. A discussion of all the disputes of the period would be repetitious and serve no purpose. Therefore, I have selected a number of representative case studies to illustrate the various aspects of the land problem along the Iroquois colonial frontier. The four most complex case studies discussed in full in the following pages deal with controversies over the Mohawk Flatts, the Conojohary patent, the Kayaderosseras grant, and the Philipse patent.

I am deeply obligated to Wilbur R. Jacobs and Ray A. Billington for their constructive criticism and advice. The staff members of the libraries and institutions wherein I did my research were all extremely courteous and helpful. Mary Isabel Fry of the Henry E. Huntington Library, in particular, always was ready with assistance and advice. I am also indebted to David C. Mearns and the staff of the Manuscripts Division of the Library of Congress for their co-operation in helping me locate documentary material. Nicholas B. Wainwright of the Historical Society of Pennsylvania made valuable suggestions about available materials. Robert W. Hill and Paul Rugin of the New York Public Library were of great assistance while I was examining items in the Library's collections. Wilmer R. Leech of the New-York Historical Society, who was at the State Library at Albany, New York, during the disastrous fire of 1911, was generous with his time, sharing his wide knowledge of the surviving manuscript materials and other sources in this field of study.

To William N. Fenton, director of the New York State Museum and Donald C. Anthony and Juliet Wolohan of the New York State Library, I owe a debt of gratitude for their kind assistance and advice. Jeanette Dawson was most helpful with editorial suggestions, and the library staff of the University of California, Santa Barbara, rendered every possible service in securing and reproducing needed materials.

Georgiana C. Nammack

Santa Barbara, California
January 26, 1969

INTRODUCTION

T︠HE SIXTEENTH-CENTURY︡ adventurers and fortune-seekers who disembarked on the northeastern coast of the New World did not find the gold and precious minerals of their dreams; instead they encountered boundless acres of virgin land and a primitive society with alien languages and customs. A century was to pass before colonies would be successfully established in this new land. By then England, France, and Holland would have footholds on this territory and would struggle for supremacy for yet another century. To the Europeans, the native occupants of the land were, at first, helpful friends and essential allies. Later the Indians were regarded as a hindrance to westward expansion. The presence of the Indians created a unique historical situation and gave rise to the question whether one nation may lawfully take possession of land inhabited by the semi-nomadic members of another nation, too small in numbers to people the whole. The course of events in the history of this vast country would answer this question and prove that "man thinking will continue to tell us what the law ought to be; man acting will tell us what the law is."[1]

In the early years of exploration and discovery, the right to claim

[1] These words conclude the essay, "The Moral and Legal Justification for Dispossessing the Indians," by Wilcomb E. Washburn in James Morton Smith (ed.), *Seventeenth Century America*, 32. Washburn states that the "legality and morality of the expansion of one people into the territory of another" is still unresolved in the mind of man, and the same problem will undoubtedly face mankind if and when new worlds are discovered in outer space.

land not possessed by any Christian prince or people was generally acknowledged by European governments. Another widely accepted doctrine held that ownership of New World territories was vested in the nation whose subjects discovered and took formal possession of the land. Although the Dutch first possessed the territory that became the colony of New York, after 1664 the English were to be remembered as the conquerors of that area. The English government then had to come to terms with the native inhabitants. In many ways the Indians and the whites were able to adjust their differences to a situation that was entirely new to both, but the records show that the problem of landownership would be the major stumbling block to harmonious relations between these representatives of two alien worlds with completely different concepts of landownership.

Land hunger, apparently a characteristic of all classes in sixteenth- and seventeenth-century Europe, became a motivating factor in the development of the colonies. The colonist, whether patrician or plebeian, brought with him to the New World an obsession for land and a belief in the right to acquire private property. In Europe, through law and common practice, the concept of a transferable title was the basis of the procedures involved in the buying and selling of land. To the European of the sixteenth and seventeenth centuries, it therefore seemed logical that land with no form of recorded title was free for the taking. When they found that the Indians did not hold conventional titles to the land, the colonists seemed to have assumed that Indians had no ownership. Undoubtedly, this attitude had a threefold origin: firsthand observation of the Indians, opportunism in seizing lands, and the viewpoint obtained from early voyage narratives that portrayed the natives as savages who ranged, rather than inhabited, the land.

The white settlers were simply unable to comprehend the Indians' concept of landownership. The natives had no written language, no cities, no inscribed laws or government records. Those colonials who came to know the Indians were soon aware that, despite the lack of these essentials, an Indian form of landownership did in fact exist. Sir William Johnson, British Imperial Superintendent of

Indian Affairs, who was well acquainted with Indian customs, reported that ownership within a tribe meant the use and control of a tract of hunting land bounded by natural features such as streams, hills, and mountains.[2] However, the notion of exclusive landownership, as understood by the white men, seemed to be completely foreign to the Indian mind.

Generally, no one Indian, or any tribe of Indians, had the right to dispose of the land, for the only land tenure recognized by the natives was that of occupancy while cultivating or using the land to obtain food. This concept was expressed by the Sauk chief Black Hawk as late as 1834, when he wrote, "My reason teaches me that land *cannot be sold*. The Great Spirit gave it to his children to live upon, and cultivate, as far as is necessary for their subsistence; and so long as they occupy and cultivate it, they have the right to the soil. . . . Nothing can be sold, but such things as can be carried away."[3] Other chiefs of the Revolutionary era expressed this same idea of God-given land to be handed down from one generation to another.[4]

The Indians, then, believed that their land belonged to all their people who inhabited it, hunted on it, and cultivated it, and that each generation held the land in trust for future generations. Although believing implicitly that the land could not be sold, the Indians appeared to have accepted the idea that they could permit the white people to use and cultivate the land in return for payment. The ultimate ownership of the land was to be retained by the Indian tribe or nation, so the colonists' so-called land purchases were not considered final sales by the Indians. All too belatedly, the tribesmen realized that negotiations for land and subsequent payment in money

[2] William Johnson to the Lords of Trade, October 30, 1764, New York, Edmund B. O'Callaghan *et al.*, (eds.), *Documents Relative to the Colonial History of the State of New York Procured in Holland, England and France*, VII, 672. Hereafter cited as *New York Colonial Documents*.

[3] Black Hawk, *Life of MA-KA-TAI-ME-SHE-KIA-KIAK or Black Hawk*, 88. Black Hawk was the leader of the "British Band" of Sauks and in 1832 was the central figure of the Black Hawk War.

[4] "Conference at Hartford, Colony of Connecticut, May 28, 1763," Public Archives of Canada, Indian Records, VI, Part 4, 420. Library of Congress Transcripts, hereafter cited as L.C. transcript.

or goods meant the irrevocable loss of their territory to the white settlers.

Even the most formidable Indians of North America were to find themselves almost powerless to combat the cunning and ingenuity of the land-hungry colonists. The Iroquoian Confederacy, the most significant confederacy of Indians of the colonial era, occupied the Mohawk Valley and adjacent territories. The Confederacy was a union of tribes organized for the mutual safety of the member nations and as a means of enabling them more effectively to resist the pressure of contiguous nations.[5] The five member nations lived westward from Albany and were known as Mohawks, Oneidas, Onondagas, Cayugas, and Senecas. About 1722, the Five Nations became the Six Nations, for at about that time the Tuscaroras, driven from the South, joined the northern tribes in the Confederacy.

The Iroquois were a sturdy people, characterized, according to contemporary accounts, by a tremendous energy. By conquest and depredation they extended their dominion to Quebec on the north and to the Carolinas on the south, and from the forests of Maine in the northeast to the prairies in the west. Nevertheless, this politically mature Indian confederacy, which in one way or another was able to maintain its hegemony in northeastern America for two centuries, was unable to cope with the newcomers who desired its lands. The official records of the colonial governments showed that the colonists' resolute determination to acquire land not only overwhelmed the natives, but also partly neutralized the power of the King of England.

---

[5] William N. Fenton states that the Iroquois, who enforced the peace by destroying everything outside the limits of their confederacy, were feared above all others by the Algonquians and Sioux. See his *American Indian and White Relations to 1830*, 11. On the other hand, in "On the Territorial Limits, Geographical Names and Trails of the Iroquois," Lewis H. Morgan stated, in 1847, that the generosity of the Iroquois in sharing their territory with expatriated nations was worthy of commendation. Addresses, Miscellaneous Manuscripts, Box 7, No. 14. New-York Historical Society, hereafter cited as N.Y.H.S.

CONTENTS

Maps and Illustrations

FRAUD, POLITICS, AND
THE DISPOSSESSION OF THE INDIANS

BEGINNING OF INDIAN LAND PROBLEMS
ON THE IROQUOIS FRONTIER

THE FRENCH, who had established their settlements in the St. Lawrence River valley during the seventeenth century, soon found that their chief rivals for control of the eastern Great Lakes area were the British and Dutch settlers of colonial New York. Because their primary interest in the New World was the fur trade, the French were alarmed by the success of the New York traders who all but threatened the very existence of French-Indian commerce. Count de Frontenac, in one of his letters to Jean Baptiste Colbert, made the suggestion that the French follow the good example of the English and the Dutch in designating certain frontier towns and outposts as trading centers when new settlements were established.[1] While this observation may have been based on an exaggerated notion of British control of the fur trade, it is nevertheless true that the British government did attempt to regulate the trade. More important, the British also tried to regulate and control land purchases from the Indians.

The British concern over land purchases was based not only upon a certain humanitarian regard for the rights of the natives but also on the awareness that the presence of the French tended to undermine the allegiance of the tribes friendly to the British. The Iroquois were extremely important in this contest, for they held the balance of power in North America during much of the colonial

[1] Count de Frontenac to M. Colbert, November 14, 1674, *New York Colonial Documents*, IX, 119.

period. Since they controlled the gates to the West, their goodwill and friendship were necessary to maintain the profitable interior fur trade and to control the northern hinterlands of the new continent.

The Iroquois established amicable relations with the Dutch during the seventeenth century. This friendly relationship was carried over to the English in the 1670's and eventually developed into an alliance between the Iroquois and the British government during the French and Indian Wars in the eighteenth century. A New York merchant recorded the story of the development of friendly relations between the English and the Iroquois at the expense of the French. The French, he said, had attempted to take possession of the Mohawk River country by planting brass plates to establish their claim in the 1660's but were driven back to Canada by Mohawk warriors.[2] Interestingly enough, this New Yorker maintained that the Dutch settlers at Schenectady assisted the beleaguered French, an early instance of co-operation between the Dutch and French that was to plague British authorities during the long history of Anglo-French wars in North America.

Indeed, the Dutch were also successful in establishing effective methods for purchasing native lands without impairing their friendly relations with the Indians. In many respects, the precedents established by the Dutch in buying Indian lands had much to do with the means by which the problem was handled by the English after the conquest of 1664. The underlying interests of the Dutch were primarily to build a lasting friendship with the smaller tribes, such as the Wappinger and River Indians, as well as with the Iroquois. Early records show that the Dutch settlers and the government of New Netherland took steps to insure peaceful relations with these Indians. The Dutch were mainly concerned with building a profitable fur trade, since the Dutch West India Company had initially been chartered by the Dutch government for commercial expansion. Because the major aim of the company was commerce, not colonization,

[2] "Copy of a Deposition of Mr. William Teller, about the right of the Crown of England to the Sovereignty of the Five Nations of Indians, New York, July the 6th 1698," British Museum, Lansdowne Manuscript, 849, No. 14. L.C. transcript.

the Dutch charter neither granted the company rights to land nor made provision for acquiring land in New Netherland. Existing records, however, show that the Dutch settlers representing the company did buy land from the natives, an early example being the now famous purchase of Manhattan Island in 1626.

Provisional regulations which governed the early Dutch colonists stated that every effort should be made to avoid antagonizing the Indians, especially "their persons, wives, or property."[3] The Director of New Netherland, in 1625, was instructed to see that the Indians "be shown honesty, faithfulness, and sincerity in all contracts, dealings, and intercourse . . . and that . . . friendly relations with them be maintained."[4] Later instructions stated that, if there were no suitable lands either abandoned or unoccupied by the Indians, the settlers could negotiate to buy lands either in exchange for trade goods or by some amicable agreement. The colonists, however, were not permitted to take possession of land by fraud. According to the Dutch governor, it was not the design of his government to seize land from the natives as, he claimed, the King of Spain did by authority of the "Pope's donation." The Governor further stated that the Dutch custom was to acquire land at a reasonable and convenient price, which practice, he added, had been followed.[5] Contemporary records show that patents issued by the Dutch West Indies Company to Dutch settlers conferred the ultimate right of ownership only after the grantees had first acquired title by individual purchase directly from the Indians.

Although acquiring land in New Netherland was a relatively simple procedure, the small Dutch population in the colony did not rapidly increase. The directors of the West India Company were

[3] From Document A, "Provisional Regulations for the Colonists Adopted by the Assembly of the Nineteen of the West India Company March 28, 1624," A. J. F. Van Laer (ed.), *Documents Relating to New Netherland, 1624–1626, in The Henry E. Huntington Library*, 17.

[4] From Document C, "Instructions for Willem Verhulst, Director of New Netherland" [January, 1625], *ibid.*, 39.

[5] "Gaulter of Twiller Govr of New Netherlands to the Govr of New England," October 4, 1633, *New York Colonial Documents*, N.S., III, 18–19.

interested in establishing a permanent settlement in New Nether-
land and resorted to various means to encourage emigration to
America. According to a company report, Dutchmen who were in-
clined to work could procure enough to eat without much effort in
Holland and were, therefore, unwilling to leave their homeland
for the uncertainties of the New World.[6] An equally important as-
pect of the problem was that many who might be willing to emigrate
did not have sufficient funds for such an undertaking. To solve this
problem, the company, in 1629, issued a charter of "Freedoms and
Exemptions," which conferred special privileges on any member
of the company who would establish a "subordinate" colony or manor
in New Netherland. A member had the choice of establishing a
settlement on unoccupied land extending sixteen miles along the
seacoast or sixteen miles on one side of a river. He might also choose
an area eight miles long, bordering both sides of a river. Apparently
there were no restrictions on inland territorial claims. The member
was obliged to purchase the land from the Indians and to establish
a colony of at least fifty adults. Article XXVI of the charter stated
that whoever established such a colony would "be obliged to satisfy
the Indians for the land they shall settle upon."[7] The founder of the
colony, called a patroon, was guaranteed a full title to the estate and
the right to dispose of it by will.

According to a report to the States General, the legislative body
of the Netherlands, the patroons not only purchased the lands be-
longing to the natives but also acquired any rights of sovereignty
the Indians might have had.[8] By means of the privileges and ex-
emptions accorded these patroons, a modified form of feudalism was
transferred to the New World. The liberal trade concessions given
these land barons soon led to a dispute over trading privileges, which
threatened the Dutch West India Company's very existence. In 1634,
the States General itself inaugurated a "New Project of Freedoms

6 "The Assembly of the XIX to the States General," October 23, 1629, *ibid.*, I, 39.

7 "Freedoms and Exemptions," anno 1630, *New York Colonial Documents*, II,
557. See also I. N. Phelps Stokes, *The Iconography of Manhattan Island*, IV, 76.

8 "Patroons of New Netherland to the States General. June, 1634," *New York
Colonial Documents*, I, 84.

6

and Exemptions," the conditions of which, except for minor details, were similar to those set forth in the company's charter. The Dutch apparently did satisfy the Indians in purchasing land, since there were few complaints by the natives during the era of Dutch control.

This considerate treatment of the natives by the Dutch minimized the danger of Indian attack, but a more serious threat faced the settlers. The Dutch soon found that the English were closing in from the east. Consequently, the directors of the company appealed to the States General. That body, however, concluded that Holland could not interfere.[9] Nevertheless, it did give permission to certain delegated directors to confer with England's representative at The Hague. The Dutch directors could not know that this same Englishman would advise the Governor of Connecticut to encourage his people to continue the westward trend.

Although the English government was interested in acquiring the New Netherland area, there was little incentive for English colonists to settle on land claimed by the Dutch government. According to one English writer in 1670, the Dutch gave "bad titles" to lands, and exacted one-tenth of all that was produced in taxes. He also referred to what he called "that general dislike the *English* have of living under another government."[10]

In 1664, during the second Anglo-Dutch war, the English were successful in gaining control of New Netherland. At this time they inaugurated a new policy for granting lands, a policy based on English law and custom. The Dutch settlers were generously treated, and their rights and patents from the States General or the West India Company were readily confirmed. One article of the surrender agreement stipulated that all Dutch settlers should continue as free citizens with the right to maintain their lands and goods and to dispose of them as they pleased. The Dutch were also granted the right to follow their own customs concerning inheritances, but the

---

[9] "Resolution of the States General on the difficulties with the English in New Netherland," October 25, 1634, *New York Colonial Documents*, I, 95.

[10] Daniel Denton, *A Brief Description of New York formerly called New Netherlands*, 12.

7

generosity of the English did not include allowing the fur trade to remain in Dutch hands. An agreement with the Mohawks and Senecas, dated September 24, 1664, stated that the tribesmen "shall have all such wares and commodities from the English for the future, as heretofore they had from the Dutch."[11] All the lands not confirmed as of Dutch ownership were claimed for the English Crown, and all grants to Indian lands were subject to the approval of the Crown.[12] About 1669, Richard Nicolls, the first English governor of New York, gave the settlers a free hand in seeking out and buying lands from the Indians. According to the commissions given governors of New York in this period, the local colonial officials, as representatives of the Crown, handled all land transactions involving the natives.

The initial contacts between Indian and white man were in many respects beneficial to the Indians, for trade was then the primary objective of the colonists. Furs, in great demand in the Old World, were exchanged for goods that the natives found useful: guns, lead, cloth, brass kettles, and strouding for blankets and clothing. Unfortunately, the fur trade also introduced the Indians to rum, which proved to be a most effective agent for weakening and, indeed, killing off the Indian population. The natives also increasingly came to to rely on the white man's goods and, because of this, may have contributed to the alienation of their own lands. Too often the Indian traded his land for the white man's goods.

As English colonies continued to grow in population, the conflict between whites and Indians over land became more serious. From the very beginning, the charters granted by the Crown had ignored the rights of the Indians. It was left to the colonial officials and colonists to discover a satisfactory way of dealing with the native occupants of the land. Apparently the earliest instructions about granting lands in New York were given to Governor Edmund Andros in

[11] "Articles between Col. Cartwright and the New York Indians," September 24, 1664, *New York Colonial Documents*, III, 67.

[12] Procedures for granting land are contained in the governors' commissions. For example, "Commission of Governor Dongan," June 10, 1686, *ibid.*, III, 381; "Commission for the Earl of Bellomont," June 18, 1697, *ibid.*, IV, 271.

1674, directing him to follow the practices used in disposing of Indian lands in New England and Maryland, so that new planters would have the same inducements to settle in New York as elsewhere.[13] These instructions to Andros were typical of those sent to other British colonial governors. For many years the British government left Indian affairs almost wholly to the individual colonies; in effect, this practice meant that there was actually no consistent land policy. As a result, the colonial governments often clashed with one another and even with the Crown over Indian land affairs.

Many practical-minded men in the colonies regarded the ownership of Indian land as the basis of fortune and power and thus took advantage of every opportunity to dispossess the natives. The Indians soon came to realize that continued contact with the English meant the loss of their lands, and several tribes took steps to reserve their territories for themselves and their posterity. For example, on May 18, 1681, Uncas, sachem of the Mohegans, and the Governor and Company of the Colony of Connecticut entered into a league of amity. Articles of agreement were signed whereby Uncas assigned jurisdiction over all his lands to the colony, and the General Court was given control over land sales, which had to be approved by the tribe.[14] The early records of the colony of New York show that the Iroquois took similar action in 1683. In the county clerk's office in Albany, Dutch Record C, No. 3, reveals that the Cayugas and Onondagas not only conveyed title to land lying along the Susquehanna River, but also surrendered jurisdiction over that land to the Governor.[15]

[13] "Instructions for Governor Andross," July 1, 1674, *ibid.*, III, 218. Additional information on land policies will be found in commissions of the governors. See *supra*, note 12.

[14] "Articles of Agreement between the Governor and Company of the Colony of Connecticut and Uncas Sachem of the Moheaqs," May 18, 1681, Pitkin Papers, P.I., 334. Henry E. Huntington Library, hereafter cited as H.L.

[15] "Proposals offered by the Cayuga and Onondaga Sachems to the W. Commissaries of Albany, Colonie Renslaerwyck &c., in the Court House of Albany the 26th September, 1683," New York, Edmund B. O'Callaghan *et al.* (eds.), *Documentary History of the State of New York*, I, 396–97. Hereafter cited as *Documentary History of the State of New York*.

The course of events in early colonial history would prove that Indian land was to become a spoil for those who controlled and managed Indian affairs. In fact, the history of the colony of New York reveals that the struggle for control of Indian lands lasted throughout the colonial period. In the beginning, the management of Indian affairs in the Iroquois country fell naturally into the hands of the inhabitants of Albany, since the Indian trade was concentrated there.[16] The Iroquois, who discouraged attempts of the Anglo-Dutch to penetrate the hinterland, controlled the flow of furs from the interior. Since Albany was the gateway to the West, it thus became the most important place of rendezvous and outfit in the northern provinces. After the English conquest, the New York governors personally attempted to control relations with the Iroquois, but minor problems were delegated to military leaders or magistrates of Albany by special direction.

That the administration of Indian affairs was in the hands of the Albany people was a matter of convenience for all concerned. In 1675, Robert Livingston was appointed town clerk of Albany and secretary of Indian affairs. He was a diligent keeper of records, as is indicated by the numerous papers that came into his hands and were duly noted in the record books. He apparently retained many drafts, letters, and copies for his own files.[17] Livingston, as holder of two offices, was confronted with a problem that would face other Crown and colonial officials throughout the colonial period. Although he was appointed secretary of Indian affairs, he received no salary for that office, for as town clerk he would be amply rewarded for his efforts. When he petitioned the Council of New York for some remuneration for his work as secretary of Indian affairs, the council members reminded him that he had been sufficiently rewarded by the fees and perquisites from his offices. Proof of this, they added, was

[16] Peter Wraxall, "Some Thoughts upon the British Indian Interest in North America, more particularly as it relates to the Northern Confederacy commonly called The Six Nations," *New York Colonial Documents*, VII, 15.

[17] Lawrence H. Leder, ed. "The Livingston Indian Records 1666–1723," *Quarterly Journal of the Pennsylvania Historical Association*, Vol. XXIII, No. 1 (January, 1956), 12.

the fact that he had acquired a very considerable estate, raising himself from nothing to "one of the richest men of the Province."[18]

Livingston, in a memorial to the Board of Trade in London, believed, however, that his work of interpreting and translating documents from Dutch into English had not been done by other town clerks. He also reminded the board that the returns of the Plantation Office were evidence that the amount of work involved was, as he wrote in 1696, "forty times more troublesome than in former times."[19] He therefore felt justified in petitioning for a salary. Livingston's request was granted. At this time he was also appointed to the Colonial Council. This Scottish minister's son, who had been born in Rotterdam and who could speak and write fluently in both Dutch and English, used his native talents to become one of the wealthiest and most influential leaders of the colony of New York.

Livingston's records are evidence that the handling of Indian affairs had come to require much time and effort and would, perhaps, be facilitated if assigned to specific persons residing in Albany. With this object in mind, Governor Benjamin Fletcher, by the power and authority granted to governors under the Great Seal of England, formally commissioned a member of the New York Council, the mayor of Albany, and the Dutch Reformed minister of Albany "to treat confer and consult with the Five Nations" pursuant to instructions.[20] To defray any expenses that might accrue, £100 was given to them. The Indians were informed of the action taken by Fletcher when they met with him at Albany in the fall of 1696.

Although Albany became the capital of New York after the Revolution, New York City had that honor during the colonial period. The legislative power of the colony was in the hands of the gov-

---

[18] "Report of the Council of New-York on Mr. Livingston's Commission," September 15, 1696, *New York Colonial Documents*, IV, 203.

[19] "Memorial of Mr. Livingston to the Board of Trade," December 28, 1696, *ibid.*, IV, 252.

[20] "Copy of a Commission left by his Excell:," August 10, 1698, *ibid.*, IV, 177. See also "Earl of Belloment to the Board of Trade," September 14, 1698, *ibid.*, IV, 363. Bellomont stated that Fletcher had committed "the whole management of all the Indian affairs" to these men.

ernor and Council, or upper house, and the Assembly, or lower house. Members of the Colonial Council, or Governor's Council, were appointed by the imperial government, which by this means attached to itself the powerful and intricately intermarried colonial aristocracy. The Assembly was composed of delegates elected by the freeholders and freemen of the colony. It is interesting to note that imperial control also reached down into the municipal governments. The mayor, recorder, and common clerk owed their appointments to the governor, and, therefore, indirectly to the Crown. The two cities of the colony, New York City and Albany, were granted charters which provided for the establishment of wards. Each ward elected one assistant and alderman. These assistants, meeting with the mayor, recorder, and aldermen, formed the Common Council, the governing body of the city. Common councilors were elected by qualified voters; however, among them were always some who held Crown appointments as members of the Colonial Council. In most instances, the governors, and especially Governor Fletcher, favored the Crown appointees when granting commissions to handle Indian affairs.

Fletcher's successor, Richard Coote, Earl of Bellomont, continued the policy of naming magistrates at Albany as commissioners of Indian affairs. Additional commissioners at this time were Robert Livingston, Albany town clerk, and his brother-in-law, Peter Schuyler, both members of the New York Council. Since the commissioners of Indian affairs represented both New York and Albany officials, the government had what appeared to be a convenient manner of conducting Indian affairs on the frontier. Although no provision was made for salaries for the commissioners, considerable sums were deposited with them to provide occasional presents for the Indians.

The authority of the Albany commissioners, however, did not include the right to grant lands. This prerogative was retained by the governor and Council in New York throughout the colonial period. The governor could make grants of unlimited acreage and with such quitrents as he and the Council determined. This right to grant lands was a lucrative one for the governors, as shown by the fees for granting lands in the Appendix. The usual procedure required that the colonist first petition the governor and Council for a license to purchase land. This license usually contained the proviso that the purchase must be patented within one year from the date of issuance. After purchasing the land and securing a deed from the Indians, the colonist then applied, by petition, to the governor and Council for letters patent in the King's name.[21] These letters patent contained certain precise and temporally restrictive conditions relating to settlement and improvement of the land and the amount of quitrent to be paid to the Crown. In this way, the right to grant lands was reserved to Crown appointees who, theoretically, would act in the best interest of the King.

Unfortunately for the native population, two of the early governors of New York, Benjamin Fletcher and Edward Hyde, Lord Cornbury, were overly generous in granting lands. Fletcher received his commission from William and Mary on March 18, 1692, and was given authority, by and with the advice of the Council, to grant land with moderate quitrent to colonists of the province. During his administration, Fletcher granted vast tracts of land "not laid out by exact measures of acres, but computed in the lump by miles without laying any obligation upon the grantees to improve the same."[22] He made no apparent effort to see that these lands were improved, and most of the land was granted without the obligation of paying what would be considered a fair quitrent. Members of the provincial Council benefited from Fletcher's generosity. One member of the Council, Colonel Nicholas Bayard, received a tract of Mohawk land about twenty-four or thirty miles in length on both sides of Schoharie Creek. Another received various tracts computed to contain about fifty miles, length and breadth unknown. A third

---

[21] "Petition of Samson Shelton Broughton," April 22, 1703, and "Petition of S. SH. Broughton & Co.," November 6, 1704, New York Colonial Manuscripts, Land Papers, III, 122, and IV, 34. New York State Library, hereafter cited as N.Y.S.L.

[22] "Representations of the Lords of Trade on the Charges against Colonel Fletcher," March 9, 1698/9, *New York Colonial Documents*, IV, 484.

member was even more fortunate; Fletcher went so far as to grant him part of the King's garden in the city of New York.[23]

In making grants of land in the Mohawk country, Fletcher showed such poor judgment that both the City and County of Albany were moved to petition the Governor against a grant awarded to Godfrey Dellius (the Dutch Reformed minister at Albany and an Indian commissioner) and four associates, two of whom Fletcher had appointed to manage Indian affairs. It is a matter of record that these men took advantage of their positions and used "artifice to circumvent [the Indians] into a bargain of Sale."[24] Two Christian members of the Mohawk tribe claimed they did not sell fifty miles of their lands on both sides of the Mohawk River when they put their marks and seals on a deed dated July 8, 1697. These Christian Indians declared that the so-called purchasers, including their minister Dellius, had convinced them that, because it was a time of war, they would be wise to appoint Dellius and his cohorts guardians, or trustees, of the land. The tribesmen stated that they were consulted individually and induced to sign the deed separately.

For many reasons, the Lords of Trade were concerned about these grants of land in Mohawk country, especially when native consent had not been obtained. They realized that by alienating the Mohawks, the English would expose the frontiers of New York to possible French attack. Grants of this kind by Fletcher tended to obstruct the settlement of the country and also left the King little land for distribution as a reward for services. Their Lordships informed the King that Fletcher's large grants of land to single persons, without commitments for improvements, were thus not in the best interests of the Crown and hindered settlement in those particular areas.[25]

Yet Fletcher attempted to justify his grant to Godfrey Dellius

[23] "Report of the Board of Trade on the Affairs of the Province of New York," October 19, 1698, *ibid.*, IV, 391–92.

[24] "Fraudulent Purchase of Land from Mohawk Indians," May 31, 1698, *ibid.*, IV, 345–46.

[25] "Representations of the Lords of Trade on the Charges against Colonel Fletcher," March 9, 1698/9, *ibid.*, IV, 484.

and his associates, claiming that these Dutch inhabitants of Albany had been "vigilant and serviceable" on the frontier during the war. Since the merit of these men was known to the Governor and Council, their petition to purchase tracts of land from the Mohawks, according to Fletcher, was approved. Fletcher stated that by this grant the Indians would maintain their former rights to use the land and, more important, "the French were excluded from such purchase." The Governor was apparently satisfied with his grant and exempted the petitioners from paying even the minimum fee called the "common fees of the Seal." Moreover, Fletcher said he could not understand why the Indians were enraged about the matter. He no doubt oversimplified the problem when he remarked that "'tis not very hard for the Governour to vacate the same," that is, to cancel the patent and give the land back to the Indians.[26] And to his successor would fall that very task.

Lord Bellomont, who succeeded Fletcher, on orders from England dated November 10, 1698, attempted to annul grants made to Dellius and Bayard, as well as other exorbitant grants made by his predecessor, and finally succeeded in gaining support of the Assembly. Dellius was found guilty of a breach of the trust that the Indians had placed in him; subsequently, the grant in question was canceled. Dellius, in addition, was suspended as a minister for betraying his proselytes. Colonel Bayard's grant and patent were canceled at the same time. The Earl of Bellomont wrote that the patent was annulled so that the Indians "are possessed of the said land, as if no such writing had been, and the said writing fully destroyed."[27] In his report to the Lords of Trade, Bellomont wrote that he had reformed the management of Indian affairs by removing the power from the hands of special commissioners such as Dellius. But events were to prove that this contentious matter would not be finally settled until the arrival of Robert Hunter in 1710.

[26] "Governor Fletcher's Answers to the Complaints against him," December 24, 1698, *ibid.*, IV, 447–48.

[27] "Instructions to Messrs. Hanse and Schermerhorn," May 19, 1699, *ibid.*, IV 565–66.

Just after the turn of the century, the Five Nations took the initiative in an effort to protect their lands from the colonists as well as the French. Representatives of all five nations met with Lieutenant Governor John Nanfan at Albany. The conference began on July 10, 1701, with Robert Livingston acting as secretary of Indian affairs. On July 19 the League of the Iroquois prepared for King William III a deed in trust for what they called their beaver hunting ground. The Indians asked that Robert Livingston travel to London to inform the King of French encroachment on their territory and to present the deed to their lands to His Majesty. Knowing well the colonials tendency to procrastinate, the Iroquois believed that if Livingston did not go to England, "this [deed] will be only read layd aside and forgot, but if he goes wee are sure, wee shall have an answer."[28]

At the same time the Indians hoped to check the machinations of the New York settlers by asking that all public business be transacted at the "ancient place of treaty," the courthouse at Albany. The speaker for the River Indians of the upper Hudson River requested that there be no alteration of that place because, for "business to be negociated in the woods, or in any private place by a single person as lately has been practicable in our late Father's time, is not soe agreeable."[29]

During this period, the natives' rights to the land were generally ignored on this side of the Atlantic. However, the home government was aware of the importance of the natives in the struggle for empire in America and recognized the necessity of securing their friendship as a bulwark against the French. The Southern Indian Superintendent, who was a merchant with long experience in Indian trade, reported that "while they are our Friends, they are the Cheapest and Strongest Barrier for the Protection of our Settlements."[30] Cadwallader Colden, active in New York affairs

[28] "Conference of Lieutenant-Governor Nanfan with the Indians," July 19, 1701, *ibid.*, IV, 905.

[29] *Ibid.*, 903.

[30] Wilbur R. Jacobs (ed.), *Indians of the Southern Colonial Frontier: The Edmund Atkin Report and Plan of 1755*, 3.

during most of the eighteenth century, was aware that the Iroquois / furnished a barrier against the French for the New York colony,/ which neither the resources of the colony nor the natural geography supplied. Often outbidding each other, France and England vied for the allegiance of the Iroquois, and during these years of Anglo-French rivalry, the British spent tens of thousands of pounds on gifts for the Indians. But the English efforts were weakened because Indian affairs were handled by each colony in its own way. As a result, the natives were often robbed of their land and cheated in trade. Corrupt governors and colonial officials sometimes embezzled the Crown's annual present to the Indians, and the proud chiefs were disgusted by the pernicious custom of allowing unscrupulous fur traders to conduct Indian negotiations and treaties.[31]

To encourage the orderly growth of its empire, the British government, which viewed with disfavor the large land acquisitions of certain New York colonists, took steps to make it possible for immigrants to obtain land from the government instead of from speculators. Up to 1710, land policies of the colony varied with the changes of administrators, an inconsistency which caused confusion both in England and in America. In a letter directed to Richard Ingoldsby, lieutenant governor of New York from May, 1709, to April, 1710, Queen Anne, aware of unjustified land grants, stressed the need for preventing "any like abuse for the future." Her Majesty ordered that "noe grants of Land be made or past in our said Province until the arrival of Robert Hunter."[32]

Although the Queen hoped that the appointment of a new governor would lead to an easing of the conflict over lands, she was herself responsible for an increase in tension between the Indians and colonial officials. In 1710, Robert Hunter arrived in New York to assume the duties of governor. With him came a group of Palatines who were to be settled on Mohawk land to engage in the

[31] Thomas Pownall, "Notes on Indian Affairs, 1753–1754," Loudoun Papers, 460. H.L.

[32] "At a Council Meeting, New York," April 10, 1710, New York Council Minutes, X, 475. N.Y.S.L.

production of naval stores. These impoverished Germans had left their homeland for England in 1709, hoping to seek a new and better life. Unable to absorb them, England sent them to the colonies. On June 16, the Council authorized the commissioners of Indian affairs to go to the Mohawk River to find land for them, particularly "the Skohere," the area along the Schoharie River, which Hunter believed was Colonel Nicholas Bayard's land. Robert Hunter, although possessing the confidence of his Queen, was so uninformed on New York Indian affairs that he did not know that the Earl of Bellomont, when governor of New York, had canceled the Bayard grant and destroyed the deed, thereby permitting the land to revert to the Indians. On July 2, the commissioners informed the Mohawk sachems that the Queen had sent Palatinate refugees to settle at "Skohere." Surveyors were ready to go to work, and the Indians were asked to help them lay out the roads. As was customary, the sachems said they would give their answer to this request the following day, and at that time told the commissioners that twelve years before Lord Bellomont had destroyed the deed of sale and that the land therefore belonged to the Indians.

According to the Indians, the land in question had been fraudulently obtained from them in 1695 while their warriors were fighting the French. At that time, the Indians said, six idle, drunken members of their tribe had sold a vast tract of their land called "Skohere" for the "value of thirty Beavor-skins in Rum and other goods."[33] The land had been bought by Colonel Nicholas Bayard. The Indians had complained to the magistrates of Albany, who informed them that Governor Fletcher had granted Bayard a patent for the land. On petitioning Bellomont for justice in 1698, they had been successful in having the deed destroyed, and the land had been returned to them.

The Mohawks refused to permit the surveyors on their land until their sachem, called Hendrick by the Dutch, returned from England, although they signified their willingness to let the Queen

[33] "Fraudulent Purchase of Land from the Mohawk Indians," May 31, 1698, *New York Colonial Documents*, IV, 346.

have the land for the unfortunate Palatines, but "not one foot more, provided it is duly purchased."[34] Governor Hunter went to Albany, and on the twentieth of July gained the natives' consent to make the survey after he had acknowledged their title to the land. At a meeting in Albany on August 22, Hendrick, expressing surprise over the Queen's action, nevertheless declared that the Indians were willing to convey to Her Majesty the land called Skohere. The Indians insisted that the land be "surveyed and measured exactly so it may be known how many Christian families can live there." Hendrick then continued with the plea that henceforth no land "be bought in a clandestine manner in private from any Drunken Idle Indians" who would, perhaps, pretend they were great men. He asked that purchases be made in public, as this one was, in the presence of all three clans of the Mohawks—the Bear, Wolf, and Turtle.[35] Hunter accepted the land for Her Majesty and assured the Indians that he would not have made any pretensions to the land had he known of their just claim.

Hunter was to discover that the land was not fit "for the design in hand," for, though it was good land, it bore no sizable pine trees and was remote from river transportation. He informed the Lords of Trade that he was "in terms with some who have lands on Hudson's River fitt for that purpose," which he planned to inspect, for he was anxious that the plan for the Palatines be successfully carried out.[36] Hunter finally acquired six thousand acres from Robert Livingston on the east side of the Hudson River plus an ungranted tract on the opposite side of the river, on which lands he finally settled the Palatines.

Although the eastern Iroquois country lacked pine forests for the production of naval stores, the land was valuable to the colonists for speculation. On the other hand, the early reports of the land of the Iroquois extolled its value for agriculture. One of the brothers of

[34] "Livingston Indian Records," 216.

[35] "Proposition made by the Maquas," August 22, 1710, Miscellaneous Manuscripts, Indians, 1700–1799. N.Y.H.S.

[36] Robert Hunter to the Lords of Trade, July 24, 1710, *New York Colonial Documents*, V, 167.

the Mission St. Francis Xavier, reporting on the work of the mission among the Iroquois, wrote that the orchards there would produce as much as in France. He commented on the variety of nut and fruit trees and the abundance of mulberries and strawberries, which when dried, could serve as food when fish was scarce. He added, however, that "the savage likes more to roam around than to take the trouble to cultivate the land."[37] In later years, Cadwallader Colden would also write about the richness of the alluvial soil, due, he said, to the repeated overflowing of the branches of the Hudson River. According to Colden, this soil, which extended throughout the country of the Mohawks, was superior to that in the more southern parts of the province and was even better than soils he had seen in other parts of America.[38] So rich was this Iroquois land that the machinations of the New York colonists during the early part of the colonial era were unquestionably due to their desire to acquire it, for land was the basis of wealth and power. All during this period, New York's land policies and politics were interwoven. The great landowners, many of them either members of the Council or the Assembly, or friends of members, were able successfully to influence the granting of lands. They were interested in building up large landed estates, as well as holding on to the land until the value increased and then selling it at a profit.[39] During these early years the Livingstons, Philipses, and Van Rensselaers, among others, began acquiring and adding to their estates.

It was unfortunate for the colony of New York that comparatively few families tended to monopolize the best lands. In November, 1715, Governor Hunter reported to the Lords of Trade that young families were moving to neighboring colonies because so much land was held by men who were unwilling to sell small parcels. For the most part, the colonists who had fraudulently obtained land grants did not attempt to settle their lands; they undoubtedly knew

[37] J[acques] Bruyas to "My Reverend Father" P. C., January 21, [1668] 69, Huntington Miscellaneous, 8236, 1. H.L.

[38] "Mr. Colden's Answers to the Queries of the Lords of Trade," February 14, 1738, *New York Colonial Documents*, VI, 123.

[39] Pownall, "Notes on Indian Affairs."

that such action would arouse the suspicions of the Indians. Apparently, few attempts were made to take possession of fraudulent grants or disputed lands during the 1720's, since the Iroquois virtually ignored the question of lands when they met with Governor William Burnet at Albany during these years. The Indians were, at this time, primarily concerned about the French, and at a conference in 1726, the Senecas, Cayugas, and Onondagas gave to George I a deed in trust for all their lands, including their beaver hunting ground, to be protected and defended by the King.[40] The Indians could not know that as far as lands were concerned, the English colonials would prove to be a greater threat than the French.

[40] "Deed in Trust from three of the Five Nations of Indians to the King," September 14, 1726, *New York Colonial Documents*, V, 800–801.

CONFLICT OVER INDIAN LANDS
FROM THE 1730'S TO 1753

THE HUNGER FOR LAND must have been deep, for the colonists continued their inroads into the Indians' territory during the early decades of the eighteenth century. The French were an ever-present rival of the English in the fur trade, and the Indians were occasionally successful in using the French as a lever to secure justice from the English. Convinced that the friendship of the Indians was necessary for the peaceful settlement and expansion of the British frontier area, the Crown continually reminded the colonials of these factors and stressed the need for good Anglo-Indian relations. But many colonials, especially the land speculators, knew that one of the easiest ways to amass a fortune was through the acquisition of land, and they were determined that they would not be denied this opportunity.

Of all the tribes of the Iroquoian Confederacy, the Mohawks had to bear the brunt of the continual attempts of the Albany settlers to encroach on Indian land. Endeavoring to put their lands beyond the reach of this group, the Mohawks, on November 4, 1733, granted to George II the property known as Mohawk Flatts. This tract along the Schoharie River, near Fort Hunter on the south side of the Mohawk River about twenty miles west of Schenectady, contained some 1,200 acres of meadow and approximately 2,000 acres of forest and upland.

The controversy over the Mohawk Flatts had its beginning in 1686 when Governor Thomas Dongan granted a charter to the city of Albany that gave the city a license to buy an additional 1,000 acres of Mohawk lands. Formerly, the city had been regarded as a part of the Van Rensselaer Manor, and the claim of the Van Rensselaer family to the city had been confirmed by the Dutch surrender agreement of 1664. The home government had agreed that the city belonged to the Van Rensselaers and had sent an order to that effect to Governer Edmund Andros in 1678. When the Van Rensselaers showed this order to Dongan, he declined to accept it, judging it not to be in the King's best interest. Dongan believed that the second most important town in the colony should not be in the possession of any particular family. He succeeded in forcing the Van Rensselaer family to release to the King their rights to the town and common lands, and the land was granted to the city of Albany along with the right to buy the additional land. The city fathers then proceeded to acquire the property known as Mohawk Flatts.

The dispute about Mohawk Flatts came into the open during a conference with the Six Nations in September, 1733. At a meeting with Governor William Cosby, the Mohawk sachems asked for redress of a gross land fraud perpetrated by the city of Albany. The Mohawks claimed that about 1731 the mayor and other officials of Albany had convinced them that the only way to protect their lands was to deed them to the city to hold in trust for as long as the Indians saw fit. The Albany officials apparently promised to give the Mohawks a copy of the deed, but they neglected to keep that promise. Some time later, the tribesmen were informed that the deed was, in reality, an absolute conveyance of 1,000 acres of prime meadowland. At the request of the sachems, Cosby ordered the mayor of Albany to present the deed for examination. When the deed had been read and interpreted, the Indians declared it was fraudulent, complaining that if they received no redress, they would sever their ties with the English and "go over to the French."[1] Cosby could not find that the Indians had been given consideration in goods or money, which would have been proof of an intention to purchase. To Cosby, this

---

[1] William Cosby to the Lords of Trade, December 15, 1733, *New York Colonial Documents*, V, 960–62.

fact was evidence of fraud, and when the Indians demanded the deed, he gave it to them, and they, with satisfaction, tore it up and threw it into a fire.

When Albany officials threatened to ask the King to confirm their charter and their title to the Mohawk Flatts, Cosby attempted to justify his actions. He contended that the validity of the license authorized by Dongan was questionable, since the license contained no temporal restrictions. In a letter to the Lords of Trade, Cosby noted that the omission of time limitations in licenses to purchase land was inconsistent with the land policy of the Crown.

The Governer's prompt and decisive action led the Mohawks to deed a large portion of their land to the King to hold in trust. The deed was formally delivered by the Indians to the Governor at a Council meeting on April 1, 1734. Cosby gave the Indians a copy of the deed and asked them to read it to their tribe, on their return, and to preserve it carefully. Several officials of Albany claimed that Cosby had fraudulently obtained this deed, but the Governer contended that if he had not complied with the request of the Mohawks, who wanted to check the land-grabbing of the Albany officials, the tribe would have sought an alliance with the French. Cosby was convinced that the other Iroquois tribes would follow the Mohawks.[2]

The deed the Mohawks gave Cosby is evidence that their intentions were to reserve their rights to the Flatts. The sachems of the tribe fully and willingly granted the land, provided that the King would not at any time grant this tract, or any part of it, without the free and voluntary consent of the majority of their tribe. The sachems, in turn, agreed not to dispose of any of this land without first seeking, in writing, the consent or confirmation of the King or his representative.[3]

In spite of this deed, which certainly appears to have been executed by the Indians so that their land would be held in trust for them and their descendants, efforts were made less than a year later,

---

[2] William Cosby to the Lords of Trade, June 19, 1734, *ibid.*, VI, 6.

[3] "Deed conveying the Mohawk Flatts to the King," November 4, 1733, *ibid.*, VI, 15–16.

to confuse the situation. The Lords of Trade, noting that the deed for the land which the city of Albany claimed by virtue of Dongan's charter of 1686 included 1,200 acres, wrote to Cosby on August 22, 1734, to inform him that the recent transaction had been represented to them "by an unknown hand" as involving 30,000 acres. They requested that Cosby let them know the "true state of this affair." Cosby's answer, four months later, stated that the only clear meadowland in the Flatts was deeded to the King, and that although there were many tracts of 30,000 acres, not one was meadowland. He then added that although he had been vilified by some colonials for his part in securing the deed for the King, these same people, convinced that Dongan's grant was questionable, had endeavored to obtain a grant of the lands through friends in England.

Mohawk land was apparently a prize well worth extraordinary efforts. In spite of the measures taken by the tribe to protect their property, another unusual attempt was made to acquire part of their land. Peter Van Brugh Livingston, of the wealthy Livingston family, and Samuel Storke, Livingston's London agent, petitioned the King for a grant of land on the north bank of the Mohawk River. The records of the Board of Trade reveal that in their petition, Livingston and Storke stated that the tract they desired had yet to be purchased from the Indians. At a meeting on January 27, 1735, the Lords of Trade ordered that a letter, together with the description and proposals made by the petitioners, be sent to the Governor of New York for his opinion or possible objection.[4]

Although the Secretary of the Board of Trade wrote to Cosby to investigate the matter, George Clarke, lieutenant governor and president of the Council, had to carry out the investigation following Cosby's death in March, 1735. By writing to the Albany deputy-surveyor, Clarke was able to obtain information from the Albany Common Council as well as from the commissioners of Indian affairs. Clarke believed that the Mohawk Flatts area was involved in the Livingston-Storke petition and that there was a possibility of

---

[4] *Journal of the Commissioners for Trade and Plantations*, Vol. VII, 86. Hereafter cited as *Journals of the Board of Trade*.

a boundary line question. Furthermore, Clarke requested the deputy-surveyor to seek information on the problem from other officials.[5]

The Indian commissioners and the Common Council of Albany, on May 17 and 18, respectively, informed Clarke that although the land had not been granted by patent, the greater part of it had been purchased legally from the Mohawks. They warned that the method used by Storke and Livingston to obtain a patent for land, before making a complete purchase of the land in question, would alienate the Indians.[6] Clarke then forwarded these letters to the Secretary of the Board of Trade with two reservations about the petition. First, he said that granting land before it was purchased from the Indians was an extraordinary procedure. Under such circumstances, the Indians would probably not give up possession of their territory. Clarke also wrote that "the petitioners intend they say to bring over Palatins to settle the Land but they don't propose to oblige themselves to do it, nor do they mention any time for it nor any number of familys."[7]

One interesting aspect of this affair is brought to light in Clarke's letter to the Secretary of the Board of Trade. Two of the Albany councilors told Clarke that Livingston's father, Philip, who was a commissioner for Indian affairs, had declared that he did not approve this land speculation scheme. However, the father declined to sign the commissioners' letter condemning his son.

In a letter of June 9, 1736, Cadwallader Colden, surveyor-general, supported the protests of the Albany Council and the Indian commissioners. He enclosed a survey map of the area in question on which he had laid out the bounds mentioned in the grant and

[5] Bleecker, Collins & Abeel Papers, Box 1. New York Public Library, hereafter cited as N.Y.P.L. This letter is undated, but the letters to Clarke from the Commissioners for Indian Affairs and the Common Council of Albany (see *infra*) fix the date as May 11, 1736.

[6] Commissioners for Indian Affairs to George Clarke, May 17, 1736, and Common Council of Albany to George Clarke, May 18, 1736, *New York Colonial Documents*, VI, 57–59.

[7] George Clarke to Alured Popple, May 28, 1736, *ibid.*, VI, 59–62.

noted that "something is omitted necessary to make the sense compleat." Colden further stated that most of the land described in the petition was already granted to other white people. He then added that he suspected that "the Petitioners are far from intending to obtain only a Tract of six miles square but rather an oblong Square as some call it of Six miles in Breadth and to extend the whole length of the Mohawks River upwards to its head."[8] In this letter, Colden commented on how difficult it was for the King's officers in America to guard against fraud when lands were described in petitions by such natural limits as brooks, hills, and springs. Moreover, Colden wrote, it was even more difficult for those who handled land grants in England to avoid fraud when incorrect information was supplied by dishonest surveyors. The question in Colden's mind was why the petitioners Peter Livingston and Samuel Storke had attempted to obtain approval for their petition in England. Colden suspected fraud, surmising that the petitioners were trying to conceal an illegal purchase.

Fortunately for all concerned, except perhaps for Storke and Livingston, the petition was denied. When Clarke sent Colden's letter and map to the Secretary of the Board of Trade, he stressed the fact that the petitioners must have had "some further view and most probably it was to get a Grant of all the Lands on that side of the Mohawks River about one hundred thirty miles in length and six miles wide."[9] At a Board of Trade meeting in October, 1736, Storke was informed that the letters from Clarke and Colden signified that half of the land described in the petition had long since been granted. Storke, representing himself and Livingston, stated that he had not known these facts when he presented his petition and said he would give the Board no further trouble. His petition was subsequently dismissed. According to Clarke, if Storke had succeeded, "it would have opened a door to endless Law suits and contentions between them and the present Patentees and pos-

[8] Cadwallader Colden to George Clarke, June 9, 1736, *ibid.*, VI, 68.
[9] George Clarke to Alured Popple, June 18, 1736, *ibid.*, VI, 67.

sessors of great part of those Lands, and purchasors from the Indians on valuable considerations of other parts not yet patented."[10] If this petition had been approved, the end result would have been to hinder the settlement of the area, to rob the King of his quitrents, and to drive the Indians into the arms of the French. It must be noted that in this affair, a great part of the land in question had already been claimed by white settlers, and therefore the rights and interests of the Mohawks were not paramount, at least in the eyes of the Governor and other officials.

Evidence of continued interest in Mohawk lands was provided in August and September of 1736, when Cadwallader Colden, as surveyor-general of the province of New York, went to the Mohawk country to survey several large tracts of land which certain individuals of Albany had purchased from the Indians in accordance with licenses granted for that purpose. The Indians refused to permit Colden on the land, alleging that the land areas described in the deeds were larger than those actually sold. In a memorial to George Clarke, Colden pointed out that the Indian deeds were in the English language, that the boundaries were expressed by degrees of compass and English measure, and that neither the language nor the system of measurement was familiar to the natives. The Indians had been persuaded to sign these deeds without having them interpreted by persons who were sufficiently skilled in the English and Indian languages and who were sworn to interpret accurately. Under these circumstances, Colden was convinced that the Indians' complaints about being cheated or deceived in several alleged purchases were valid. He proposed that in the future all lands to be purchased from the natives should be surveyed in their presence before any deed was signed. He also suggested that before any such agreement was executed, some authorized person should, first, examine the deed to make sure it conformed to the survey; second, see that the price agreed upon was fairly paid; and, third, be certain the deed was fully and truly explained to the Indians.[11]

[10] *Ibid.*

[11] "Memorial of Cadwallader Colden, Esq., Surveyor General of Land of the

The frauds and abuses in the purchase and settling of Indian lands were not confined to any one province or to any particular tribe. A report by the Lords of Trade on Indian land problems in the 1750's recognized that these frauds and abuses had been practiced in every province and complained of by every tribe. An examination of the records of the land transactions of neighboring colonies bears out the truth of this observation.

Early in the eighteenth century, the Delawares, allies of the Iroquois occupying the land to the west of New Jersey in the environs of the Delaware River and Kittatinny Mountains, began to feel the pressure of the westward movement of the white settlers. The complaints of the natives were such that in 1737 representatives of the province of Pennsylvania, including Chief Justice James Logan, met with the Indians at Philadelphia in an effort to remedy the situation. The Delawares questioned the validity of an Indian deed obtained by the Pennsylvania colonial government in 1686. The land in controversy included tribal land on the west bank of the Delaware River plus the area between the Delaware and Lehigh rivers commonly known as the Forks. The Indian chiefs attending the meeting acknowledged that the deed was legal but declared that the extent of the tract had not been definitely determined, since the northern boundary was represented as being "as far as a Man can goe in one Day and a half."[12] To determine the boundary, three fleet-footed woodsmen on September 19, 1737, began the now famous "walk," covering fifty-five miles in eighteen hours. The Delawares were stunned. They denounced the walk and alleged that they had been defrauded of these lands, but their complaints were to no avail. The charge of fraud and deception in the "walking purchase," however, is held to be a tenuous one by historian Julian P. Boyd. He concedes that the Pennsylvanians made the best of the bargain, since only the swiftest walkers were selected for the mission, but points out that the

Province," November 3, 1736, Public Record Office, Colonial Office, 5/284, No. 77, L.C. transcript. Hereafter cited as P.R.O., C.O., L.C. transcript.

[12] Richard Peters and Benjamin Chew to William Johnson, June 24, 1762, *The Papers of Sir William Johnson*, III, 808.

two men who made the arrangements for the walk, James Logan and James Steel, were members of the Society of Friends and were of unimpeachable character in the eyes of fellow Pennsylvanians.[13]

Evidently, though, few men were immune to the lure of the land, not even the men of the cloth. Unlike the claim of the Dutch minister, Godfrey Dellius, the Reverend Henry Barclay's claim was very minor, but it was one more instance wherein the natives felt defrauded. Reverend Barclay was appointed catechist for the Mohawks at Fort Hunter in 1736 and, after his ordination in England, returned to continue his work among those Indians. In 1746, the Mohawks petitioned Governor George Clinton, in behalf of themselves and their brethren of the Conojohary tribe, for the return of the land that had been given to Barclay. When Barclay came to live among them, the Indians said, they offered him a small piece of ground, enough for a house, garden, and mowing area. Barclay convinced the Mohawks that he was determined to stay with them and selected a larger piece of ground with the understanding that it would be his to use as long as he remained their minister. Although in 1746 Barclay was living in the city of New York, serving as rector of Trinity Church, he still claimed the land, which the Indians said was contrary to their meaning and intent.[14] The Indians suggested that Barclay be paid for the house he had built and that the property be reserved for the use of other ministers serving the Mohawks. Eight years passed before this problem was finally resolved at the Albany Conference of 1754.

Barclay's journal reveals what the Indians expected from Christian ministers. When he was asked by several warriors to help resolve problems about payments due the Indians for fighting the French, he willingly attended a conference between the Indians and the commissioners of Indian affairs, which ended satisfactorily. Barclay was

---

[13] Julian P. Boyd, "Indian Affairs in Pennsylvania, 1736–1762," in *Indian Treaties printed by Benjamin Franklin 1736–1762*, xxviii. There is a map of the "Walking Purchase" signed "L. Evans, Exe. 1738," in the Logan Papers, Miscellaneous Manuscripts I, 119, Historical Society of Pennsylvania.

[14] "Petition of Mohawk Warriors to Governor Clinton," n.d., *New York Colonial Documents*, VI, 315.

greatly distressed when he was later criticized by three Indians for conferring with the commissioners. He was told "that ministers should mind nothing but preaching and had no business with war affairs."[15] The Indians berated him for being in Albany, saying he was appointed minister to them and not to the citizens of Albany. In spite of his difficulties with the Mohawks, Barclay, at the time of his death in 1764, was superintending the printing of a translation of the Book of Common Prayer into the Mohawk dialect.

As the first half of the eighteenth century came to a close, the commissioners of Indian affairs in the colony of New York were increasingly being viewed as the primary cause of the natives' dissatisfaction. According to one capable observer and recorder of the colonial scene, Thomas Pownall, trade abuses and land frauds were the principal complaints of the natives. Pownall noted that ever since the transaction and management of Indian matters had been in the hands of the commissioners "the frauds, abuses, and deceits that these poor people have been treated with and suffered under have had no bounds."[16]

At the beginning of King George's War in 1744, the Albany commissioners were a small group of locally elected men whose concern for profit from trade often outweighed their good judgment. Most of these men were the descendants of the original Dutch settlers. Their efforts pleased neither the Indians nor the Governor, nor did they please the Crown. The Indians, alienated by an accumulation of frauds and quarrels, distrusted almost everyone who was employed to transact business with them. Governor George Clinton was so dissatisfied with the commissioners' management that he employed others to handle separate negotiations without acquainting the commissioners of his action. The Crown was annoyed with the commissioners, who seemed to be responsible for the neutrality of the Six Nations. During the 1740's, the Iroquois were content to let the English and French fight while they remained aloof.

---

[15] "Part of the Journal kept by Henry Barclay covering March 1754," Horsmanden Papers, Addenda. N.Y.H.S.

[16] Pownall, "Notes on Indian Affairs.

By this time many New Yorkers were aware that Indian affairs were confused and often interwoven with problems of trade, politics, and even corruption. A man well qualified to cope with such problems was William Johnson, who was present at an Albany meeting between Governor Clinton, the Six Nations, and the River Indians held in August, 1746. Dressed and painted like a Mohawk warrior, William Johnson represented the colony of New York as a commissioner for stores and provisions in order to recruit warriors to fight the French. Johnson, who later obtained a military commission as colonel in the New York militia, took over the management of New York Indian affairs.

The comments of Johnson's contemporaries are ample proof that his appointment was a stroke of good fortune. Peter Wraxall, who became Johnson's secretary and aide-de-camp, reported that Johnson's influence over the Indians was so great that he was able to persuade them to declare war against the French, a move which the commissioners had tried in vain to effect. Wraxall stated that from all he had been able to learn, there was no man in the colony more respected by the natives. Such was Johnson's influence that the Indians regarded him as their chief, their patron, and their brother.[17] Cadwallader Colden remembered 1746 as the year when Johnson "distinguished himself among the Indians by his indefatigable pains among them, and by his compliance with their humours in his dress and conversation with them."[18] Colden believed Johnson was the one who persuaded the Iroquois to enter the war against the French. Governor Clinton was convinced that "none upon the Continent can influence . . . [the Iroquois] to continue stedfast to their engagements, so much as this gentleman."[19] The Indians believed that Johnson was the symbol of the King of England, their father. At long last a happy choice had been made, for Johnson understood the

[17] Peter Wraxall, *An Abridgement of the Indian Affairs Contained in Four Folio Volumes Transacted in the Colony of New York, from the Year 1678 to the Year 1751*, 248.
[18] Cadwallader Colden to George Clinton, August 8, 1751, *New York Colonial Documents*, VI, 739.
[19] George Clinton to the Duke of Newcastle, February 24, 1747, *ibid.*, VI, 419.

natives, and they put their trust in him, their brother. A contemporary writer, describing Johnson's conferences with the Indians, reveals that Johnson spoke the Mohawk language fluently. The writer noted, however, that when Johnson met with the Indians on formal occasions, the natives "consider him as an Englishman, ignorant of their language; conversing all along by an interpreter."[20]

In the management of Indian affairs, William Johnson was confronted with many problems, but of them all, according to Peter Wraxall, the question of Indian lands was the one that caused the most discontent and aroused the most suspicion among the Indians. Even though New York did not have a large farming population at this time, the amount of agricultural land was comparatively small, and soon many settlers were encroaching on the natives' hunting ground. In analyzing the problem of Indian lands, Wraxall wrote that an unaccountable "thirst" for large tracts of land prevailed among the inhabitants of New York and the neighboring colonies. Patents had been lavishly granted upon the pretense of fair Indian purchases, some of which the Indians denied were ever made. Other purchases had been made by getting two or three Indians drunk and then obtaining their marks on deeds for a trivial consideration. Wraxall also noted that the surveyors had frequently run patents "vastly beyond even the pretended conditions or limits of sale."[21]

Although assisted by William Johnson, Governor Clinton was under a double disadvantage in his conduct of Indian affairs; he could please neither the Assembly nor the Indians, for there was no way to satisfy one without alienating the other. A group in the Assembly referred to as the "faction" was openly in opposition to Clinton and Johnson. Governor Clinton wrote at length to the Duke of Bedford about his problems with the faction, whose powers rested on its control of funds, a power it had acquired during George Clarke's administration. The ultimate aim of this group was "to wrest

[20] *An Account of Conferences held and Treaties made, between Major-General Sir William Johnson, Bart. and the Chief Sachems and Warriours . . . in April, 1756*, vii.

[21] Wraxall, "Some Thoughts on the British Indian Interest," 17.

the administration out of the hands of his Majesty's Government and to place it in the hands of a faction formed in such a manner as to have perpetuity, so as to secure the administration of all future governors."[22] George Clinton named James De Lancey as head of these men who were in opposition to the home government and who encouraged the Assembly to make "many and great incroachments upon the rights and prerogatives of the Crown."[23] The faction evidently continued to be a problem, for Cadwallader Colden echoed Clinton's sentiments in a letter to the Earl of Halifax. Colden wrote that "the proprietors of great tracts of lands in this Province have united strongly with the lawyers, as the surest support of their enormous and iniquitous claims, and thereby this faction is become the most formidable, and dangerous to good government."[24]

Ever reluctant to co-operate with the governor, the faction took no action to continue William Johnson in office. The Indians, growing more dissatisfied with their treatment, were deeply distressed when Johnson gave up the management of Indian affairs. The Assembly refused to grant enough funds to meet the expenses incurred by Johnson, and, when the allowance from the Crown stopped with the end of the war in 1748, Johnson claimed he was forced to resign his post lest the cost of maintaining his office ruin him financially. It is apparent that the Assembly had an ulterior motive in refusing to grant a peacetime allowance for Indian presents. Prior to Johnson's appointment, the conduct of Indian affairs at Albany had been entrusted to the commissioners appointed by the governor with the consent of the Assembly. The last commissioners to hold office had been openly allied with the faction in the Assembly, and the Assembly undoubtedly wanted to reinstate these commissioners.

[22] George Clinton to the Duke of Bedford, *c.* 1748, Colden Papers, Bancroft Transcripts, I, 85–86. N.Y.P.L.

[23] George Clinton to the Duke of Bedford, [1750/1], *New York Colonial Documents*, VI, 612. There is a reference to a letter about the "faction" in New York written by Lieutenant Governor Clarke on January 25, 1736/7, in the *Journals of the Board of Trade*, Vol. VII, 160.

[24] Cadwallader Colden to the Earl of Halifax, February 22, 1765, Colden Papers, Bancroft Transcripts, III, 149. N.Y.P.L.

According to Cadwallader Colden, the Dutch commissioners were influenced by two motives. In the first place, they not only resented the loss of authority they had so long possessed, but they were also affronted by the appointment of William Johnson, an Englishman, whom they regarded as an intruder. Secondly, Johnson's appointment touched them "in the most sensible part," since they were men who had "no other view of life, but that of getting money."[25] These men felt they had sustained a loss in their personal trade because the Indians no longer made their first stop at Albany. William Johnson lived near the Mohawk tribe some forty miles west of Albany, and there he handled most of the trade with the Six Nations and the western Indians. The Albany traders were convinced that Johnson's strategic location and his official position as manager of Indian affairs gave him an unfair advantage. They remembered, too, that the money allowed for presents for the Indians had previously induced Indians to make their first stop at Albany, thus assuring the commissioners a preference in buying furs. Cadwallader Colden believed that trade was the main reason the Albany traders wanted to serve as commissioners.

At a conference called by Clinton and held at Albany in July, 1751, the members of the Six Nations were firm in their resolve that they would meet only with Johnson. Privately conferring with the Governor, the Mohawk sachem Hendrick, as spokesman for the Confederacy, expressed what was in the hearts of the Indians:

You recommended Coll. Johnson to the Six Nations, and told us that whatever private News there was, if Coll. Johnson told us, we might depend on it, as much as if we had it from your Excellency. . . . We were very much shocked when . . . he declined acting any more with us, and it was the more Terrible, because he was well acquainted with our Publick Affairs. . . . his knowledge of our affairs made us think him one of us (an Indian) and we are greatly afraid . . . your Excellency will appoint some person, a stranger both to us and our Affairs. . . . We desire . . . that Coll. Johnson may be reinstated, for he

[25] Cadwallader Colden to George Clinton, August 8, 1751, *New York Colonial Documents*, VI, 739–40.

has large Ears and heareth a great deal, and what he hears he tells to us; he also has large Eyes and sees a great way, and conceals nothing from us.[26]

In answer to the request that he appoint someone with whom the Indians could transact business until the King would reinstate Johnson, Governor Clinton replied that on his return to New York City, he would confer with the Council. Clinton was in a dilemma. The Assembly would grant no funds for the commissioners of Indian affairs unless it could make the appointments, and Clinton knew that the Indians would be dissatisfied with anyone but Johnson. In due time, though, the Albany commissioners were reinstated. Meanwhile, Cadwallader Colden, who at this time was collecting data on colonial affairs, was greatly disturbed by the fact that the Indians were being cheated and that there was no law to prevent it.

Attempting to get some positive support from the Governor against those who had been defrauding them of their lands, the long-suffering Mohawks bypassed the Albany commissioners, who were again in control, and met with Clinton at Fort George, New York, in June, 1753. Hendrick, spokesman for the Mohawks, stated that his people now had practically no land left for themselves because each time small parcels of land were sold, the purchasers claimed more than was originally agreed upon. He asked to see the patents so that the Indians could discover the names of the persons who had purchased the lands. Hendrick also wanted to identify the surveyors and interpreters so that the tribesmen would know who had duped them. Hendrick's accusations, simple and direct, revealed how the colonists had continually swindled his people out of their lands. As he proceeded to mention names and places, his account of the deceptions became almost monotonous:

I am going to tell you how many persons we design to drive away from our Lands Viz. Barclay, Pichetts wife. . . . We let her have a little spot of Land and she takes in more and more every year. . . .

[26] "Council at Albany, July 2, 1751," *Papers of Sir William Johnson*, I, 340.

We have a complaint against Arent Stevens [provincial interpreter] he bought a Tract of Land of us, and when the Surveyor Hendrick Fry, came to survey it we shewed him how far to go, and then Arent Stevens came and told Fry he had employed him and made him go a great deal further and now this last spring there came an other Surveyor M[r] Colden to survey the same piece of Land and then Arent Stevens made M[r] Colden still go further than Fry went, so that he stole twice from us

We have another complaint against Conradt Gunterman . . . who we took amongst us . . . gave him a Tract of Land out of Charity . . . but [he] takes in more which we have not given or sold him.

In Livingstons Patent of the Flatts at Conojohary, more Land was taken up than was sold by the Indians

Capt[n] Collin's Land at Conojahary . . . the Indians sold the Low Land but not the wood Land

Cornelius Cuylers Land at the little carrying place northside of the River . . . the Indians sold the Wood Land but not the Low Land

Peter Wagenaers Land over against Conojahary Castle [tribe] North side of the River . . . [he] has taken up as much again as he [was] sold.

That said Wagenaer bought . . . some Land lying on the South side of the River . . . & has taken up as much more as they sold him

Johannis Lawyers Patent at Stonerabie . . . to . . . no further than the Creek . . . he has taken up six miles further than the Creek.

That Honnes Clock . . . claims an island . . . below the Indian Castle at Conojohary which was never sold to any person.[27]

The assurances offered by Governor Clinton to the sachems were

[27] "Conference between Governor Clinton and the Indians," June 12, 1753, *New York Colonial Documents,* VI, 783–85.

of no avail. He reminded them that commissioners had been appointed and that the tribesmen's complaints would be directed to those men in Albany so that justice would be done. Knowing full well where the interest of the Albany commissioners lay, Hendrick informed Clinton that the "covenant chain of friendship" was broken and Indian-English amity was at an end.

After more than half a century of empty promises and halfhearted assurances, the Indians, their patience exhausted, had finally taken the initiative. Hendrick's fateful step, echoing in the Court at London, would prod the Lords of Trade to take action that would involve all the colonies in America.

INDIAN LAND PROBLEMS GROWING OUT OF THE ALBANY CONFERENCE OF 1754

IT IS ABSOLUTELY TRUE, that the preservation of the whole continent, depends upon a proper regulation of the Six Nations."[1] These words were written in 1751 by Archibald Kennedy, council member of the colony of New York. He recommended that the management of Indian affairs be taken out of the hands of the commissioners in Albany and placed under the direction of one competent officer, a superintendent of Indian affairs. "Nothing can be added to what Mr. Kennedy has said upon this point," wrote Thomas Pownall in commenting on the problem of Indian relations.[2]

Pownall also pointed out that, to the detriment of the general welfare, the post of Indian commissioner had become such a valued sinecure that the office had become "an object of so much interest, it naturally created a desire in others to share the spoil." The apparent cupidity of the Albany Indian commissioners was such that the Indians were finally forced to take action to preserve their rights. Hendrick of the Mohawks, in 1753, said that the Iroquois "chain of friendship" was weakened by the neglect and abuses tolerated by New York officials. The London government was quick to react to this threat to the peace and security of the British colonies.

After receiving Governor George Clinton's report of the meeting with Hendrick and his confederates, the Lords of Trade wrote to

[1] Archibald Kennedy, *The Importance of Gaining and Preserving the Friendship of the Indians to the British Interest Considered*, 7.
[2] Pownall, "Notes on Indian Affairs."

the newly appointed governor, Sir Danvers Osborne, urging him, the Council, and the Assembly to make new efforts to regain the allegiance of the Six Nations. Their Lordships suggested that a meeting with the Indians be arranged without delay. Osborne was directed to investigate and, if possible, to satisfy the Indians' complaints about fraudulent purchases and grants.[3] This directive prompted the development of plans for the well-known Albany Conference of 1754.

Because of Osborne's untimely death, Lieutenant Governor James De Lancey presided at the meetings of the Albany Conference. The Iroquois and the River Indians were apparently so alienated by the abuses they had suffered that only a small number attended the meetings. (This was in striking contrast to the situation a year later. When William Johnson met with the northern Indians in 1755, there were a greater number of tribesmen present than had ever before been known to attend a public meeting.) Hendrick gave a forceful presentation of Indian grievances, criticizing the quarrels between the governors of Virginia and Canada over lands owned by the Indians. He charged that the governors of Virginia and Pennsylvania permitted their people to move into these lands to trade and build houses without first securing Indian consent. Hendrick also repeated his three-year-old request for the reinstatement of Colonel William Johnson as superintendent of Indian affairs and accused the Albany commissioners of neglecting their duties. The Indians then received what seemed to be the usual vague answers, accompanied by a speech by the Pennsylvania interpreter, Conrad Weiser, which discussed conflicts between colonials and Indians in the Ohio country. Lieutenant Governor De Lancey assured the Indians that the Albany commissioners in the future would treat them with "the affection due to . . . Brethren."[4]

Canadagara, another speaker for the Mohawks, voiced his people's grievances about their lands, complaining that the Reverend Henry

[3] Lords of Trade to Danvers Osborne, September 18, 1753, *New York Colonial Documents*, VI, 800–801.

[4] "Proceedings of Commissioners from 6 Provinces Met at Albany anno 1754 on Indian Affairs," *Documentary History of the State of New York*, II, 580–88.

Barclay still illegally claimed possession of part of their land. The Lieutenant Governor informed the Indians that he planned to ask the Assembly to reimburse the Reverend Barclay for his land and improvements, so that the property could be reserved for the use of a missionary to the Mohawks. Another Mohawk complaint, about a huge land tract called Kayaderosseras, was not so easily resolved. De Lancey promised the Indians that he would talk to the persons claiming the land and would provide an answer to the problem before the end of the conference.

Appearing before the Governor and his Council, the Mohawk sachems said that the land south of the Mohawk River on which they lived had been surveyed secretly at night and later patented to Philip Livingston and a number of land speculators, including one George Klock. Two heirs to Philip Livingston's share in the land agreed at the Albany Conference that they would give up their rights to the land in the interest of justice. Lieutenant Governor De Lancey, unaware of the trouble that George Klock would cause regarding this patent (later known as the Conojohary patent), assured the Indians that he would try to see that justice was done.[5]

The native-born De Lancey was well acquainted with fellow New Yorkers and the New York Indians. He firmly believed that if the Indian charges proved true, then fraud and deceit had been used to obtain the land, since in his opinion it was not possible that the Mohawks would sell the very lands on which they lived. De Lancey informed the Lords of Trade that he would have the records searched and, if the evidence warranted, would order legal action to cancel the patent. At the same time, William Johnson reported to Their Lordships that the two patents about which the Indians were justly concerned were the Kayaderosseras and Conojohary patents.[6] No further action was taken, however. Seven years would pass before the fraudulently obtained Conojohary patent would even

[5] James De Lancey to the Lords of Trade, July 22, 1754, *New York Colonial Documents*, VI, 850.

[6] William Johnson to the Board of Trade, July 21, 1755, *Documentary History of the State of New York*, II, 673. Johnson used many variations in spelling Kayaderosseras and Conojohary, even, at times, in a single letter or document.

be investigated, and then only as a result of renewed Indian complaints. The problems created by the Kayaderosseras grant were not to be resolved until the 1760's.

At the Albany Conference, the old refrain that the complaints of the Indians would be investigated and all abuses corrected received the usual lip service. However, a policy was adopted, designed to protect the natives from fraud. All future purchases of lands would be void unless made "by the Government where such Lands lye, and from the Indians in a Body in their public Councils."[7] Indeed, the Albany Conference was a landmark in the development of imperial policy on Indian lands.

Ironically enough, immediately following the Albany meeting, which was called to settle conflicts over Indian lands and to inaugurate united action in colonial affairs, one Timothy Woodbridge, of Stockbridge, Connecticut, employed the Indian trader John Lydius to secure privately an Indian deed for a tract along the east branch of the Susquehanna River. This area was borderline land claimed concurrently by New York, the Iroquois, and a Connecticut syndicate of land speculators. The resulting bitter controversy involved not only the Delaware Indians, who occupied the area by permission of the Iroquois, but also rival land speculators from both Connecticut and Pennsylvania. It is evident that when a desirable tract of land was at stake, the white men did their best to outmaneuver each other as well as the Indians.

The Susquehanna land controversy had its beginning about the year 1752, when a group of settlers from Connecticut "under a Pretense of some extensive Words in their charters" announced their intention to establish a settlement on a large tract of uncultivated land.[8] This territory, known as the Wyoming Valley, belonged to the Iroquois and, according to Pennsylvania authorities, had been previously promised to the Quaker colony if and when the Indians decided to

[7] "Proceedings of Commissioners from 6 Provinces Met at Albany anno 1754 on Indian Affairs," *ibid.*, II, 610–11.

[8] James Hamilton to William Johnson, March 19, 1754, *Papers of Sir William Johnson*, I, 396–97.

leave the area. On March 19, 1754, James Hamilton, governor of Pennsylvania, asked William Johnson to alert the Indians to the intentions of the Connecticut speculators, who had openly boasted they would try to purchase land from the Indians, although their own government had apparently disavowed the project. Hamilton believed that under the circumstances the Connecticut representatives would use liquor as the means to achieve their ends. He hoped the commissioners at the Albany Conference would consult with Johnson regarding steps that might halt the Connecticut land scheme. In April, 1754, before the Albany Conference opened, Johnson received a letter from the Connecticut speculators stating that they proposed to purchase the land from the Six Nations in the hope that the purchase would help cement an alliance with the Iroquois and thereby prevent the French from gaining the Indians' friendship. One John Fitch, spokesman for the Connecticut faction, added that his governor "favors our design from . . . [these] principals and Motives," and pleaded for Johnson's influence.[9]

While the tribesmen were gathered at Albany, John Lydius, whose methods were not above reproach, was able to procure a deed for the desired land. Johnson's opinion was that the land was fraudulently purchased. He was convinced that the Connecticut speculators would meet with determined opposition if they ventured to occupy the land. The Iroquois were indeed disturbed by this purchase, as indicated by the remarks of an Oneida sachem who, at a later conference, pointed to Lydius and said, "that man sitting there . . . is a Devil and has stole our Lands, he takes Indians slyly by the Blanket one at a time, and when they are drunk, puts some money in their Bosoms, and perswades them to sign deeds for our lands upon the Susquehana which we will not ratify nor suffer to be settled by any means."[10]

Fortunately for both the Indians and the prospective settlers, no immediate attempt was made to establish farms on this land because

[9] John Fitch and others to William Johnson, April 2, 1754, *ibid.*, I, 399–400.

[10] "Conference between Major-General Johnson and the Indians," July 3, 1755, *New York Colonial Documents*, VI, 984.

of the uncertain conditions on the frontier at the time of the out-
break of the French and Indian Wars. In February of 1761, after
the British conquest of Canada, Governor Hamilton of Pennsylvania,
apprehensive of a renewal of Indian war, wrote to Sir William
Johnson that fresh trouble had been caused by Connecticut settlers,
who had laid out a township in the Wyoming Valley. Teedyuscung,
a Delaware chief, informed Hamilton that the Indians "would do
themselves justice" if the Pennsylvania or Connecticut governments
did not take measures to remove these people. At this time, the
Governor was alarmed enough to write to Governor Thomas Fitch
of Connecticut requesting that the project be halted.[11]

In April, 1762, Timothy Woodbridge met with the Six Nations
in Johnstown, New York, while they were at Johnson Hall for a
conference with Sir William. The Iroquois maintained that a deed
for the Wyoming lands was procured only after Lydius had gotten
the Indians drunk and then obtained their marks to a deed of sale.
Woodbridge denied the charge and asked the tribesmen to consider
the Connecticut land purchasers as their friends. He also insinuated
that Pennsylvania's concern about this deed was not on behalf of
the Indians but because of its own interest in the land. Sir William
Johnson, in talking with the Indians about the affair, reproved them
for their foolish actions and cautioned them against such imprudent
steps in the future. However, he did reassure the Iroquois that the
King was determined to protect them in all their just claims. John-
son, meanwhile, reported to Lieutenant Governor Cadwallader
Colden on the meeting, and expressed his apprehensions about an-
other Indian war if this Wyoming settlement was not halted at once.

On June 8, 1762, the Governor of Connecticut issued a procla-
mation which warned prospective settlers of Wyoming Valley land
that they were subjecting themselves to royal displeasure. At a later
meeting between the Delaware Indians and the colony of Pennsyl-
vania held in Easton, Johnson himself, now Sir William Johnson,

[11] James Hamilton to William Johnson, February 10, 1761, Public Archives of
Canada, Indian Records, VI, Part 1. L.C. transcript.

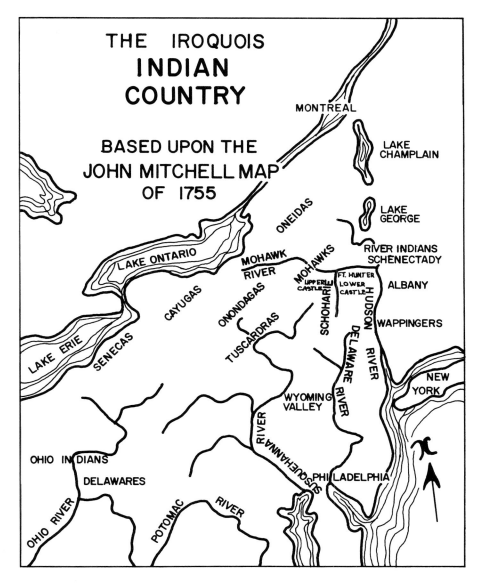

The Iroquois Indian Country. Based on the John Mitchell map of 1755.

A portion of Claude J. Sauthier's "A Chorographical Map of the Province of New York in North America . . . ," London, 1779 (*Documentary History of the State of New York*, I), showing the Kayaderosseras grant.

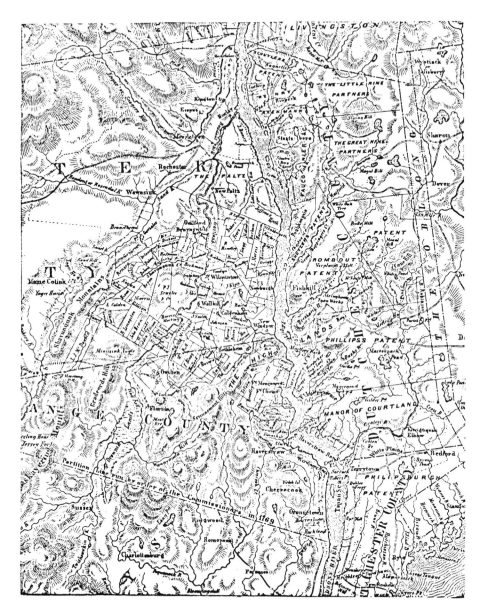

A portion of Claude J. Sauthier's "A Chorographical Map of the Province of New York in North America . . . ," London, 1779 (*Documentary History of the State of New York*, I), showing the Philipse patent.

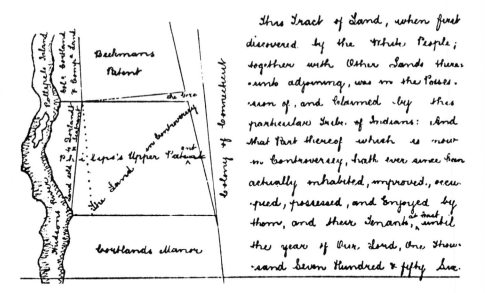

The Philipse patent from "Quinborow Charter, Isle of Man, &c.," British Museum, Lansdowne Manuscripts, 707, folios 24–51. Library of Congress Transcript.

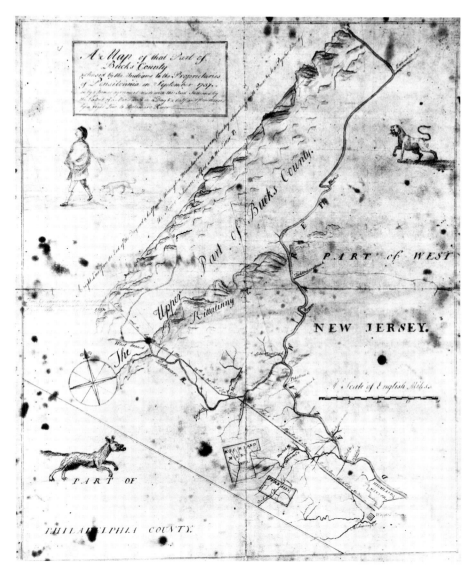

Map of the "Walking Purchase" by L. Evans from the Logan Papers, Miscellaneous Manuscripts, folio sec.

"The Country of the Six Nations," drawn by Guy Johnson, 1771 (*Documentary History of the State of New York*, IV).

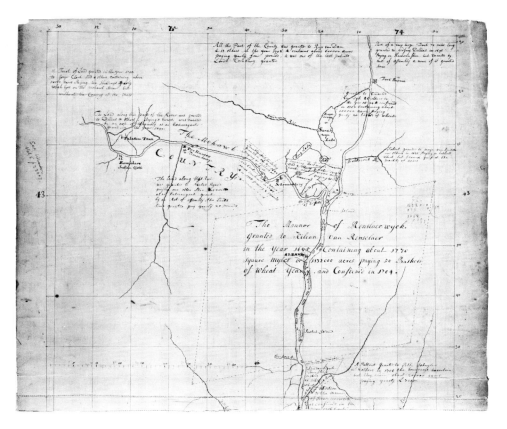

A portion of Cadwallader Colden's "Map of the Manorial Grants along the Hudson River," *c.* 1726, showing the Manor of Rensselaerwyck and the Dellius grant. Huntington Miscellaneous 15440.

Tee Yee Neen Ho Ga Row, Emperor of the Six Nations. From a mezzotint by Simon after Verelst.

An engraving of Hendrick, Chief of the Mohawks.

Sir William Johnson. Copy by unidentified artist *c.* 1840 after lost original by Thomas McIlworth of Johnson Hall, May, 1763.

Portrait of Cadwallader Colden and his grandson, Warren de Lancey, by Matthew Pratt, *c.* 1770.

presided. At this meeting, Teedyuscung, the Delaware chief, appealing for his own people as well as the Iroquois, urged Johnson to use his authority to stop the invasion of Indian lands by New Englanders lest it breed trouble between the Indians and the New Englanders. Governor Hamilton informed the Indians that he would write to Lord Jeffrey Amherst, British commander-in-chief, and the governors concerned, and he requested that the Indians, meanwhile, treat the settlers "peaceably" and ask them "not to sit down on your lands."[12] Evidence of Sir William's misgivings about this whole affair is found in his report to the Lords of Trade on the Easton meeting. He felt that in spite of all the efforts made to prevent the occupation of the area, the Connecticut speculators would persist in their plans. As a result of this kind of encroachment on Indian lands, Johnson said that the "Six Nations and their Allies and Dependents will be irritated and fall upon our settlements; and it is not improbable that other nations, not knowing how soon they may meet with the like treatment will unite with them, as in a common cause, and thereby involve the American Colonies in an Indian war."[13]

Meanwhile, during the fall and winter of 1762, bands of men from Connecticut reached the Wyoming Valley and began to clear the land for blockhouses. In the following spring, Timothy Woodbridge arrived in the Mohawk Valley to inform Johnson that he had sent a message to the Iroquois asking for a meeting. Woodbridge had brought with him some three or four hundred pounds in currency, six bulls, and three barrels of pork as a present (or bribe) for the Indians. He also made an offer to Johnson suggesting a partnership if the superintendent could get the Indians to withdraw their objections to occupation of the Wyoming lands. Johnson contemptuously rejected the offer and warned Woodbridge against forcing a settlement in the area. Because of his deep concern over the

---

[12] "Easton Meeting, 28 June 1762," *ibid.*, VI, Part 3, 270. L. C. transcript.

[13] "William Johnson's Report to the Lords of Trade," August 1, 1762, *ibid.*, VI, Part 3, 286. L.C. transcript.

persistence of Woodbridge and the Connecticut faction, Johnson continued to write about the matter in letters to both Governors James Hamilton and Thomas Fitch.

A conference to discuss the whole problem was called at Hartford, Connecticut, by order of Sir William Johnson on May 28, 1763. In attendance were the Governor, representatives of the Council and Assembly of Connecticut, Sir Guy Johnson, deputy agent for Indian affairs, and the chiefs of the Six Nations. Indian speakers informed the Connecticut government that the land had not been purchased legally; that is, with the consent of all the members of the Confederacy at a general meeting. The Indians asked the whites if they would like to have their lands taken from them in such a manner. "You are a Praying People," they added, "better acquainted with Books, and Learning, than we are, and consequently know better what is Right, than to think it well, to have your Lands (as we may say) stolen from you—surely you could not like to be treated in such a manner,—to be deprived of your Lands, on which you depend for your Chief Support!"[14] In answer, Governor Fitch assured the Indians that he had forbidden the settlement of the Wyoming area in the name of the King and that the people involved had agreed to submit to the King's wishes. Fitch then optimistically wrote to Johnson stating that he was confident the Indians had been satisfied and that no uneasiness would now remain among them.

Governor Fitch's optimism was short-lived, for the natives found themselves driven back by the ever-increasing numbers of white settlers who arrived in the disputed area during the spring of 1763. Unfortunately for the pioneers who went west that year, war again swept over the frontier settlements. This time the Indians, under Pontiac, the Ottawa chief, were more united than ever in the effort to drive the white men from Indian lands. Many frontier settlers faced the horrors of Indian war during this period, including those in the settlement of the Wyoming lands on the Susquehanna.

The knowledge that the Indians, when once aroused, were merci-

[14] "Conference at Hartford, Colony of Connecticut, 28 May 1763," *ibid.*, VI, Part 4, 419–24. L.C. transcript.

less foes did not completely restrain the colonists, the most avaricious of whom continued their efforts to obtain Indian land. Time and again, during what would prove to be the twilight years of the colonial era, the Indians turned to the superintendent of Indian affairs, Sir William Johnson, in their attempts to protect their ever-diminishing land holdings. Johnson, however, could do little more than forward their grievances to colonial officials and the home government. As has been seen, the inaction of officialdom was an unfortunate aspect of many of the Indian land controversies of this period. Complaints were received and promises were made to investigate, but years might pass with no action being taken by the officials. One illustrative case is the Conojohary patent, which had been brought to the attention of Lieutenant Governor James De Lancey at the Albany Conference in 1754. Despite promises made to the Indians, aside from submitting a report to the Lords of Trade, De Lancey had actually done nothing about this particular complaint, which involved the very lands upon which the Mohawks lived.

It was left to the Indians to reopen this matter. As events unfolded, the lone figure of George Klock, the settler and land speculator who lived on Conojohary lands, emerged as the stumbling block in every attempt to solve the problem of the Conojohary patent. Following the example of the Livingston heirs, those speculators who had an interest in this patent agreed to relinquish their rights to what appears to have been a large area of Mohawk lands lying west of Fort Hunter and south of the Mohawk River. While there is no evidence that the claimants actually did give up their rights, it is possible that they might have done so if George Klock had co-operated. But Klock declined to compromise and thereby blocked efforts to cancel the patent. On February 17, 1761, several Mohawk sachems complained to William Johnson that Klock was not only offering their lands for sale but also had ordered some of their tenants to pay him the rent that formerly had been paid to the Indians. The Mohawks begged Johnson to investigate the matter.[15]

[15] "At a Meeting at Canojoharie," February 17 [1761], *ibid.*, VI, Part 1. L.C. transcript.

Sir William Johnson's attempts to locate Klock were evidently unsuccessful, for he wrote to Cadwallader Colden, now lieutenant governor, who brought the problem to the attention of the New York Colonial Council. Klock was ordered to appear before the Council on April 2, 1762, to answer the Indian charges, but he attempted to secure delays and, meanwhile, petitioned for affidavits of all the papers on which the Indian complaints were based. Appearing before the Council on April 7, Klock produced several affidavits and two deeds signed by Conojohary Mohawk Indians. After discussing the charge that Klock had plied the Indians with liquor and had then prevailed upon them, while drunk, to deed him their lands, the Council members ordered Klock to appear before the supreme court of the colony. Cadwallader Colden, with the advice of the Council, ordered the Attorney General to take proper measures to cancel those claims on Mohawk lands held by Livingston and others, including the persistent Klock.[16]

That Johnson supported the Indians in this matter is evident from his letter to Attorney General John Tabor Kempe, wherein he stated that this case was an "injury" to the Conojohary Mohawks and was contrary to Crown policy. Indeed, Johnson said, such abuses would cause great trouble if they were not eliminated. Johnson, as superintendent of Indian affairs, offered to help Kempe in any way possible. At the same time, Johnson asked the Attorney General's assistance in determining the appropriate legal steps to be taken by tenant farmers who had been evicted by George Klock, but who had paid, and were continuing to pay, their yearly rent to the Indians.

After consideration of the Attorney General's report on the Conojohary patent, the Council advised that the matter should be discussed in a hearing on December 15, 1762. Because the Indians were not able to attend the hearing in New York City, they appeared before Sir William Johnson and three justices of Albany County, who examined their complaint and forwarded additional data to the Council. When the case was finally heard by the Council, sitting as the supreme court, in January, 1763, Klock produced two deeds,

[16] New York Council Minutes, XXV, 414–15, 439–41. N.Y.S.L.

or quitclaims, that had been signed by the Indians in 1761 and 1762. The Council then ordered that Johnson and as many of the justices of the peace as could be assembled meet with all the interested parties to inquire further into the matter and transmit their findings to the Governor and Council.[17]

The principals involved in this dispute met with Johnson on March 10, 1763. At this meeting, the Indians followed the traditional procedure used during formal talks at tribal councils and Indian treaties. To emphasize each statement, the speaker would present a string or belt of wampum to the group addressed. In this instance, in a long speech by one of the sachems, punctuated by the presentation of empty liquor bottles in the same manner that wampum belts were presented, Klock's conduct was once more made clear. By luring the Indians, one at a time, to his house and plying them with rum, he had induced them to put their marks on a deed of sale, despite the fact that it was common knowledge among both Indians and whites that only those deeds which were approved in open council were valid.[18]

Yet this matter of ownership of the Conojohary lands was far from settled. When the proceedings of the meeting with Johnson were examined by the Council in New York, the Attorney General stated that the Council had no jurisdiction over a matter affecting private property. Kempe also observed that, although this matter had to be decided in a court of justice, patentees who no longer resided in New York were out of the court's jurisdiction. By this time (March, 1763), the interests of the patentees had been subdivided among several persons who lived outside the colony. Attorney General Kempe suggested to the Governor that the case be referred to London, for the English courts would have jurisdiction over all parties in the case, including the Indians.[19]

Six years later, as the litigation continued, Kempe informed John-

[17] *Ibid.*, XXV, 460–61, 469–71. N.Y.S.L.

[18] "Meeting Relative to Lands at Conajohare," March 10, 1763, Public Archives of Canada, Indian Records, VI, Part 4, 365–75. L.C. transcript.

[19] John Tabor Kempe to Robert Monckton, June 3, 1763, Chalmers Papers, XI, 29. N.Y.P.L.

son that, although all the other patentees had agreed to release the lands at Conojohary to the Indians, Klock had absolutely refused and continued to refuse.[20] Kempe subsequently accepted Johnson's suggestion that an act of the legislature, if it could be obtained, would solve the problem. But the legislature apparently declined to take action.

Johnson was to find that the Indians' complaints about George Klock would harass him to his dying day. On July 11, 1774, a Conojohary chief regretfully told Johnson that his people were again under the necessity of complaining against "that old Rogue, the old Disturber of our village, George Klock."[21] The Indians were beginning to doubt if any real justice would be done in this case. Johnson told the Mohawks that he would once again put the matter before the government. He asked them to be patient, for he said that Klock's underhanded tactics were repugnant to the Crown. Unfortunately, within a few hours of this conference, death claimed Sir William Johnson.

Colonel Guy Johnson, Sir William's nephew and successor as superintendent of Indian affairs, resumed the conference with the Indians immediately after Sir William's funeral and assured them that he would work in their behalf. Guy Johnson was also concerned about the effect this quarrel was having on the settlers of the New York frontier. Alarmed and apprehensive, they had announced their intention to petition Lieutenant Governor Cadwallader Colden to compel Klock to satisfy the Indians. What appears to be the last action taken by the colonial government in this affair occurred on December 7, 1774, when Colden, with the advice of the New York Council, directed that Klock be informed that unless he executed a release for the lands in question, the matter would be laid before the Assembly to obtain justice for the Indians.

The New York Land Papers show that Klock nevertheless con-

[20] John Tabor Kempe to William Johnson, January 31, 1769, John Tabor Kempe Papers, Letters A–Z, Box 1. N.Y.H.S.

[21] "Speech of Decharihoga Chief of the Canajoharies to Sir William Johnson," July 11, 1774, *Documentary History of the State of New York*, II, 1004–1006.

tinued to claim this land and actually made efforts to have the New York state government confirm his fraudulent deeds. Klock even had the audacity to declare that the land had been denied to him through the exercise of influence and intrigue on the part of Sir William Johnson.[22]

Klock's tenacity was apparently rewarded, but from an unexpected direction. Chiefs of the Oneidas in 1792 wrote to the High Sheriff of New York requesting that old Mr. Klock and his family be allowed to "remain on our land . . . during our pleasure."[23] They stated that they regarded him as a harmless old man who frequently supplied them with milk and such other items they needed. And so, in one way or another, through fraud and the sheer persistence of the whites, the Indians slowly but surely lost their landed heritage.

The story of George Klock and the Mohawks is representative of conflicts over land transactions throughout the colonial period, many of which were just as fraudulent. The size of grants, in certain instances, was almost incredible. The Scarsdale patent, for example, granted to Caleb Heathcote on March 21, 1701, with an annual quitrent of £5, actually included the present towns of Scarsdale, North Castle, New Castle, and a part of White Plains. In 1697, Colonel Henry Beekman acquired 90,000 acres of land on the east side of the Hudson River for which he paid 40 shillings yearly in quitrent.

The Manor of Rensselaerwyck had been granted to Kilian Van Rensselaer in 1685, and the grant had been confirmed in 1704. This exorbitant grant contained over a million acres, for which Van Rensselaer paid an annual quitrent of fifty bushels of wheat. Captain John Evans, naval commander, paid personally to Governor Benjamin Fletcher £500 for a land grant extending eighteen miles along the west bank of the Hudson River and thirty miles inland. Colonel

[22] New York Colonial Manuscripts, Land Papers, April 26, 1785, XXXVII, 148. N.Y.S.L. See also *ibid.*, May 13, 1784, XXXVII, 19; June 29, 1786, XLV, 125; July 3, 1786, XLII, 117; December 22, 1787, XLV, 125; September 22, 1790, XLIX, 102.

[23] Oneida Chiefs to William Colebreath, August 6, 1792, Huntington Miscellaneous, 13425. H.L.

Stephanus Van Cortlandt was granted a twenty-square-mile tract of land on the east side of the Hudson River, for which he paid 40 shillings a year in quitrent. Governor Fletcher was even more generous in the case of the Dutch minister Godfrey Dellius, whose 1697 grant to Mohawk lands has already been discussed. In 1696, Fletcher granted Dellius a seventy-mile-long tract on the east side of the upper Hudson River for which Dellius paid one raccoon skin a year in quitrent. According to Governor Fletcher's successor, the land grants of Colonel Henry Beekman, Colonel Peter Schuyler, Robert Livingston, and Kilian Van Rensselaer comprised fully three-fourths of the colony of New York.[24]

The next two chapters will be devoted to two additional grants of Indian lands. They warrant special consideration in these case studies because they illustrate, in detail, the manner in which the colonials obtained Indian land. Both grants, fraudulently acquired, are mentioned only briefly by writers who touch on the land system in the colonies. The first of these, Kayaderosseras, was allocated to a number of speculators by Governor Lord Cornbury. The Philipse patent, on the other hand, was granted by Governor Fletcher to a single individual. Both grants were huge, and the resolution of their ownership took much time and effort. The histories of the Kayaderosseras and the Philipse land grants are illuminating examples of colonial land fraud practices.

[24] Earl of Bellomont to the Lords of Trade, May 3, 1699, *New York Colonial Documents*, IV, 514.

THE KAYADEROSSERAS GRANT

IT WILL BE RECALLED that the Albany Conference, held in the summer of 1754 at the suggestion of the Lords of Trade, had as its basic aim the preservation of Anglo-Indian friendship. Lieutenant Governor De Lancey of New York had been advised to confer with the Indians and to explore the origin of their complaints about being defrauded of their lands. He was to take all proper and legal methods to redress their grievances and to satisfy their demands by legal purchases. Canadagara, speaker for the Mohawks, in summarizing native complaints about the status of their lands, placed particular stress on what he called the "writings" that threatened to dispossess the Indians. These writings were, of course, the deeds that had been procured from the tribesmen at various times over the years. When Governor De Lancey asked the Indians to be specific so that he could identify the disputed lands and the people who claimed the lands, Canadagara answered that the Indians were concerned about a large tract of land called Kayaderosseras, but he could not name any particular persons who claimed the land because there were so many white people involved.[1]

The Kayaderosseras land controversy was indeed a cause of serious concern among the Mohawks. The history of this patent resembles that of many other fraudulent land purchases, but with two notable differences: The amount of land was large, involving, Sir

---

[1] "Proceedings of the Colonial Congress held at Albany," June 27, 1754, *New York Colonial Documents*, VI, 865–66.

William Johnson wrote, some 800,000 acres, and the purchase price of £60 in goods had apparently never been paid at all.[2] This tract, a kind of crude parallelogram, seems to have embraced all of present Saratoga County north of the Mohawk and west of the Hudson River. Saratoga Lake and part of the Adirondack Mountains are located in this area, much of which is unsuitable for agriculture.

The earliest known record of this grant is a petition dated April 22, 1703, in which Sampson Shelton Broughton, attorney general and member of the New York Council, asked for a license to purchase for himself and "others" a certain tract of vacant and unappropriated land known as Kayaderosseras.[3] Governor Lord Cornbury granted a license to Broughton which carried the proviso that the purchase had to be confirmed by letters patent within one year of the date of the petition. For reasons that are still not apparent, Broughton did not actually complete the purchase for himself and his associates until October 4, 1704. On that date, Broughton, in behalf of himself and "company," agreed to purchase the lands for goods worth £60 from the Indians known as Joseph, Hendrick, and Cornelius, who were designated in a deed as Mohawk sachems and "Owners Proprietors." The deed states that the price was to be paid with current money of the province, but it was the custom to substitute goods for money in payment for Indian lands. The three Mohawk sachems apparently represented three clans, but the deed was actually signed with the marks of Joseph, Hendrick, Amos, and Gideon, who seem to have represented only two of the Mohawk clans.[4] That the deed was signed by only two of the original three who had agreed to the purchase is evidence that the legality of the purchase was questionable.

[2] William Johnson to the Lords of Trade, November 13, 1763, *ibid.*, VII, 576. Goldsbrow Banyar, New York merchant, also concluded that the grant was this size. See Goldsbrow Banyar to George Clarke, November 17, 1763, Banyar Papers, Box 1, George Clarke Correspondence, 1763. N.Y.H.S.

[3] "Petition of Sampson Shelton Broughton," April 22, 1703, New York Colonial Manuscripts, Land Papers, III, 122. N.Y.S.L. See also *ibid.*, IV, 31, 34, 74, 80.

[4] Copy of "Indian Deed for Kayaderosseras," October 6, 1704, Miscellaneous Manuscripts, Kayaderosseras. N.Y.H.S.

Moreover, the Indians, according to William Johnson, claimed that the deed was fradulent because only two clans instead of three were represented as signers of the deed.

In the next four years, the Broughton family repeatedly petitioned the Governor for letters patent that would confirm the grant and establish their legal title to the land. After Broughton's death, his widow Mary and her son, Sampson Broughton, continued efforts to obtain the letters patent. Although Governor Cornbury had ordered that a warrant should be issued to the Attorney General to prepare the letters patent, he evidently later decided not to sign the warrant which would have secured this grant for the Broughtons.

On September 27, 1708, a new petition for this tract was presented by one Nanning Harmense and others who, it seems, were the "others" first associated with the elder Broughton. This last petition states that although the senior Broughton, by a license from Governor Cornbury, did make a "purchase" of the tract, Broughton had not obtained a patent for it. Harmense claimed that neither Broughton, nor anyone else for him, had ever paid money "directly or indirectly" for the purpose of obtaining the appropriate letters patent for the land, so it is possible that Lord Cornbury's reluctance to issue the patent was due to Broughton's failure to make any kind of payment to the Governor. Nanning Harmense and his associates apparently wished to have the land granted to them in thirteen undivided shares so that the Broughton heirs would have only one-thirteenth interest in the property. The problem they faced was that Mrs. Broughton, living in England after her husband's death, was reluctant to give up the deed. Even if Widow Broughton had declined to produce the deed, Harmense and his fellow petitioners believed that the land should be turned over to them because, they claimed, the deed had been exhibited before the Council in previous years and was well known.[5]

Although the New York Council Minutes of this period were

[5] "Petition of Nanning Harmense & Co.," Sept. 27, 1708, New York Colonial Manuscripts, Land Papers, IV, 161. N.Y.S.L.

burned in the Albany State Library fire of 1911, a fragment of the minutes of September 27, 1708, survives, which reveals that a warrant was directed to the Attorney General to draw the patent for the Harmense associates, and at this time Mrs. Broughton was ordered to produce her deed. A month later Cornbury ordered Attorney General May Brickley to prepare the necessary papers, and a patent for Kayaderosseras was subsequently granted to Nanning Harmense and twelve associates.[6] Why Cornbury declined to approve the Kayaderosseras patent for the senior Broughton but later approved one for Harmense is open to conjecture.

It is possible that the final success of this group in obtaining the patent was due to the fact that one of the petitioners was a member of the New York Council hearing the petition, while another was the attorney general who was directed to prepare the letters patent. On November 2, 1708, Cornbury, acting for Queen Anne, formally granted the huge tract in what seems to be thirteen undivided shares to the petitioners on condition that they, or their heirs, "shall within the Time and Space of Seven Years now next following from and after the date hereof, Settle Clear and make Improvements of . . . some Part or Parcel thereof."[7] This order of the Queen's was signed by George Clarke, who was clerk (and later a member) of the New York Council, and who subsequently acquired a large interest in the grant.

In spite of the repeated efforts made to secure title to this land, there is little evidence that anything was done about attempting to take possession of the area until 1732. On November 10 of that year, two of the patentees, representing themselves and the other claimants, petitioned Governor William Cosby for permission to survey all or any part of the lines and bounds of the grant.[8] There is however, no available record that such a survey was made.

[6] Schuyler Papers, Land Papers Local, Saratoga I, Box 21. N.Y.P.L. The patentees were Nanning Harmense, Johannis Beekman, Rip Van Dam, Ann Bridges, May Brickley, Peter Fauconnier, Adrian Hooghlandt, John Stevens, John Tatham, John Tudor, Johannis Fisher, Joris Hooghlandt, and Sampson Broughton, Jr.

[7] "Copy of Kayaderosseras Patent," November 2, 1708, Miscellaneous Manuscripts, Kayaderosseras. N.Y.H.S.

In the next decade, the Mohawks exhibited increasing concern about their lands and complained at intervals about the whites who claimed the Kayaderosseras tract. William Johnson wrote that he had often discussed this transaction with the Indians when he first settled in the Mohawk Valley. On these occasions he was repeatedly assured by the Indians that the amount of land involved was an area just sufficient for three or four farms. According to Johnson, the deed was obtained for a trifling consideration of promised goods, which later were deposited in Schenectady and lost in a fire when the French attacked the town. Consequently, the original payment for the Kayaderosseras tract was apparently never received by the Indians. Indeed, the Indians were angered when they learned that this so-called purchase actually extended over the lands, then unoccupied, between the Hudson and Mohawk rivers, including a most valuable part of the Mohawk hunting grounds. The tribesmen had evidently convinced themselves that, because no attempts had been made to occupy the land, the white men had laid aside their claim.[9]

During the Albany Conference in 1754, Lieutenant Governor De Lancey held a special meeting with the Mohawks to discuss a deed to the tract. This was apparently Broughton's deed of 1704. The description of the land granted by the deed was read to the Mohawks, and even De Lancey noted that the land included in the patent was more than the area specified in the original Indian deed. De Lancey at this time further observed that other whites who were not present might have additional deeds to the area. He added that he could do no more than lay the matter before the King, who would, no doubt, mete out justice to the Indians. The Indian spokesman replied that there was an old man present who did not remember that the land had ever been purchased from the tribe. The Indian spokesman then pointed out that his people would hardly sell

[8] "Petition of Johes Vischer and Johes Beekman," New York Colonial Manuscripts, Land Papers, XI, 54. N.Y.S.L.

[9] William Johnson to the Lords of Trade, November 13, 1763, and October 30, 1764, *New York Colonial Documents*, VII, 576, 671.

such a large area of land for the alleged purchase price of goods worth only £60.[10]

In spite of the Indian protests at the Albany Conference and subsequent instructions issued by the British government at about that time, declaring land grants null and void unless a certain proportion of the land was cultivated and occupied within a reasonable period, no settlement was made on the Kayaderosseras tract, nor is there any available record of surveys or partitions having been made by the prospective owners. Johnson noted that the Indians, relatively complacent about this large grant, received a jolt at the Albany Conference when they were informed about the existence of the patent of 1708, which encompassed such a vast amount of their territory.

Shortly after the close of the Albany Conference, Lieutenant Governor De Lancey sent a memorandum to the Lords of Trade regarding the Kayaderosseras patent with the observation that the land had been first granted to thirteen persons or tenants in common, but by "purchases and devises" the claimants had increased to such a number that it would be impracticable to divide and settle it. De Lancey made a "very low computation" on the size of the tract, estimating it contained 256,000 acres, which he considered to be about twenty miles, although it actually amounted to an area twice that size. He also stated that "it would be of great service and security to our northern frontiers" if the grant were canceled and an attempt made instead to occupy the area with settlers. De Lancey further declared that he was at a loss as to what steps to take to make a satisfactory payment to the Indians.[11]

In the summer of 1755, William Johnson, acting in behalf of the Iroquois, wrote to the Lords of Trade about Mohawk complaints respecting their lands. By this time, the Lords of Trade were aware of the necessity for having one qualified Crown officer to regulate Indian affairs. On February 17, 1756, Johnson received a commission from George II, appointing him "Sole Agent and Superintend-

[10] "Council with Connajohary at Albany," July 6, 1754, New York Council Minutes, XXIII, 202–205. N.Y.S.L.

[11] James De Lancey to the Lords of Trade, July 22, 1754, *New York Colonial Documents*, VI, 851.

ent of the Affairs of the Six Nations and their Confederates in the Northern parts of North America." That appointment meant that Johnson was now able to work actively to protect the interests of the natives. In the following months, the Lords of Trade sent Sir Charles Hardy, then governor of New York, instructions pertaining to the problem of extravagant land grants, which the Crown viewed as one of the principal causes of the disturbing state of the relations between the Iroquois and the colonists. Recognizing that court action would probably be fruitless, the Lords of Trade advised Hardy to "recommend" that the New York legislature consider the advisability of passing a law "to vacate and annul" the exorbitant and fraudulent Kayaderosseras patent.[12]

At the same time James De Lancey, now chief justice of New York, was asked by the Lords of Trade to co-operate with Governor Hardy in supporting the passage of such a bill, which was a "matter of great tenderness and delicacy," because taking the matter of fraudulent Indian claims through the courts would be a long and involved process.[13] *The Journal of the Legislative Council of New York* shows that on July 6, 1756, Goldsbrow Banyar, New York merchant and councilman, brought a message to the Council from Governor Hardy, in which he reported that the Lords Commissioners for Trade and Plantations had requested "the Interposition of the Legislature in passing a law for vacating and annulling these exorbitant and fraudulent Patents," a measure that Hardy apparently believed would have Assembly support.[14]

But no action was taken by the legislature, and on March 20, 1760, the Indians again appealed to Johnson. Although he had assured them "some time agoe" that the Kayaderosseras purchase would be settled to their satisfaction, they complained that they had heard nothing further about it and were, they said, "afraid it will be forgot, & then we must be a ruined people." Johnson promised to make

[12] Lords of Trade to Charles Hardy, March 19, 1756, *New York Colonial Documents*, VII, 77–78.

[13] Lords of Trade to James De Lancey, March 19, 1756, *ibid.*, 78–79.

[14] New York, *Journal of the Legislative Council of the Colony of New York*, II, 1265.

himself "master of their complaint" and then to forward it to England to be laid before the King.[15]

The Kayaderosseras grant was not only of great concern to the Indians who occupied the land, but also proved to be a problem for those colonists and Englishmen who, like the members of the George Clarke family, had acquired a share of the tract. In a letter of August 7, 1760, Goldsbrow Banyar, acting as business agent for the Clarkes, who lived in England in the 1760's, reported to the junior George Clarke that a thirteenth share in Kayaderosseras had been sold for £500. He stated that the immense tract was still claimed by the Indians and that it had been divided into so many rights and shares "that it's scarcely possible to come to a Decision without an Act of Assembly." This fact, together with uncertainties as to boundaries and the relatively poor quality of the greater part of the land, would, in Banyar's opinion, render sale of it very difficult. He could not believe that purchasers would pay so much, he said, for a thirteenth share.[16] Johnson expressed a somewhat similar view two years later, when he commented on the high value of lands, but stated that the Kayaderosseras patent was recognized as being among those surreptitiously obtained. Hence, Johnson maintained that it would not be advisable to become involved in any shares in the tract. Johnson believed that since many shareholders lived outside New York in the 1760's, it would be extremely difficult to purchase the land. He further observed that by 1761 there was no possibility of buying land directly from the Indians, "so that what is bought now," he wrote, "must be from those who have already pattented Lands."[17] Johnson's continuing efforts to resolve the problems of the Kayaderosseras grant are exhibited in two detailed accounts he sent to the Lords of Trade in the fall of 1763, describing the history of the grant and the growing dissatisfaction of the Indians.

[15] "Sir William Johnson's Proceedings with the Lower Mohawk Indians," March 20, 1760, *New York Colonial Documents*, VII, 436.

[16] Goldsbrow Banyar to George Clarke, August 7, 1760, Banyar Papers, Box 1, George Clarke Correspondence 1760. N.Y.H.S.

[17] William Johnson to Robert Leake, March 12, 1762, *Papers of Sir William Johnson*, X, 396–97.

In spite of the fact that the Indians would not permit settlements in the Kayaderosseras area, colonists were still interested in attempting to buy the land. In November, 1763, Goldsbrow Banyar again wrote to George Clarke about selling a share in the tract. Banyar was at a loss to set a price for the prospective buyer of the land, although he had heard that £1,400 in currency was the highest amount yet paid for a thirteenth share. Banyar also wrote that, because the Indians disputed the title, taking possession of the land would be extremely difficult. It was for these reasons, Banyar said, that shares in the grant sold at prices which were comparatively lower than those in other frontier lands. After considering these factors, Banyar advised Clarke that a thirteenth share of Kayaderosseras might sell for as much as £2,000.[18]

In the fall of 1764, the Lords of Trade again attempted to prod the New Yorkers into taking action on this grant. They directed Cadwallader Colden, lieutenant governor at this time, to take specific steps to have the Assembly cancel the Kayaderosseras patent. Although Colden attempted to win Assembly support in following the instructions of the Lords of Trade, he was unsuccessful, for the obstinate legislature declined to co-operate. The Lords of Trade had originally directed Colden, in case the Assembly refused to vacate the Kayaderosseras patent, to send them an authentic copy of the patent and deed so these documents could be placed before Parliament. Colden believed that since there was no proof of actual settlement on the tract, Parliament might vacate the patent.[19] In a letter to the Board of Trade, dated November 6, 1764, Colden pointed out some of the peculiarities of this grant. First, he discussed the Indian conception of property rights; namely, that all lands are held in common and are only distinguished as to private property by occupancy. Therefore, he contended, no individual Indian can give title to lands.

---

[18] Goldsbrow Banyar to George Clarke, November 17, 1763, Banyar Papers, Box 1, George Clarke Correspondence, 1763. N.Y.H.S.

[19] Cadwallader Colden to William Johnson, October 1, 1764, October 15, 1764, and October 22, 1764, *Colden Letter Books*, I, 369, 378, 379.

Colden then noted that the Indian deed to the Kayaderosseras tract had been approved by three Indians but that only two of the three had signed it. Moreover, Amos and Gideon, two otherwise unidentified Indians, who, Colden said, were not parties to the deed, were, for some mysterious reason, co-signers. In conclusion, Colden added, the Indians were ignorant of English measure and the length of English miles, the boundaries of the grant were uncertain, some of the landmarks mentioned were unknown, and the land area within the boundaries of the patent was much greater than that described in the original Indian deed.[20] A map enclosed with Colden's letter of November 6 to the Lords of Trade plainly shows that the lands sold by the Indians were only a small part of those claimed by the patentees. Colden sent a copy of this letter to Sir William Johnson and asked Johnson to send to the Board of Trade additional evidence that would support the Indians' case. Colden asked Johnson to stress two facts: first, that the Indians denied that the purchase was fairly made, and second, that the patentees had made few, if any, attempts to improve the land. In accordance with Colden's request, Johnson, as superintendent of Indian affairs, forwarded to the Lords of Trade the papers he believed necessary to illustrate the fraudulent aspects of the grant.

Johnson was undoubtedly convinced that the matter had become serious and would involve the colony "in more trouble fifty times than the Patent is worth." In his letter of February 27, 1765, to Colden, Johnson disclosed that, while he had endeavored to pacify the Mohawks, even the Ohio Delawares and other Six Nations tribes believed the Mohawks deserved better treatment in the affair.[21] Colden, on March 15, 1765, called the matter to the attention of the New York Council by citing Johnson's fears that the Indians might take matters into their own hands. After discussion, the Council finally rendered the opinion that the only way to give satisfaction to

[20] Cadwallader Colden to the Lords Commiss[ers] for Trade and Plantations, November 6, 1764, *ibid.*, II, 392–93.

[21] William Johnson to Cadwallader Colden, February 27, 1765, P.R.O., C.O. 5/284, New York QQ. L.C. transcript.

the Indians was to conduct an inquiry into the letters patent pertaining to the Kayaderosseras grant. The Attorney General was then ordered to issue a writ requiring the patentees to show cause why the letters patent should not be vacated. The Council also recommended that Sir William Johnson be notified of its action as soon as possible. Johnson was asked to employ a qualified person to assist the Attorney General and to furnish the necessary evidence regarding the right of the Indians to the land in question.

Cadwallader Colden sent a copy of the Council minutes to Johnson and asked him to assure the Indians "that you and I have done everything to see Justice done," adding that "even the King cannot do justice to himself or his subjects otherwise than by his Courts of Justice."[22] But Colden had little faith that a Council inquiry would satisfy Indian complaints. He hoped that the Lords of Trade would solve the problem by an act of Parliament. According to Colden, this was the only way the Indians could obtain justice, short of taking their case to the common law courts. Colden meanwhile forwarded to England a report of the action taken by the Council and expressed dissatisfaction at the delays in the proceedings.

When Sir William Johnson informed the Mohawks of the Council's decision to proceed against the patentees, the Indians were dissatisfied because Johnson could not assure them that the patent would be vacated. By this time (1765) the Mohawks had made a formal complaint about the grant to the rest of the Iroquoian Confederacy, and Johnson forwarded this information to the Lords of Trade. He also called Their Lordships' attention to the fact that by now even the suspicions of the neighboring Oneida tribesmen were aroused, and that the Oneidas had asked whether or not "any such claims lye dormant agst their lands." Johnson went so far as to warn about dangerous consequences that would follow if the suit went against the Indians, because as he said, everybody knows "the whole to have been a notorious fraud."[23]

[22] Cadwallader Colden to William Johnson, March 15, 1765, *Colden Letter Books*, I, 473–74.

[23] William Johnson to the Lords of Trade, May 24, 1765, *New York Colonial Documents*, VII, 712–13.

Johnson also inquired whether the Lords of Trade would object if he took it upon himself to incur the expense of a law suit in the colony on behalf of the Crown. He informed Their Lordships of the "load of scurrility and detraction" that had been heaped upon him for his defense of the Indians but added that it was to be expected from "those who always did, and always will, traduce everry officer of the Crown, that is not of their Party."[24]

The records demonstrate that both Colden and Johnson expended much time and energy in efforts to secure justice for the Mohawks in regard to this grant. In a letter to Johnson in June, 1765, Colden again reviewed the measures that had been taken, and suggested that justice might be obtained by formal application to Parliament. He sagely observed that "it will be impossible for you to please both the Indians and the Patentees of Great Tracts."[25]

In answer to inquiries made by Johnson in 1765 about Kayaderosseras, New York Attorney General John Kempe said he was still studying the papers sent to him and had no definite opinion as yet. Kempe was, however, able to answer one of Johnson's queries about whether or not the patent could be declared forfeit because of a breach of the condition of settlement. Kempe noted that the patent did contain a proviso for the settlement and improvement of some part of the land within seven years. Under these circumstances, if no improvements had been made within the time prescribed, Kempe said, the grant would be liable to forfeiture. Kempe, nevertheless, observed that "upon this same Principle almost every Estate in the province may be defeated, and this would breed a dreadful Confusion." He thought it well worth considering "how far a proceeding on that Principle may be good in Policy."[26]

Eventually a move was made by a committee of the Kayaderosseras patentees to bring about a settlement by offering the Indians a quitclaim deed to part of the tract. Since Johnson was the person

[24] *Ibid.*

[25] Cadwallader Colden to William Johnson, June 13, 1765, *Colden Letter Books,* II, 20–21.

[26] John Tabor Kempe to William Johnson, July 22, 1765, John Tabor Kempe Papers, Letters A–Z, Box 1. N.Y.H.S.

approached by the committee, and since he was anxious that the controversy be resolved, he informed the Lords of Trade that he would lay the proposal before the Indians for their consideration. Whether or not Johnson followed through with his plan cannot be determined since his letters and memorials in the following months make no reference to the proposal. Perhaps he may have preferred to postpone action on this matter, for at this very time government officials in New York were unsuccessfully attempting to cope with rioting colonists who were demonstrating against the Stamp Act. Johnson reported that the Indians had heard about the disorders and desired to know the cause. He wrote, "I have given them an answer with the utmost caution, well knowing their Dispositions, & that they might incline to Interest themselves in the affair, or fall upon the inhabitants in revenge for old frauds which they cannot easily forget."[27]

Sir Henry Moore, in August, 1766, a year after he became governor of New York, visited the Mohawk country and spent four days conferring with the chiefs of the tribe. In a letter to the Secretary of State, the Earl of Shelburne, Moore described his visit and reported that the Indians wanted the government to cancel the Kayaderosseras grant. Moore then listed the reasons for the Mohawk request in case all the circumstances had not been mentioned in previous correspondence on the matter:

1st   They deny that it ever was their intention to convey so large a Tract of Land as the Patent describes which according to some accounts contains 600,000 acres and according to others 900,000 acres.

2[ndly]   They acknowledge that some of their brethren did intend to sell a small Tract which is included in this Patent, but that it bears no manner of Proportion to that mentioned in the deed.

3[rdly]   That the deed of sale was executed only by two of their Tribes without the concurrence of the third, which makes it void, as no lands

[27] William Johnson to the Lords of Trade, September 28, 1765, and January 31, 1766, *New York Colonial Documents*, VII, 766, 809–10.

can be disposed of in a fair and equitable Sale, without the consent of all the three Tribes denominated by them, the Turtle, the Wolf, and the Bear.

4^{thly} That they never received any consideration of the Sale nor do the Patentees pretend that ever they did.

5^{thly} That they have been informed that some goods were sent to Schenectady, which were to be given to them instead of Money, but the Person with whom they were intrusted gave it out that the house in which they were lodgd was burn't, and the goods destroyed so that they never had the least gratification made to them for the Land either in goods or money.[28]

The Indians concluded their reasons for disputing the validity of the grant by declaring that they would not permit settlement to be made on the land under such fraudulent claims. The chiefs also added that they were looking to England for the justice that had been denied to them in America.

In spite of the years devoted to the solving of the land problems by the Crown and colonial officials, this case seemed to defy solution. Johnson wrote to Cadwallader Colden about Governor Moore's visit to the Mohawk country, mentioning the Governor's own purchase of two large tracts of land from the Oneidas. Although the Oneidas agreed to dispose of two tracts to the Governor, they requested that they not be asked to sell any more of their land.[29]

Governor Moore, in addition to writing to the Earl of Shelburne about this dispute, met with one of the principal patentees of the tract and proposed that the patent be surrendered to the Crown. His efforts met with no response because, as he wrote, the patentees had long expected that some notice would be taken of their grant in England, and the delay had given strength to their cause and led them to believe that nothing would be attempted against them except in America. For that reason, Moore added,

[28] Henry Moore to the Earl of Shelburne, November 8, 1766, *ibid.*, VII, 876–77.

[29] William Johnson to Cadwallader Colden, November 8, 1766, Colden Papers, III. N.Y.P.L.

they have endeavoured to secure themselves against all attacks here by making so many divisions and subdivisions of Rights, that the original number of Proprietors which I am informed did not exceed sixteen, is now increased to one hundred and Thirty; The Consequence of this is, that every family of any consideration in the Province is concerned in it, as well as the principal Lawyers of the Country so that neither application is made to the Assembly, or to the Courts of Justice there is not the least probability of success as the very persons interested in the event will in either case be the Judges in their own Cause.[30]

By the end of 1766, Johnson was able to send to Shelburne an account of the Assembly's reasons for not canceling the patent. One reason the Assembly opposed cancellation was that the action would call attention to the character of Lord Cornbury, the governor who had approved the original grant. Johnson believed this was specious reasoning and wrote that the Assembly, in canceling other patents, had not considered the problem of the character of the governors. In defense of the charge that the land had not been settled in 1708, the Assembly said "that it lay too much exposed to the Enemy." Johnson dismissed this reason with the statement that many of the tracts, including his own, were settled "during the heat of the war."[31] In a second letter to Shelburne, Johnson stressed the fact that the Kayaderosseras grant, in which all the Six Nations were interested, remained a grievance and might well encourage the Iroquois to take desperate measures of revenge.

During the late 1760's, as land values increased, the proprietors of the tract continued to profit from the increasing value of their shares. In the spring of 1767, Goldsbrow Banyar wrote once again to his client in England, George Clarke, Jr., stating that he now had an offer of £2,100 currency from two merchants of New York for Clarke's one-thirteenth share—"half down and the Remainder of the money to be paid in one year without interest."[32] Banyar's opinion

[30] Henry Moore to the Earl of Shelburne, November 8, 1766, *New York Colonial Documents*, VII, 876–77.

[31] William Johnson to the Earl of Shelburne, December 16, 1766, *ibid.*, VII, 881.

[32] Goldsbrow Banyar to George Clarke, April 6, 1767, June 1, 1767, and January 23, 1768, Banyar Papers, Box 1, George Clarke Correspondence, 1767. N.Y.H.S.

was that if the share were his, he would keep it, but he himself would not purchase it. Clarke, hard pressed for cash, ordered his agent to offer it to the potential buyers, and the sale was finally consummated.

In May of 1768, Governor Moore wrote to the new Secretary of State, the Earl of Hillsborough, the astonishing news that the claimants in the dispute had given him "carte blanche" to settle the matter with the Indians on such terms as he thought proper. Two months later, however, he regretfully wrote that he could not boast of any success in facilitating settlement. It seemed that, although he had been promised full co-operation, the patentees had failed to make a survey of the creek to which they desired to extend their claim. Moore then directed surveys to be made of the points in dispute. When they were completed, he planned to present the surveys to the claimants. If there were no further obstacles, Moore planned to send for the three principal Mohawk chiefs and have the affair settled publicly. Hillsborough commended Moore for his efforts to resolve this long-standing problem, stating that if the matter could be settled, "you will have done a very signal service, and . . . His Majesty entertains no doubt, that your intended interview with the Indians will be productive of great Public Advantage."[33]

Governor Moore's efforts were ultimately successful. When the surveys he ordered were completed, he sent two agents of the patentees to Sir William Johnson, and a meeting was then arranged with the Indians. Moore felt that this would be the most effective way to handle the matter. From the report of the surveys, the contending parties were able to judge with certainty what was claimed by each. An agreement was reached that was acceptable to both the Mohawks and the patentees. According to the terms of the agreement, the patentees released to the Indians a large tract of land in the western portion of the grant. They also relinquished all claims to those lands that had been legally granted to others. The Indians, on their part, released all claim to the remainder of the patent, provided the patentees paid them "5000 dollars"[34] Moore was "extremely happy"

[33] Earl of Hillsborough to Henry Moore, July 9, 1768, *New York Colonial Documents*, VIII, 82.

that the affair was finally settled to the satisfaction of all parties. Johnson was pleased because, as he noted, the Crown thus saved itself further trouble and expense. Johnson pointed out to Hillsborough that "according to the opinion of the Lawyers there were not sufficient grounds to proceed against the Patent with any Prospect of Success in a Court of Law."[35]

There were still enough problems to keep the patentees busy for a few more years. The land had to be apportioned, and in 1771 a survey was made and commissioners appointed to oversee the partitioning of the tract. Because of topographical irregularities, the land was eventually divided into twenty-five allotments. Each allotment was then subdivided into thirteen parcels. Finally, the patentees (or their heirs, as the case might be) cast lots for parcel locations.[36]

The story of the Kayaderosseras grant was repeated to a greater or lesser degree in the history of other colonial land grants and in the history of land speculation in most of the continental colonies. The difference between this fraudulent grant and others was that it involved one of the largest areas of land, and the dispute over ownership took a greater length of time to resolve—a full sixty years. In the case of the Kayaderosseras grant, at least a measure of justice was meted out to the Indians when the controversy was finally settled. However, in the settlement of the long controversy over the Philipse patent, to be described in the next chapter, the Indians were not so fortunate.

[34] Henry Moore to the Earl of Hillsborough, August 17, 1768, *ibid.*, VIII, 92. (Spanish dollars and Lyon or dog dollars were used in the colonies. Both were hard currency.)

[35] William Johnson to the Earl of Hillsborough, August 17, 1768, *ibid.*, VIII, 94.

[36] This undated information recorded by Victor H. Paltsits, editor of New York historical documents, is found in the Map Portfolio marked Kayaderosseras Patent. N.Y.P.L.

THE PHILIPSE PATENT

The story of Adolph Philipse's great Highland patent demonstrates that the merchants and wealthy landholders of colonial New York not only occupied positions of importance in the political and social life of that colony but that they also were adept in guarding their interests. This case study of the dispossession of the Indians shows how thoroughly and completely the natives were cheated out of their landed heritage. Adolph Philipse was born in New York in 1665, son of Frederick Philipse, a wealthy New York merchant, and Catharine Van Cortland. His father, a longtime provincial New York councilman, and his mother, a member of an old Dutch family, were important representatives of the colonial aristocracy. Adolph Philipse not only served on the New York Council, but served as a judge of the supreme court and as representative and speaker of the colonial Assembly.

Toward the close of the seventeenth century, Adolph Philipse acquired a tract of land on the east side of the Hudson River from Jan Sebering and Lambert Dorlandt, who had obtained a license to purchase the land from the Wappinger Indians.[1] The deed for this land, which Adolph Philipse bought for a "valuable consideration," stated that Jan Sebering and Lambert Dorlandt had paid the Indians for the land but had not obtained letters patent for it. That

---

[1] Indian Deed, July 15, 1691, Philipse-Gouverneur Papers, Pocket XIV, No. 59. Columbia University, hereafter cited as C.U. Sebering and Dorlandt's license to purchase this land is found in *ibid.*, No. 60.

Sebering and Dorlandt neglected to fulfill the conditions of their license was confirmed by Adolph Philipse, who, on June 17, 1697, petitioned Governor Benjamin Fletcher and the New York Council for letters patent. Philipse not only requested a patent for the land described in the deed but also asked for the extension of the tract's eastward boundaries to the New York–Connecticut line.[2] Philipse's request was granted, and on June 17, 1697, by letters patent issued by Governor Fletcher, Adolph Philipse claimed the ownership of approximately 205,000 acres.

Philipse undoubtedly knew that his right to the large addition to his property was questionable, since he had not purchased the land from the Indian owners. To obtain Indian approval of this additional land acquisition, Philipse in the next few years apparently attempted to get the Wappingers to sign a deed. Finally, in 1702, despite the fact that Philipse had neglected to obtain a license to purchase additional land from the Indians, a small group of no more than a dozen Indians approved and signed what was later called a "pretended" deed.[3]

The original purchase from Sebering and Dorlandt, together with the purchase of 1702, comprised the Philipse patent, which in the colonial period was part of Dutchess County and included what is now Putnam County, New York. As shown on the Sauthier map of the colony, the grant was located between the Manor of Cortland to the south and the Rombout patent to the north. It extended from the Hudson River east to the Connecticut border. Except for the highlands in the west and north, the land was well suited for agriculture.

When Adolph Philipse died a bachelor in 1750, his lands were inherited by his nephew, Frederick Philipse, owner of Philipsborough, a 156,000-acre estate in Westchester County. On Frederick's death the following year, the "Highland patent" property,

---

[2] "Petition of Adolph Philipse," June 17, 1697, *ibid.*, Pocket XIV, No. 57. See also New York Colonial Manuscripts, Land Papers, II, 246; New York Council Minutes, VIII, 4. N.Y.S.L.

[3] Indian Deed to Adolph Philipse, August 13, 1702, Philipse-Gouverneur Papers, Pocket XIV, No. 56, C.U.

as the Philipse patent became known, was willed to his second son, Philip, and his three daughters. One daughter, Susanna, was the wife of Beverly Robinson, whose name appears on many documents pertaining to the Philipse patent. Another daughter, Mary, was to become the wife of Roger Morris, member of the New York Council. Margaret, the third daughter, was unmarried. After Margaret's death, her share in this large grant was divided among her two sisters and her brother Philip.[4]

The Philipse heirs partitioned all the land among themselves except for a triangular piece called the Gore on the north side of the grant, which became the scene of a boundary dispute. In 1754, the owner of the bordering patent settled all boundary disputes with his neighbors and released the Gore to the Philipse family. Six years later, the Philipse heirs took steps to straighten their eastern boundary line by petitioning the New York Council for the lands that had been surrendered by the colony of Connecticut when the division line had been resurveyed about 1723. Their efforts were successful, and on February 7, 1761, Cadwallader Colden, as President of the Council, granted the Philipse heirs two additional tracts of land, totaling 4,725 acres. The letters patent for these two tracts, dated March 27, 1761, confirmed the grants and instructed the Philipse heirs "to settle, plant, and successfully cultivate (within three years next after the end of the war with France)" at least three acres for every fifty acres capable of being cultivated.[5]

During all this time, the Indians of the Wappinger tribe, who, before 1756, had occupied the land now claimed by the Philipse heirs, had remained silent. It was not until July of 1762 that an attempt was made by one member of the tribe to defend Indian rights to the land. It might well have been the King's proclamation issued in December, 1761, aimed at protecting the Indians from fraudulent

[4] "Abstract of Title of Frederick Philipse *et al.*," June 17, 1697, *ibid.*, Pocket VII, No. 33.
[5] "Letters Patent to Philip Philipse, Beverly Robinson, and Roger Morris," March 27, 1761, *ibid.*, Pocket XII, No. 41. See also "List of Grants Passed by Cadwallader Colden," n.d., Chalmers Papers, Papers Relating to New York. N.Y.P.L.

land claims, that gave them some ray of hope.[6] The Indians' initial step was taken on July 28, 1762, when Daniel Nimham, a member of the Wappinger tribe, appeared before the New York Colonial Council. Nimham, on behalf of his tribe, laid claim to the major portion of land in Dutchess County that had been granted in 1697 by Governor Fletcher to Adolph Philipse. Robert Monckton, governor of New York, ordered the Attorney General of the colony to examine any documents that Nimham might produce to support his claim.[7] No further action seems to have been taken at this time, and the next move was made by the Philipse heirs, Roger Morris, Beverly Robinson, and Philip Philipse.

On February 6, 1765, a petition was presented to the Council by the heirs asking for relief against persons who were accused of encouraging the Indians to claim lands held by the petitioners under a grant of the Crown. The heirs named one Samuel Monroe, a former Philipse tenant, as the instigator of the Indians' attempt to contest the ownership of the land. The petitioners charged that Monroe had influenced the Indians to elect him their agent and guardian, thereby enabling him "to enter upon and take Possession of the said Premises" and to lease and sell the land.

The next development in the controversy took place on March 1, 1765, when Daniel Nimham and three other tribesmen presented a petition to Lieutenant Governor Colden. The Indians were ordered to appear before the Council on March 6 to be heard. The Indian petitioners and Samuel Monroe, their chosen and appointed guardian, appeared before Colden and the Council at the time specified but without proper counsel. According to a contemporary account, the original of which is now among the Lansdowne Manuscripts in the British Museum, the Indians had been unable to secure the assistance of an attorney; for one reason or another, all lawyers known to the Indians were too busy to take this case.

---

[6] "A Proclamation by his Majesty at Court of St. James, 9th December 1761," P.R.O., C.O. 5/284, New York Bundle. L.C. transcript.

[7] "Nimham Claim," July 28, 1762, New York Council Minutes, XXV, 454. N.Y.S.L.

This handwritten, eyewitness account, entitled "A geographical, historical narrative or summary of the present controversy between Daniel Nimham, on the one part, and Messrs Roger Morris, Beverly Robinson, and Philip Philipse, on the other part," records the dialogue and actions of the participants and thus supplements the report of the case found in the minutes of the Council. The writer has included in his narrative verbatim copies of the minutes of the Council, copies of which are also found in the Philipse-Gouverneur Papers. One may only conjecture why the unknown writer compiled the narrative or why he chose to remain anonymous. Perhaps he was known to the participants in the dispute, or perhaps he was a friend or associate of the Indians who, for one reason or another, could not openly express his sympathies. His ninety-three-page narrative is evidence that he was not only intelligent and educated but that he also must have had access to the Council's files. He attests in a footnote that he has not asserted as fact anything he did not really know.[8]

The Wappingers' claim to the land in question—the major portion of the area known as the Philipse patent—was described in detail in their petition, which demonstrated that the Indians had been able to obtain legal assistance from white men, at least before their hearing took place. The Indians stated in their petition that from ancient times they had by native right been in possession of the land. The reason for their petition, the Indians said, was encroachment by colonists who, step by step, had illegally occupied and possessed parts of their property, contrary to the wishes of the British Crown, "complaint whereof hath been made by the said Tribe without redress."[9] A map in the Lansdowne Manuscripts, here reproduced, shows the strip of land bordering the Hudson that the Wappingers sold to Jan Sebering and Lambert Dorlandt, the original purchasers of the so-called Highland grant, as well as the disputed area "purchased" by Adolph Philipse in 1702.

[8] "Quinborow Charter, Isle of Man, &c.," British Museum, Lansdowne Manuscripts, 707, folios 24–51, 1. L. C. transcript. Hereafter cited as Lansdowne, MSS.

[9] "At a Council held at Fort George in the City of New York on Wednesday the sixth of March 1765," Philipse-Gouverneur Papers, Pocket XIII, No. 54. C.U.

Although the Wappinger Indians had left the disputed area in 1756, they did not believe that by this action they had actually abandoned the land. In that year, by an order of Sir William Johnson, all the males of the tribe capable of bearing arms had entered British service in the war against the French. Before taking up arms, the Wappingers moved their women, children, and aged to Stockbridge, Massachusetts. The Indians fought valiantly, according to Daniel Nimham, and "at the risque of their lives, assisted in defending the territories of their . . . King."[10] It was during this time of war that the Highlands, previously acknowledged to be the property of the natives, had been claimed by the owners of the Philipse patent.

The action taken by the New York Council at its March 6, 1765, meeting not only rejected the claims of the Indians but also reflected the hostility shown toward the white people who were helping them. Daniel Nimham not only spoke for himself but interpreted for the other Indians present. When asked what he had to say or produce in support of the Indian claim, he informed the Council that the Indians had inherited the lands from their ancestors, who had never sold them. At this point, Beverly Robinson, husband of Susanna Philipse and one of the claimants of the land, produced Adolph Philipse's "pretended" deed of August 13, 1702, which had been signed by Indians who were actually known to one of the Indian elders and to four of the white men present at the Council meeting. Consequently, Lieutenant Governor Colden informed the petitioners that he and the councilmen believed that the land had been actually sold. He cautioned the Indians to give no further trouble to the patentees or their tenants. The anonymous recorder of these events stated that the Indians were not given a fair trial and noted that the instrument exhibited by Beverly Robinson "has ever since bore the name of Robinson's Indian Deed."

After both parties had withdrawn from the Council chambers, the chairman of the committee to which the petition and memorial of the Philipse heirs had been referred presented the committee's report. A long indictment against all those who had in any way aided or

[10] "Petition of Daniel Nimham *et al.*," March 1, 1765, *ibid.*, Pocket XIII, No. 48.

abetted the Indians was read. One recommendation was that Jacobus Terboss, judge of the Court of Common Pleas, and John Akin, justice of the peace, both of Dutchess County, should be served by an order in Council to show cause why they ought not to be removed from office for their conduct. It seems that the document by which the Indians designated Samuel Monroe their agent and guardian had been drawn up in the presence of these two men and had been "by them allowed and subscribed." This action, according to the committee, was an abuse of public office as well as a dangerous precedent that encouraged Indian claims against the Crown. The committee report also included a request to the Lieutenant Governor to direct His Majesty's Attorney General to institute proceedings against Samuel Monroe and others for assisting the Indians.[11]

The Philipse heirs should have felt secure about their right to this controversial piece of property after hearing the decision of the Council, but one claimant, Roger Morris, exhibited concern over the fact that individuals who had supported Monroe and the Indian claim had subsequently asked Sir William Johnson to intervene in the case on behalf of the Indians. Morris sent Johnson a printed copy of the proceedings of the Council so that Johnson, as superintendent of Indian affairs, would be informed about Monroe's behavior in the controversy. In his reply to Morris, Johnson indicated that he had been approached by Daniel Nimham and other persons, both white and Indian, to lend support to the Indian claim. These individuals were apparently able to produce documents that demonstrated that Adolph Philipse himself had often stated that the land in dispute had never really been purchased from the Indians.[12]

Nevertheless, Johnson said, he had given the Wappinger Indians no encouragement, since he had no further information about the

[11] "Hearing on Claim of Wappinger Indians," March 6, 1765, New York Council Minutes, XXVI, 6–8. N.Y.S.L. These minutes were partially destroyed in the Albany State Library fire of 1911, but complete copies are found in the Philipse-Gouverneur Papers, Pocket XII, No. 54. C.U. See also New York Colonial Manuscripts, Land Papers, XVIII, 142. N.Y.S.L.

[12] William Johnson to Roger Morris, August 26, 1765, Philipse-Gouverneur Papers, Pocket XIII, No. 55. C.U.

affair. Furthermore, he considered complaints by Indians who lived so near the sea as being "verry different from the rest." This letter of Johnson's is important because it contains the principle that evidently guided him in coping with Indian land problems:

> I have laid it down as an invariable rule, from wh I never did, nor ever shall deviate, that wherever a Title is set up by any Tribe of Indians of little consequence or importance to his Majestys interest, & who may be considered as long domesticated, that such Claim unless apparently clear, had better remain unsupported than that Several old Titles of his Majestys Subjects should thereby become disturbed: —and on the contrary, Wherever I found a Just complaint made by a People either by themselves or Connections capable of resenting & who I knew would resent a neglect, I Judged it my Duty to support the same, altho it should disturb ye property of any Man whatsoever.

Although Johnson would not support the Wappingers in this dispute, he did say that an Indian complaint might in fact be just, since he realized that patents were frequently obtained in an "iniquitous" manner. However, he did not infer that his opinion had a direct bearing on the Philipse controversy. In closing his letter, he expressed the hope that the affair would be settled satisfactorily for all concerned.

According to the Council minutes of November 20, 1765, the affair had still not been settled in a satisfactory manner. The Philipse heirs had evidently tried to evict tenants on the tract who supported the Indian claim, and the tenants had attempted to remain on the property. Although the Indians had been directed to make no further trouble when their claim was dismissed by the Council, they urged the remaining tenants to assist those who had been evicted from their farms. Meanwhile, Roger Morris, Beverly Robinson, and Philip Philipse asked that the sheriff, justices, and other civil officers of Dutchess County do their utmost to suppress any activities of their tenants in support of the Indians. The Philipse heirs at this time were able to have themselves declared the rightful owners of certain farms at the Connecticut end of the tract, properties which they had acquired in 1761, and they undoubtedly needed the support of these law enforcement officers.[13]

By then the Philipse heirs should have felt more secure than ever in the possession of their land. The colonial authorities had denied all claims made by the Indians. Furthermore, the last piece of this tract, a parcel which made the Connecticut–New York division line their eastern boundary, was confirmed by a deed of trust. However, the heirs had underestimated the tenacity of the Indians, and on May 26, 1765, Daniel Nimham petitioned Sir William Johnson to aid and assist the Wappingers by recommending them "to the notice" of the King. Nimham and three companions had been authorized and empowered by their people to go to England to lay their grievance before George III and the Privy Council.[14]

The Indians actually made the journey to England and appeared before the Lords of Trade. After hearing the Indians' complaints, Their Lordships reported to the King that, in view of the frauds and abuses in respect to Indian lands, particularly in New York, they believed there was foundation for further examination of the Philipse case. Subsequently, the Earl of Shelburne wrote to Sir William Johnson, stating that the Lords of Trade were aware of the frauds that were usually associated with Indian land purchases. Shelburne further said that Their Lordships were concerned about "the unnecessary severity discovered by the Lt. Govr. & Council of New York, in directing Prosecutions against the Guardians, Agents, and Protectors of these particular Indians." Shelburne then asked Johnson to take every measure within his power to rectify the situation if he was convinced that the Indians were "injuriously treated & deprived of their Lands by fraud & Circumvention under pretence of undue & unreasonable Grants on pretended or inequitable purchases."[15] Shelburne also wrote to Governor Moore, informing him that the Lords of Trade reported there was sufficient foundation for

[13] "Deed of Trust to Philipse *et al.*," March 12, 1766, *ibid.*, Pocket II, No. 1.
[14] "Petition of Wappinger Indians," May 29, 1766, *Papers of Sir William Johnson*, XII, 97–98.
[15] Earl of Shelburne to William Johnson, October 11, 1766, P.R.O., C.O. 5/225. L.C. transcript. *Papers of Sir William Johnson*, V, 394–95.

further examination into the facts and proceedings relating to the claims of the Wappingers. Their Lordships were particularly concerned with the prosecution directed against the supporters of the Indians. In the opinion of the Board of Trade, this action carried with it "unreasonable Severity, the colour of great prejudice & Partiality & of an intention to intimidate these Indians from prosecuting their claims."[16]

Shelburne's letter to Moore was read to the Council members at their meeting on December 17, 1766. By order of the King, Moore was directed to become, "as far as justice & the Reason of the Thing shall demand," the advocate and protector of the Indians. The Council ordered that the minutes of February 6 and March 6, 1765, relative to the Indians, should be sent to Shelburne and his letter referred to a committee with instructions to report on the matter with all convenient speed. In spite of the Crown's opinion about the severity of the punishment dealt to those persons who helped the Indians, the Council, on December 18, 1766, noted that Judge Jacobus Terboss and Justice John Akin had not appeared "to shew cause as by order required." It was therefore ordered by the Governor, on advice of the Council, that these officials be required to appear before the Council to show why they should not be removed from office for the matter charged against them.[17]

At the Council meeting on December 23, 1766, with the Philipse heir, Roger Morris, sitting as a member of the Council, the committee's report on Shelburne's letter was read and entered into the minutes. The chairman read the report, which, in a respectful tone, reproached the British government for favoring the Indians in the affair. The committee summarized the proceedings of the case and endeavored to justify the Council's actions. The report alleged that certain individuals had ulterior motives in urging the Indians to contest the legality of the Philipse patent. Furthermore, stern measures were necessary to preserve the peace and tranquility of the

[16] Earl of Shelburne to Henry Moore, October 11, 1766, P.R.O., C.O. 5/222. L.C. transcript.

[17] New York Council Minutes, December 18, 1766, XXVI, 70–71. N.Y.S.L.

colony. Despite the unsympathetic attitude of the Council, the Indians, encouraged by the consideration shown them in England, appeared before the Council on January 3, 1767. With Daniel Nimham was attorney Asa Spaulding of Norwalk, Connecticut, who had consented to serve as counsel for the Indians. Their request for a new hearing was acknowledged, and they were told to put their complaints in writing.

The Wappingers' memorial to Governor Moore was finally placed before the Council on January 6. It is worth noting that just prior to the reading of the memorial, Roger Morris, one of the defendants, because of his financial interest in the case, felt obliged to vacate temporarily his seat on the Council, whereupon the hearing officially began. The Indians based their case partly on the point that the land patent of June 16, 1697, which appeared on record and under which Adolph Philipse claimed the land in dispute, was invalid. This patent, they argued, was secured by Philipse several years before the "pretended" deed, which bore the date August 13, 1702. The Indians further denied that the lands were ever purchased or even authorized for purchase by an approved license. The Wappingers contended, therefore, that "the patent must have been, by some misrepresentations (with respect to any legal purchase) unfairly obtained."[18]

At this time, the attorney for the Indians took the offensive and requested that Governor Moore "cause a Prosecution to be carried out against the Persons complained of" so that the land claimed by the tribe could be recovered by due process of law. The Indians then asked that a day be set for the new hearing, that Sir William Johnson be invited to attend, and that they be enabled by use of subpoena to call in all necessary evidence. In the narrative in the Lansdowne Manuscripts, the writer stated the Governor and Council intimated that nothing would be done unless the tribe presented all their claims at once. The councilmen "were determined to make a finishing

[18] "Petition of Daniel Nimham &c.," January 7, 1767, Philipse-Gouverneur Papers, Pocket XIII, No. 47. C.U. New York Council Minutes, January 7, 1767, XXVI, 75–76. N.Y.S.L.

Stroke of it, to hear all, or None; and to have done with it; that there might be no Room left for their being troubled with Repeated applications of this Kind."[19]

The Council minutes show that Moore ordered that William Johnson be notified about the hearing for the Wappingers scheduled for March 5. Names of witnesses were to be delivered to the Council so that they could be summoned to the hearing. Moreover, a copy of the order was to be served on the Philipse heirs. At the conclusion of the reading of the Governor's order, the minutes of the Council record that Roger Morris resumed his seat, a procedure that Morris followed throughout the subsequent hearings, undoubtedly because he could not be both judge and defendant at the same time.

As directed by the Governor, Daniel Nimham presented to the Council a list of individuals who were to be summoned to appear as witnesses, and on the appointed day the week-long hearing began. Guy Johnson, who often acted as Johnson's deputy, represented Sir William, who found it convenient to be absent from the hearing. Had Sir William been at the hearing and had he supported the Wappingers, the case might have had a different history. As it was, Asa Spaulding, attorney for the Indians, had to seek permission to have Samuel Monroe appear, since Monroe had been confined in jail for his actions in assisting the Indians. Spaulding outlined the Indian complaint, witnesses were heard, and documents were offered and examined. According to Spaulding, the case for the Indians was based on two premises: the continual occupancy and possession of the land by the Indians until 1756, and the illegality of the document purported to be an Indian deed. Spaulding asked that the so-called deed be produced for examination. The anonymous narrator referred to this deed as the document which "for the first Time had Just peep'd forth, at said former trial ... from it's pretended ancient Obscurity, and at once withdrawn behind the Curtain, as tho' it had been unable to bear the Light."[20] The Council minutes contain the factual record of the proceedings, whereas the narrative reveals the actions of the

[19] Lansdowne MSS, 41.
[20] *Ibid.*, 47.

participants. The final opinion and judgment rendered by the Council and recorded in its minutes attest to the credibility of the narrator's reporting, for each charge made by the attorney for the Indians and dutifully recorded by the narrator, was refuted by the Council.

The lawyers for the defense produced an original patent. Then the document known as Robinson's Indian deed, which had by this time become a matter of great speculation, was produced. The narrator remarked that the deed was "cursorily read over and immediately retired from whence it Came, to it's wonted Recess." Additional witnesses in behalf of the defense stated that they were tenants of the Philipse family and that Daniel Nimham had never lived on the land in question.

The attorney for the Indians then proceeded to argue the case for his clients. He admitted that Adolph Philipse had obtained a patent and that Jan Sebering and Lambert Dorlandt may have legally transferred their deed to someone else, but that it was on the basis of this original deed that the letters patent had been obtained by Adolph Philipse. Spaulding then brought up the question of whether Governor Benjamin Fletcher, in granting the letters patent that extended the eastern boundary to the Connecticut division line, had acted through ignorance of the geography of the area or had deliberately extended the boundary seventeen miles beyond the original purchase. As a result of Governor Fletcher's action, the patent contained almost 200,000 acres more than was originally meant or intended to be transferred to Jan Sebering and Lambert Dorlandt. In this instance, there is little doubt that Fletcher acted contrary to Crown instructions, which prohibited granting lands not honestly purchased from the natives.

Adolph Philipse's actions subsequent to his supposed Indian land purchase, most particularly his repeated attempts to repurchase the identical lands from the Wappingers, were closely reviewed by Asa Spaulding, who maintained that the Indian deed of 1702, obtained five years after the patent was granted, was "vague, imperfect, and far from authentic." Spaulding then proceeded to question the legality of this deed. As no evidence had been produced to show that

Adolph Philipse had a license to acquire Wappinger lands, the deed of 1702, therefore, had been obtained illegally. Furthermore, this deed, which was signed by only twelve Indians, mentioned no purchase price for the land in question. Finally, the deed was never officially recorded. In light of all these circumstances, Asa Spaulding challenged the validity of this deed of sale.[21]

Pursuing this argument, Spaulding posed another question: If Adolph Philipse had fairly purchased these controversial lands, why had he kept the purchase a secret? And why had he been so solicitous about repurchasing what he knew to be his own? As to the Indian deed of 1702, it had never been heard of, nor even seen, until long after the deaths of the alleged parties and witnesses to it. Spaulding asked why this "notable instrument" had been so long in coming to light. "Has it been all the Time Recluse in it's beloved Monastery, the Pocket of Mr. Robinson?" The lawyer then observed that this reluctance to display the deed was "shrewd Evidence . . . of it's being illegittimate." In concluding the case for his clients, the attorney maintained that "long Possession beyond the Memory of Man establishes Right," and "that an ancient Deed which Carries not the Possession along with it, is no better than old Parchment, or a Piece of Blank Paper."[22]

The Council minutes of March 9 reveal that both Guy Johnson, representing the office of superintendent of Indian affairs, and Attorney General John Tabor Kempe were asked if there was additional evidence to support the claims of the Indians. Guy Johnson, probably on the instruction of Sir William, deferred to the Attorney General, who replied that in his opinion, the matter had been fully examined. Governor Moore then ordered that notice be given to all parties concerned to be present two days later to hear the final judgment of the Council.

On March 11, 1767, one more tribe was to learn that its members

[21] *Ibid.*, 74–75. For the refutation of these charges see New York Council Minutes, March 11, 1767, 85, 89. N.Y.S.L.

[22] Lansdowne MSS, 82, 84. See also New York Council Minutes, March 11, 1767, XXVI, 86. N.Y.S.L.

had come to the end of the trail. The long, detailed report of the Council refuted the arguments of the Wappingers, one by one. The Council maintained that Adolph Philipse, realizing that the Indian purchase of Sebering and Dorlandt did not include all the lands granted to him by patent in 1697, had legally purchased additional lands from the Wappingers according to the deed dated August 13, 1702. Moreover, the Council report stated that the lands mentioned in the Indian deed of 1702 were described in the very same words used to describe them in the 1697 patent.

In the opinion of the Council, the Indian purchase and deed of 1702 were valid, even though made without a license from the government, because the purchase included only those lands already held by Adolph Philipse under patent from the Crown. Furthermore, the Council declared that a deed did not have to be recorded to secure legal title to land, for there was no law that required the recording of deeds. The councilmen also noted that the Philipse deed of 1702 was written and witnessed by one William Sharpe, former town clerk of the city of New York, whose handwriting was proved to be authentic. Therefore, in the opinion of the councilmen, no proof had been offered to show that the deed of 1702 was fraudulently obtained.

The ultimate conclusions of the Council could not have been long in doubt. It was the unanimous opinion of the Governor and Council that the Wappingers had no right, title, or claim to the lands granted to Adolph Philipse, that the title to those lands belonged to the Philipse heirs, and that the complaint of the Indians was unfounded and unjust, "and as such ought to be and is hereby accordingly dismissed."[23]

Although the anonymous author of the summary of the controversy was wholly in sympathy with the Indians, his sentiments were not subscribed to by Attorney General Kempe (himself a speculator in Indian lands), who had also attended the hearing. Kempe reported to Sir William Johnson that, in his opinion, none of the evidence was strong enough to show that "the Indians had been

[23] New York Council Minutes, March 11, 1767, XXVI, 85, 87, 89. N.Y.S.L.

deceived, or had any equitable Right remaining."[24] This whole case is an interesting chapter in colonial Indian-white relations. It demonstrates that the Indians, especially those of the smaller tribes, had little chance to obtain full justice in the colonies, even when they had competent, qualified legal assistance and followed the established method of letting the law decide the merits of a case. The law seems to have been on the side of the colonists, although the Lords of Trade had made an attempt to obtain justice for the Indians. The development of imperial Indian land policy shows that the home government was largely frustrated in its attempts to protect the natives. The development of this unfortunate conflict between the colonists and the mother country over Indian land policy is the subject of the next chapter.

[24] John Tabor Kempe to William Johnson, March 17, 1767, John Tabor Kempe Papers, Letters A–Z, Box 1. N.Y.H.S.

THE DEVELOPMENT OF IMPERIAL INDIAN
LAND POLICY

THE DESIRE FOR LAND brought many of the early settlers to the New World, and the fateful lure of the land was like a magnet constantly drawing the pioneers to new frontiers. There were no barriers, ethical, legal, or physical, that could restrain the colonists, and the natives were, figuratively and literally, forced to give ground. In retrospect, the supremacy of the white man seems almost inevitable. The natives were too few in number to withstand the rising tide of settlers who, slowly but surely, inundated their land.

During the early years of colonization, there was room for all, native and newcomer, and the Indians willingly gave up some of their land. At that time there were comparatively few settlers, and, according to a study of the social origins of early Americans, the majority of the new arrivals, including those who came under indenture, were farmers and skilled workers. On the whole, the Indians had little to fear from most of these first seventeenth-century pioneers of limited means and modest ambitions. In many respects the nemesis of the native inhabitants was the growing stream of Europeans who came to America with an obsession for land or the desire for financial profit.

In the colonial era, land was a desirable and safe investment. Fortunes could be made in trade, but a certain amount of risk was involved. Ships were lost and cargoes pirated. Land, however, was available, everlasting, and easily acquired. Unfortunately, in the colonies there were many avaricious inhabitants who, by disregarding the natives' rights to their lands, encouraged corruption in government and obstructed settlement of the provinces.

The history of Indian lands in the New World was a contest among various factions: the Indians, speculators, large landholders, small farmers, colonial officials, and the British imperial administration. Several of the Crown appointees conscientiously attempted to satisfy Indian complaints about land frauds. The Earl of Bellomont, for instance, succeeded in annulling two exorbitant land grants. Even William Cosby, often maligned because of his role in the John Peter Zenger case relating to freedom of the press, defended Indian rights in a controversy over Mohawk lands. Moreover, Sir William Johnson appears to have worked tirelessly in behalf of the Iroquois during his tenure as superintendent of Indian affairs. The British home government, in its efforts to protect the natives from land frauds, often came into conflict with the land-hungry colonials, however.

The official policy of the British government seems to have been to discourage colonial seizure of huge land tracts from the Indians, but, on occasion, the very officials charged with enforcing British policy were the ones who nullified it. The patroons had early recognized that huge land acquisitions were a key to founding fortunes in the New World, and many of the early colonists made every effort to emulate these land barons. Unfortunately, the Crown had neglected to prevent unscrupulous governors like Benjamin Fletcher from giving away large tracts of land to his political supporters.

When the Earl of Bellomont complained about settlers avoiding New York because most of the land was given away in large grants as exemplified by Fletcher's notoriously "corrupt selling away the lands of this province," the home government made no changes in policy. The government permitted Bellomont and his rascally successor, Lord Cornbury, to allocate lands with "Moderate Quit rents" as the governors should "think fitt."[1] Although the Earl of Bellomont was unsuccessful in obtaining the support of either the New

---

[1] Earl of Bellomont to the Lords of Trade, November 28, 1700, *New York Colonial Documents,* IV, 791; "Commission for the Earl of Bellomont," June 18, 1697, *ibid.,* IV. 271.

York Assembly or the British Parliament for laws to protect Indians from land fraud, Queen Anne, in 1708, did direct New York Governor John Lord Lovelace to confine the size of all grants to 2,000 acres or less, and to obtain an agreement that those who received grants were to occupy and cultivate the land or else return it to the Crown. Further instructions required royal officers in America to attempt to distinguish between the good and bad land and to allow each landowner an outlet to water transportation.[2] In 1714 the New York Council, members of which were often themselves involved in the land speculation schemes which came before that body for approval, set up regulations requiring that land licenses be issued in the name of the Crown. In 1722, the Council attempted to institute a system of bookkeeping and recording of deeds. The Council had discovered that certain speculators, who had apparently obtained licenses and even deeds, had neglected to secure letters patent in order to avoid paying quitrents.[3] One suspects, however, that these actions were taken, not to protect the Indian or Crown interests, but rather to identify lands which were still unclaimed.

The New York Council's actions seem to have been primarily concentrated on keeping some kind of order in the scramble for Indian lands, but the Council apparently had little concern for the welfare of the Indians in protecting them from fraud. It became evident that the home government had no alternative but to step in and call a conference, and in 1753 the Crown proposed that a meeting be held with representatives of the Six Nations of the Iroquois and other tribes to permit them to voice their complaints. By the mid-eighteenth century, the conflict between France and England in America had become acute in the frontier area around the eastern Great Lakes, and England desperately needed the loyalty and support of the Iroquois, the nominal owners of the territory involved. At the Albany Conference of 1754, it was recommended, first, that future purchases of

---

[2] "Additional Instructions for Lord Lovelace," July 20, 1708, *ibid.*, V, 54

[3] New York Council Minutes, December 16, 1714, XI, 284; July 12, 1722, XIII, 302–303; August 2, 1722, XIII, 306–307; September 25, 1722, XIV, 7; and October 3, 1734, XVI, 313–14. N.Y.S.L.

lands from the Indians be void unless made by the government and with the approval of the Indians in a body in their public councils; secondly, that the patentees or possessors of large unsettled areas be enjoined to settle their lands within a reasonable length of time on pain of forfeiture; and, finally, that the complaints of the Indians relative to any grants of land fraudulently obtained be investigated and all injuries redressed.

These remarkable recommendations seem to stem from good intentions, but there is no evidence that the Indians at the conference felt that their complaints of land fraud had really been redressed. It will be remembered that William Johnson was appointed superintendent of Indian affairs (for the North), but he was unable to protect the Indians from the loss of their land; in fact, he himself became one of the biggest owners of land in the provinces. The British government continued its efforts in behalf of the Indians by ordering royal governors to redress Indian complaints, but William Johnson's many letters to the Board of Trade disclose that Indian grievances were constantly ignored.

Nevertheless, the Board of Trade continued its policy designed to protect the natives. A proposal of December, 1755, to offer grants of Indian land to officers and soldiers as a reward for their services received the board's disapproval because such lands had been voluntarily surrendered to the Crown by the Indians.[4] The British government, needing the friendship and support of the Iroquois during this time of the French and Indian War, appears to have made every effort to protect the rights of the Indians and notified Sir William Johnson that it was taking proper measures to satisfy Indian complaints. Knowing well the temper of the colonial officials, Johnson informed the home government that the effective redressing of those complaints "strikes at the Interest of some of the wealthiest and most leading men in this Province, & I fear that Influence wch may be necessary to succeed, will be employed to obstruct." He reminded Their Lordships that, in his humble opinion, "applications

---

[4] "Report of the Board of Trade to the King," December 11, 1755, *Documentary History of the State of New York*, II, 704–707.

on this head on this side the water" would fall far short of the desired end.[5]

Johnson went on to say that he thought the home government would have to take the initiative in dealing with the Indian land problem. Shortly after Johnson wrote to the Lords of Trade, Governor Charles Hardy on September 24, 1756, addressed the Assembly of New York to remind them that at this time, more than ever before, it was necessary to redress the complaints of the Indians to hold them "more firmly to the British Interest . . . when their service may be of great use." Archibald Kennedy, speaker of the Assembly, stated that the members agreed with the Governor. But once more the colony of New York took no positive action to resolve the situation.[6]

The reason for the apparent disregard of Johnson's suggestion that action in this matter be initiated in England can be found in a report made by the Lords of Trade. This report dealt with the action taken by the Assembly of Pennsylvania in its attempt to settle the land problems with the Iroquois over a purchase made at Albany in 1754. The deeds and papers pertaining to the purchase were sent to the King for his examination. The Board of Trade then observed that the Pennsylvania Assembly members and the Deputy Governor should have known that this action "was irregular as the Examination of and decision upon them here [in London] was impracticable." The Indians had pointed out circumstances of fraud because the lands were purchased from tribesmen who had no right to sell, and greater quantities of land had been taken than were described in the deeds. In Their Lordships' opinion, these circumstances could only be judged "upon the spot, and by those who are well acquainted with the persons and claims of different Indians." Therefore, the Board of Trade said, it could not render a decision in a matter of this kind "before a regular examination and report . . . had been made by the proper officer."[7]

[5] William Johnson to the Lords of Trade, September 10, 1756, *ibid.*, II, 735–36.
[6] *Journals of the Legislative Council of the Colony of New York*, II, 1271, 1273.
[7] "Petition of Benjamin Franklin," n.d. *Documentary History of the State of*

In America, colonial officials were not only reluctant to satisfy Indian complaints, but also were apparently unwilling to enforce Crown regulations pertaining to land grants. Instructions given by the Board of Trade to governors at the beginning of the last half of the eighteenth century contained the usual requirements for granting lands. For example, lands were to be properly surveyed in the presence of the Indians, and surveys and deeds were to be recorded within a specified period of time.

In the 1760's, additional restrictions were included in instructions for royal governors. First, all who applied for grants were required to appear before the Council and give evidence that they were capable of cultivating and improving the land. Second, the quitrent reservation was to be two shillings sixpence sterling for every hundred acres.[8] This last requirement, which undoubtedly touched most Council members in their "tenderest" part—their pocketbooks—moved them to take action to avoid paying quitrent in sterling. The Council committee to which the King's instructions had been referred justified not paying quitrents in sterling by stating that the change from two shillings sixpence in proclamation money to two and six sterling must have been an error in transcribing from a former instruction. Payment at the sterling rate would be more costly, as the New Yorkers well knew, but they contended "that no reservation of Quit Rent could be intended by His Maj[tys] Instructions to be paid in sterling money of Great Brittain, because the sterling coin of Gt. Br. cannot by Law be exported from thence."[9]

The council members suggested that, instead of being increased, the quitrents should be diminished, so that the settlement of the frontier would be encouraged and thus provide a strong barrier against any French or Indian enemy. In addition, because of the loss

New York, II, 770–72; "Report on the Preceding Petition," June 1, 1759, *ibid.*, II, 776.

[8] "Articles of Instruction from the Court of St. James to Robert Monckton," July 6, 1761, New York Council Minutes, February 10, 1762, XXIII, 391–93. N.Y.S.L.

[9] "Committee's Report on King's Instructions," *ibid.*, March 18, 1761, XXV, 367–68. N.Y.S.L.

of property in the northern counties during the war, the Council asked that the King remit the quitrents on these areas for the war years and for four years thereafter.

Indeed, the New Yorkers had good reason to ask for the temporary suspension of quitrents. The New York Council minutes during this period show, that despite specific and repeated instructions from the Crown, lands were again being lavishly granted in amounts ranging from "some thousands of acres of land" to forty-eight square miles. On learning of these grants, the Lords of Trade reviewed the state of New York Indian affairs and criticized New York officials for approving "fresh grants & Settlements which, we have great reason to apprehend from information which may be depended upon, are more for the benefit of themselves and their Families." The Lords of Trade concluded that such grants of land were not in the best interest of the Crown and the general welfare of the colony, and they further suggested that the King call this matter to the attention of other governors in the American colonies.[10]

The King acted with dispatch to curb abuses in granting Indian lands. Instructions were sent to Lieutenant Governor Cadwallader Colden and entered in the Council minutes of February 17, 1762. These instructions specifically prohibited Golden, the president of the Council, and the commander-in-chief of the colony of New York from approving grants of land already reserved or claimed by the Indians. The governor was empowered to issue a proclamation in the King's name requiring that all persons who had willfully or inadvertently settled on Indian lands be removed. Moreover, individuals who had made fraudulent purchases were to be prosecuted so that the land could be recovered. This time the Crown went one step further. Because the royal laws and instructions regarding Indian land purchases had not been strictly observed, the King directed the lieutenant governor not to approve the purchase of land

[10] "Copy of a Representation from the Lords Comm^rs for Trade and Plantations to His Majesty dated November 11, 1761," Chalmers Papers, Papers Relating to New York 1608–1792, III, 15–19. N.Y.P.L.

until he had first transmitted to the Lords of Trade details of each petition.[11]

These new restrictions on land grants and settlements were the direct result of Cadwallader Colden's reports to the Lords of Trade, who in 1761 had recommended that the King take action to protect the Indians from fraudulent land claims. The instructions sent to Colden were also sent to the governors of Nova Scotia, New Hampshire, Virginia, North Carolina, South Carolina, and Georgia. It is significant to note that the provisions of the Proclamation of 1761, relating to land grants and settlements, were later embodied in the well-known Proclamation of 1763. Indeed, Iroquois Indian land problems appear to have had far-reaching influences in formulating British over-all imperial policy to protect the natives in North America.

But in New York, the Council's opinions and recommendations were pointed toward protecting land speculators, not Indians. The Council's opinion of the King's instructions regarding Indian lands was that all lands previously purchased from the Indians should receive royal approval in consideration of the original investments. There undoubtedly were many who felt like the speculator who wrote that he was sorry that lands could no longer be purchased from the Indians "as it will hurt me and many others." This speculator had been told of the new order by the Secretary of the Board of Trade, and feared that "there is an end of all grants of that sort."[12] Yet the records show that neither the Pontiac uprising on the frontier nor the King's Proclamation of 1763, which established the Appalachians as the dividing line between the English settlements and Indian lands, acted as a deterrent to the land-hungry colonials.

The King's proclamation in the fall of 1763 was, unfortunately, too late to ward off the Indian danger that engulfed the western frontier in May of that year. The causes of Pontiac's uprising were

[11] "A Proclamation By his Majesty at Court of St. James 9th December 1761," P.R.O., C.O. 5/284, New York Bundle. L.C. transcript.

[12] George Clarke to Goldsbrow Banyar, April 5, 1762, Goldsbrow Banyar Papers, Box 1. N.Y.H.S.

many and varied, but there can be little doubt that the advance of white settlement was resented by the natives. Two Onondaga tribesmen reported that one cause of hostilities was the belief that the English intended to possess all their country. Sir William Johnson's report to the Lords of Trade discloses the reason for the Indians' fear of losing their lands. According to Johnson, in 1760 the Indians said they were promised compensation for the land occupied by British forts and the area surrounding the forts. This promise was not kept, and the Indians resented the continued occupation of these lands, which they regarded as the first steps in a move to enslave them and invade their properties. Pontiac, an Ottawa chief, gained the support of the northwestern tribes, including the Senecas of the Iroquoian Confederacy, who, according to available evidence, were the chief promoters of the uprising.

Unfortunately, speculation in frontier lands appeared to be stimulated by the Pontiac uprising, and continued Indian complaints about land problems caused renewed concern in London. The King, displeased that settlements had been made in violation of the Proclamation of 1763, advised William Johnson to do his utmost to appease the just resentment of the Indian tribes. The Crown believed "that some General Plan formed upon the Principal of Justice as well as Policy should be adopted for restraining in future those settlements." Since such a plan had to be thoroughly "digested" before it was put into effect, the King relied on the experience and prudence of Johnson, as well as on the response to royal letters sent to the governors in America urging those officials to enforce the provisions of the proclamation.[13]

In December, 1766, Johnson, as superintendent of Indian affairs, received word that the Crown's ministers were deliberating on the regulations of Indian affairs with the hope of putting them on a "most solid & lasting footing." The Earl of Shelburne, secretary of state, wrote to Johnson stressing that the importance of the subject demanded that it be "extremely well weighed & digested before

[13] Earl of Shelburne to William Johnson, September 13, 1766, P.R.O., C.O. 5/225. L.C. transcript.

adopted, and till this can be effected it is hoped that the Prudence of the Commander in Chief and the Superintendents will supply want of fixed Regulations, and obviate every temporary inconvenience."[14] The wheels of government turned slowly. Six months later, in June, 1767, Shelburne again informed Johnson that the King still relied on his prudence and ability, for a measure of such great importance required the utmost deliberation.

In 1768, Sir William Johnson and representatives from Virginia, Pennsylvania, and New Jersey met with the Six Nations at Fort Stanwix, where the Indians agreed to a huge cession of land to the British Crown involving much of what is now southwestern New York. As a result of pressure from a whole new group of land speculators such as the Indiana Company, the British government finally agreed to pay the Iroquois gifts worth £10,460 sterling. In this instance, the British policy for protecting Indian lands failed because of the persistence of speculators. The new secretary of state, the Earl of Hillsborough, fully aware of the New York Council's propensity for granting lands, wished to be completely informed about plans the Council had for disposing of the territory ceded by the Indians at Fort Stanwix. Hillsborough expressed the hope that these lands would not be sold to the colonists on the basis of previous commitments that were contrary to the provisions of the Proclamation of 1763.[15]

Despite the continued efforts of the Crown to regulate and control the granting of lands in the colonies, it seemed that the home government had genuine difficulty in enforcing its authority, and the problem of curbing speculation in huge grants persisted. The instructions to governors exhibited continual concern about exorbitant grants and contained reminders of making restrictions to protect the King's interests. In New York, the Council was concerned about the delays of speculators in applying for letters patent because the speculators were reluctant to assume payment of quitrents. The Council insisted on the requirement that all persons involved in land grants

[14] Earl of Shelburne to William Johnson, December 11, 1766, *ibid.*
[15] New York Council Minutes, July 18, 1769, XXVI, 154. N.Y.S.L.

or letters patent be actually named in land petitions. And in 1773, the Governor asked the Council to recommend that the Assembly pass an act to enable the Mohawk Indians to keep their remaining lands.[16]

In the summer of 1773, John Tabor Kempe received a letter from one James Creassy of Lincolnshire, England, reporting that the "Government are come to a Resolution to Purchase of the Indians for a sum of money or some other valuable consideration, all their Country; after which they intend selling the Lands in future to the best bidders."[17] Creassy suggested that all persons who had not "gotten their grants out" should join together to petition the Crown for their grants, since future governors would apparently not be at liberty to approve additional land grants. Creassy further observed that it would be in the interest of land investors to unite for the purpose of seeking approval of petitions and other land claims at once, if they expected to have lands to pass on to their posterity. Creassy, if he may be believed, was writing to Kempe in confidence so that he and his friends could take advantage of confidential information to increase the value of their prospective land holdings. One can only speculate on the truth of Creassy's statement that the British government planned to purchase all Indian lands, but there can be little doubt that the colonists would have found a way to gain their ends, whatever course the British government followed.

The outbreak of hostilities at the beginning of the American Revolution relieved the Crown of the need to resolve many of these problems.

THOSE COLONISTS WHO HAD ACQUIRED large landholdings were richly rewarded for their efforts. As land barons, they gained material wealth and power. Cadwallader Colden, in a letter to the Lords of Trade, explained how acquiring land was coincidental with acquiring power. Colden stated that he knew of three tracts each of which

---

[16] *Ibid.*, July 4, 1771, XXVI, 233–36; November 27, 1770, XXIX, 419; February 28, 1772, XXIX, 545; February 15, 1773, XXVI, 338.

[17] James Creassy to John Tabor Kempe, August 4, 1773, John Tabor Kempe Papers, Letters A–Z, Box 1. N.Y.H.S.

contained over a million acres. As these areas were given representation in the Assembly, the proprietors of the tracts automatically became the representatives to that house. As a result, these proprietors were assured hereditary membership. Also the owners of other great patents, who were men of importance in the counties where their lands were located, usually had enough influence to become the "perpetually" elected representatives from their counties. Colden asserted that the Assembly in large part, therefore, was composed primarily of owners of vast tracts and wealthy merchants, and that many of the latter were connected with the landholders by family interests. Colden further stated that these proprietors were not only freed from the quitrent which other landholders paid, but also "by their influence in the Assembly . . . [were] freed from every other public tax on their lands, while every owner of improved lands has every horse, cow, ox, hog . . . and every Acre of his land rated."[18] In this way, millions of acres, the property of private persons, contributed little to defray the public expense of the colonies. It is obvious that this situation put the burden of taxation on colonists who were industrious enough to cultivate their lands.

According to Colden, another evil connected with these extravagant grants was the way in which they discouraged the settling and improving of neighboring lands. Many of these grants mentioned no specific acreage, and, because of the uncertainties of the boundaries, the proprietors were "daily enlarging their pretentions," and by tedious and expensive lawsuits were ruining families who had claimed adjoining property. Several of these dispossessed families attempted to protect their holdings by actively opposing the proprietors, but, as in the case of the Philipse patent, colonial officialdom used its powers to suppress these "illegal proceedings."

In New York, the welfare of the colony was actually threatened by the land grant practices of the officials. Men like William Johnson, Peter Wraxall, and Thomas Pownall were gravely concerned about the situation. Johnson realized that the Indians, resenting the

[18] Cadwallader Colden to the Lords of Trade, September 20, 1764, Colden Papers, III, 77–79. N.Y.P.L.

loss of their lands, could be more easily influenced by the French. Wraxall's major concern was for the natives. He contended that the lands encompassed by these exorbitant grants were their hunting grounds, the profits from which enabled the Indians to maintain themselves and their families. The encroachment on their lands drove away the game and destroyed their livelihood. Pownall was disgusted with the land speculators, whose greed, he charged, divided them into contentious factions, each trying to seize control from the other.

Unwittingly, the natives themselves were, perhaps, responsible for the frauds about which they complained throughout the colonial period. Most early deeds of sale were loosely worded, and the white man was quick to take advantage of this. In one early Indian deed, the purchaser was permitted to take land "on either side of said Rivers . . . where . . . he . . . shall choose." These same Indians sold 400 acres "of upland or meadow more or less."[19] Certainly, the buyer would prefer to take more rather than less, and, according to the deed, that was his privilege. The Indian method of measurement provided another loophole that the white man used to advantage. Many of the landmarks mentioned in early deeds were impermanent boundaries, such as trees, falls of rivers, and hills, which proved to be confusing reference points when surveys were made many years after the deed to the land had been acquired. One surveyor reported on the difficulties of surveying a grant because the natural boundary mentioned in the deed was no longer to be found. It was actually necessary for a justice of the peace and some local residents to determine a starting point before he could begin his survey.[20] Another surveying problem arose when a black oak was mentioned as the initial reference mark in a New York patent. To settle the question, a number of residents, including the old settlers, determined that the point in question was at a spot where an oak

[19] "Lettered Conveyance by Indian Sachems," June 19, 1677, British Museum, Lansdowne MSS, 1052. fol. 1. L. C. transcript.

[20] Nicholas Schuyler to Robert Hunter, July 5, 1715, Miscellaneous Papers, Schuyler (Nicholas). N.Y.P.L.

had fallen. The surveyor's report stated that he had examined the trunk of a fallen oak tree, and by counting its rings, had traced its age back to the date mentioned in the patent. In this manner he identified the tree that marked the beginning point for the survey.[21]

When Cadwallader Colden served as surveyor general, he commented on this problem of determining exact boundaries. In his 1732 report on the state of the lands in the colony, he wrote that, "to prove that any particular spot belonged to any particular Indian, or to show the bounds of any particular Indian, I believe is beyond human skill." Because surveys were usually made after grants were approved, boundaries were often expressed with much uncertainty, using Indian names for brooks, rivers, hills, ponds, and falls of water—names which were known to very few white men. Added to this uncertainty was the white man's dependence on the Indian's conception of what constituted a "broad brook" or a "high hill," or merely "a hill." According to Colden's 1732 report, Indians used the same names for many different landmarks and often gave one place several different names. This situation encouraged fraud because those who had large grants were often able to use the names mentioned in their grants to designate any chosen landmark. There were instances when, for a blanket or a bottle of rum, an Indian would agree that a location was the one mentioned in a particular deed. The problem of Indian place names permitted much latitude for fraud.[22]

Another complication arose from the fact that, for the most part, neither quantity of land nor number of acres was mentioned in many early grants and patents. Thomas Pownall wrote that the description in deeds to land purchased from the Indians was not according to a survey but "in words and by memory." Cadwallader Colden believed that whenever a quantitative measure was expressed, it was done more with design to conceal the actual amount of land than to set forth the truth. He recalled one instance in which a patent

[21] Schuyler Land Papers (1790–1803), Box 17. N.Y.P.L.

[22] Cadwallader Colden, "The State of the Lands in the Province of New York in 1732," *Documentary History of the State of New York*, I, 383–84.

granted 300 acres, but the patentee later claimed more than 60,000 acres. The inclusion of the words "be it more or less" in describing the quantity of land enabled some grantees to claim as much as one hundred times more land than was supposedly specified. Colden conceded that in many cases the governors responsible for the grants were deceived about the actual amount of land involved, but he felt that the King was also deceived. As far as Colden was concerned, the governors who made these lavish grants were guilty of a notorious breach of trust, and he felt they must have received some personal benefit from their actions. Therefore, he declared that the grantees and the governors shared equally in the guilt for deceiving the King and defrauding settlers of an opportunity to obtain the most improvable and "convenient" lands.[23]

In Colden's opinion, the land policy of the New York colonial officials was detrimental to both the Crown and the colony. By the irresponsible actions of the governors, who in many cases granted lands with less than "moderate" quitrents, the King was deprived of much revenue. The main reason for granting lands was to improve the prosperity of the colony. Colden believed that the successful fruition of this policy was not possible under the existing conditions. Although New York was settled before Pennsylvania and other neighboring colonies and had many advantages over them in terms of geographical location and possibilities of trade, the colony, Colden said, was poorly populated and land was not properly used. Unfortunately, areas where the large grants were located remained uncultivated. These lands were virtually useless to both King and colony, for the grantees lacked the capacity to improve such large tracts, and colonists seeking lands to cultivate were not anxious to become tenants. The one reason why many immigrants left their native country was to avoid just such a dependence on landlords; they desired to have their own property to leave to their descendants. Although these people were of modest means, they had believed they could become landholders in America, where the cost of unimproved land was trifling.

[23] *Ibid.*, I, 382–85.

Colden, who well knew the colony and its officials, blamed the ineptness of the attorneys general for an unfortunate land policy. He believed that fully qualified men in this office could have effectually restrained the proprietors of the large landholdings. Colden, for instance, accused Attorney General Kempe of refusing to support the Crown's instructions and charged that Kempe's purported clarification of the King's order relating to the granting of land was ambiguous.[24] The record shows, significantly enough, that most of the officials of the colony, Crown appointees included, acquired large landholdings during their terms of office.

In some instances, the home government was responsible for the actions of its officials. Many appointees were given no salaries but had to depend on whatever profits might accrue from their official positions; others were not even reimbursed for the legitimate expenses incurred in the performance of their duties. Colden, while surveyor general, stated that "this office is not of inconsiderable trust and yet I have no Sallary from the Crown either here or in England, but am left from my encouragement and the subsistence of my Family to the Perquisites of my office."[25] In 1762, Attorney General Kempe had to petition the General Assembly for a bill to defray "the charges of public prosecutions."[26] In a letter to William Johnson that must have been most difficult to write, Kempe asked for assistance in purchasing land from the Iroquois. The following words, crossed out in Kempe's letter, reveal why certain colonial officials were tempted to participate in land speculation deals: "It is the only way I can have of making my office of any advantage to me, especially, when it is considered that as a public officer, in this way only, I can make my office . . . because I . . . am but illy supported in my office, have

[24] Cadwallader Colden to the Earl of Halifax, January 23, 1765, Colden Papers, III, 137–39, Bancroft transcripts. N.Y.P.L. See also Cadwallader Colden to John Tabor Kempe, July 29, 1765, Huntington Miscellaneous, 8230. H.L.

[25] Cadwallader Colden to George Clarke, June 9, 1736, *New York Colonial Documents*, VI, 69.

[26] "A Petition of John Tabor Kempe, Esq.," March 11, 1762, *Journal of the Votes and Proceedings of the General Assembly of the Colony of New York*, Vol. II, 696–97.

no other way." Evidently in an attempt to condone his speculations in Indian lands, he added, "as an officer of Government . . . having had much Trouble . . . in the Affairs of Indians . . . [I do] not stand before them as an indifferent Purchaser."[27]

Sir William probably lent a sympathetic ear to Kempe's request for assistance because he knew the reluctance on the part of both the Crown and the colonial Assembly to allocate sufficient funds for salaries and expenses of appointees. Although Johnson himself had acquired large tracts of land from the Indians through purchases and gifts, he also found himself in debt in his efforts to maintain the office of superintendent of Indian affairs. In one instance, the Assembly allowed him only £5,800 to cover expenses of over £7,100. The home government was aware of Johnson's plight, and on August 24, 1767, the Board of Trade recommended that George II bestow on Johnson a grant of 66,000 acres from the Mohawks as a mark of the King's favor and "as ample and Sufficient Compensation for all such arrears and deficiencies on account of his pay as in Justice it may be incumbent on the Crown to make good."[28]

As has been seen, during the latter years of the colonial period the Crown attempted to strengthen its control over the land policies of the colonies by more stringent directives to the governors. The colonists, however, whose primary interest was their own immediate gains, resented interference by the home government. The Lords of Trade, concerned principally with the over-all welfare of the American colonies, endeavored to maintain friendly Indian-English relations. The members of the Iroquoian Confederacy did not consider themselves subjects of England. A Philadelphia merchant and land speculator, commenting on the rights of the Indian nations of America, maintained that although New York claimed sovereignty over the Iroquois and their lands, every New York official knew that, in fact, the Confederation was an independent state, and "that they

[27] John Tabor Kempe to William Johnson, May 23, 1766, *Sir William Johnson Papers*, XII, 92–93. For an account of Kempe's speculations in 1763, see New York Colonial Manuscripts, Land Papers, XVII, 3. N.Y.S.L.

[28] "At Council Chambers, Whitehall," August 24, 1767, Miscellaneous Collection 425, Indians 1682–1900, Box 11-C. Historical Society of Pennsylvania.

are not subject to our laws;—that they have no magistrates appointed over them by our King;—that they have no representatives in our assemblies;—that their own consent is necessary to engage them in war on *our* side;— But that they have the power of life and death, peace and war, in *their own councils,* without being accountable to us. *Subjection* is what they are *unacquainted* with."[29]

By its new imperial policy, developed in the 1760's, the Crown finally reserved to itself the right to deal with the Indians. These tribes of independent nations had voluntarily deeded their lands to the Crown, and henceforth lands would be granted only by consent of the King. The Crown soon found, however, as had the natives, that the wealthy landowners would tolerate little interference. Moreover, this powerful faction controlled the councils and assemblies. The Crown had instructed its governors not to grant lands to colonials before they were purchased from the Indians, but such instructions could be ignored. According to one attorney general, a governer could act contrary to his instructions, and his acts would be binding by virtue of the powers granted in his commission, even though his acts exposed him to the King's displeasure. In fact, the governor's commission ranked highest in importance, and the colonial legislative system was based on the commissions to the governors.

Sir William Johnson well knew that once a patent was granted, even though the Indian deed had been fraudulently obtained, there was little chance for redress, since a patent was deemed a good title according to common law. To determine the legality of the methods of granting lands, he wrote to the Attorney General for a ruling. The reply made him realize that the Indians had even lost control over the land deeded to the King for safekeeping. According to the common law, wherever the King's dominion extended, he also had the right to the land, and to deny that would, in effect, be denying the King's right to rule.[30] It followed, therefore, that the Indian lands

[29] Samuel Wharton, *Plain Facts: Being an Examination into the Rights of the Indian Nations of America, to their respective Countries,* 21 n.

[30] John Tabor Kempe to William Johnson, August 12, 1763, *Papers of Sir William Johnson,* XI, 888.

entrusted to the Crown could in fact be granted by those in authority in the colony. Such grants might even be made when the Crown opposed making them. Furthermore, Kempe ruled that it was not absolutely necessary to have an Indian deed recorded to make it valid.

The Board of Trade concluded, with much justification, that one of the factors which had induced many of the Indians to attack the colonials during the period of the French and Indian War and Pontiac's uprising was the unjust seizure of their lands. This treatment, the board said, was in violation of the terms under which the Indians had given the Crown "the Dominion, but not the property of those Lands." The Lords of Trade were proved to be right in their analysis, for the Indians bluntly told William Johnson that the chief cause of their discontent was the loss of their lands. An Onondaga speaker stated that "we were always ready to give, but the English don't deal fairly with us, they are more cunning than we are; they get our names upon paper very fast, we often don't know what it is for."[31] Cadwallader Colden believed that the greatest problem in the management of Indian affairs was the fact that the Indians were cheated, and there was no obvious legal method to prevent it. Before an Indian could obtain redress, he had to hire a lawyer, take out a writ, file a declaration, and then wait at least a year for the machinery of justice to move. All this had to be done some hundreds of miles from his place of abode and "without one farthing to support him, or to defray the charges of the suit." Under these circumstances it does not seem likely that the Indian would resort to legal action, for, as Colden observed, "his evidence is not admitted in any of our Courts, nor is the evidence of any other Indian."[32]

That the Indians were victims of fraud and deception cannot be denied. There were many persons who took advantage of the natives whenever the opportunity presented itself. There were others who

[31] Samuel Wharton, *View of the Title to Indiana, A Tract of Country on the River Ohio*, 7–8.

[32] Cadwallader Colden to George Clinton, August 8, 1751, *New York Colonial Documents*, VI, 741.

deliberately, and by carefully calculated plans, exploited the naïveté and the weaknesses of the tribesmen. But it must be kept in mind that no one nation or group of people has a monopoly on scoundrels and scalawags. There were wily natives who made a practice of selling the same piece of land as often as they could, and there were others who betrayed their own people by signing deeds of sale for tribal lands.

As the colonies and the individual colonists continued to ignore instructions from London, the Crown stepped in and occasionally was successful in annulling grants made in violation of imperial policy. This action resulted in an increasing dislike of the Crown, especially on the part of the adventurous whites who spearheaded westward expansion. The evidence demonstrates that the controversy over Indian lands was chiefly responsible for the convening of the Albany Conference of 1754. Moreover, additional evidence indicates that, since this problem was not solved at the Conference, the crises caused by encroachment on Indian lands, as described by the indefatigable letterwriter, Cadwallader Colden, was largely responsible for the Proclamation of 1761 and appears to be indirectly responsible for the Proclamation of 1763. Both proclamations were British attempts to provide a sanctuary for the Indians. Indeed, throughout the period from 1664 to the Revolution, there is little question that the Crown's role in attempting to protect the Indians against loss of their lands caused conflict with the colonists and contributed markedly to the colonists' hostility toward the Crown.

As the colonial era drew to a close, it was evident that the contest over Indian lands had left its mark on all concerned. In the latter part of the eighteenth century, development of the provinces and expansion of settlements were obstructed because, by this time, the wealthy colonists held so much of the land. Settlement of these areas was held back, except for a limited number of tenants, until the land was made available to new immigrants in the early national period. The Indians, in turn, were deprived of all but a small part of their birthright. For the Indians, it was the end of a long trail. England, whose concern was for the general welfare of the colonies, had alienated the colonists by her attempts to protect the natives from abuse and fraud, although concessions had been made to provincial speculators at Fort Stanwix in 1768.

England's efforts in behalf of the Indians undoubtedly contributed to the growth of colonial revolutionary sentiment in the 1770's. The fact that the large majority of the Iroquois later sided with the British against the colonists in the war for independence can be largely attributed to Indian hostility toward the colonials over lands. Obviously, only the great landholders and speculators benefited from this conflict over land, for their persistence and determination made possible the realization of their hopes for wealth and power.

APPENDIX

Fees on Grants of Land*

Governor's Fees

For every Thousand Acres   12..10..0

Secretary's Fees

For Letters Patent if under 1000 acres   3.. 0..0
If for or above 1000 acres at the Rate per 1000 acres   4.. 0..0

Clerk of Councils Fees on Grants under 3000 acres

Reading and filing the petition for the grant	0.. 6..0
Order referring the Petition to a Committee and Copy	0.. 6..0
Attending the Committee	0..10..0
Drawing the Report and Copy	0.. 7..6
Order for making the Report	0.. 3..0
Reading the Report and Filing	0.. 3..0
Order Confirming the Report	0.. 3..0
Warrant of Survey and Recording	0..12..0
Drawing Certificate of setting out the Lands by the Commissioners 1/6 per sheet each Sheet containing 128 words	
Engrossing the same the like	
Warrant to the Attorney General to prepare a Draft of the Letters Patent and Recording	0..12..0

*From New York Council Minutes, xxvi, 275. N.Y.S.L. Fees are given in pounds, shillings and pence.

Appendix

Copy of the Commissioners Certificate annexed
   to the Warrant 1/6 per sheet

Auditor

For Docketing the Patent, Certificate on the
   Patent, and Copy of Docket sent to the Auditor's office   1..17..0

    In obedience to his Excell^ys Order in Council of the 31st December last I do hereby certify that the proceeding are the Fees Received on Grants of Land by the Governor and by the Secretary, Clerk of the Council and Auditor

New York 27th January 1772

           G. Banyar D Secy

BIBLIOGRAPHY

I. Guides and Calendars

Andrews, Charles M. *Guide to the Materials for American History to 1783 in the Public Record Office of Great Britain.* Carnegie Institution of Washington, *Publication No. 90A,* I and II. 2 vols. Washington, D.C., 1912–14.

———, and Francis G. Davenport. *Guide to the Manuscript Materials for the History of the United States to 1783, in the British Museum, in Minor London Archives, and the Libraries of Oxford and Cambridge.* Carnegie Institution of Washington, *Publication No. 90.* Washington, D.C., 1908.

Brodhead, John Romeyn. *Calendar to the Holland Documents in the Office of the Secretary of State at Albany from Originals in the Royal Archives at The Hague.* N.p., 1845. (Copy in University of California Santa Barbara Library.)

Calendar of New York Colonial Manuscripts indorsed Land Papers in the Office of the Secretary of State of New York 1643–1803. Albany, New York, 1864.

Day, Richard E., ed. *Calendar of Sir William Johnson Manuscripts in the New York State Library.* Albany, New York, 1909. This calendar is an invaluable record of the contents of the four volumes of Sir William Johnson Papers destroyed in the Albany fire of 1911.

Ewing, William S., comp. *Guide to Manuscripts Collections in the William L. Clements Library.* 2nd ed. Ann Arbor, Michigan, 1953.

Greene, E. B., and Richard B. Morris, eds. *Guide to the Principal*

Sources for Early American History (1600–1800) in the City of New York. New York, 1929.

Griffen, Grace Gardner. *A Guide to Manuscripts Relating to American History in British Depositories Reproduced for the Division of Manuscripts.* Washington, D.C., 1946.

Hamer, Philip M., ed. *A Guide to Archives and Manuscripts in the United States.* New Haven, Connecticut, 1961.

Levin, B. S., ed. *Guide to the Manuscript Collections of the Historical Society of Pennsylvania.* 2nd ed. Philadelphia, 1949.

New York Public Library, Reference Department. *Dictionary Catalog of the History of the Americas.* 28 vols. Boston, 1961.

New York State Library. *Calendar of Council Minutes 1668–1783. Bulletin 58.* Albany, New York, 1902.

O'Callaghan, Edmund B. *New York Calendar of Historical Manuscripts in the Office of the Secretary of State.* 2 parts. Albany, New York, 1866.

II. Primary Materials

1. Manuscript Sources

Columbia University (New York City)

Philipse-Gouverneur Papers. The principal source of information on the Highland patent controversy and the Philipse family. Courtesy of Columbia University.

Henry E. Huntington Library (San Marino, California)

Huntington Manuscripts. Miscellaneous letters and documents relate to lands in New York. Colden's map of the manorial grants along the Hudson River is found herein.

Loudoun Papers. This large collection of materials includes Thomas Pownall's "Notes on Indian Affairs, 1753–1754."

Pitkin Papers. These papers cover the years 1681–1847, and include the agreement between the Indians and the General Assembly of Connecticut.

Historical Society of Pennsylvania (Philadelphia, Pennsylvania)

Logan Papers, Miscellaneous Manuscripts I, 119, contains a map of the "Walking Purchase" by L. Evans, exe. 1738.

Miscellaneous Collection, No. 425. Box 11 C contains letters and documents relating to Indians from 1682 to 1900.

Library of Congress (Washington, D.C.)

Collections of British Transcripts. The Additional Manuscripts from the British Museum contain original letters and papers of the Johnson Family of Johnson Hall, relating chiefly to transactions with the Indians.

The Colonial Office Papers in class 5 include data relating to the Six Nations and the entry book of letters of the Earl of Shelburne to Sir William Johnson and John Stuart. Shelburne's letter to Governor Henry Moore is included. Crown copyrighted.

Lansdowne Manuscripts, British Museum. The narrative of the Philipse Family dispute is part of this collection.

Miscellaneous Collections. Copies of the Public Archives of Canada, relating to Indian affairs, are found herein.

New-York Historical Society (New York City)

Goldsbrow Banyar Papers. These Papers contain letters pertaining to lands and land grants, and include the George Clarke Correspondence. Fifty letters of Sir William Johnson, discovered in this collection by Wilmer R. Leech, have been published in Vol. XII of *The Papers of Sir William Johnson*.

Daniel Horsmanden Papers, 1714–47. Herein are letters and papers of a member of the New York Colonial Council.

John Tabor Kempe Papers. The letters of the Attorney General of New York throw light on the land transactions in the colony.

Samuel Miller Papers. Contains John Heckewelder's letter about the temperament of the Indians.

Miscellaneous Manuscripts, Indians. Contains material on Indians, including a petition of the Mohawks to the legislature respecting lands.

Miscellaneous Manuscripts, Kayaderosseras. The Indian deed, petition, and letters patent are found in this collection.

New-York Historical Society Addresses. Herein is found the original paper on the Iroquois read before the society on May 4, 1847, by Lewis Henry Morgan.

New York Public Library (New York City)

Bleecker, Collins & Abeel Papers. Box 1 contains George Clarke's letter to Edward Collins. Box 2 includes a biography of Rip Van Dam, one of the patentees of the Kayaderosseras grant.

George Chalmers Papers, Papers Relating to New York. 4 vols. This manuscript collection relates to many phases of the problems of the colonies, including Indian complaints about land.

Colden Papers, Bancroft Transcripts. 5 vols. These volumes contain letters of Cadwallader and Alexander Colden, Governor George Clinton, William Johnson, and others, including correspondence with the British government on American public affairs, particularly as relating to New York.

Philip Livingston and his son Peter Van Brugh Livingston, Letters and Documents 1541–1859. 3 vols. Land papers of the Livingstons are found in these volumes.

Miscellaneous Papers, Schuyler (Nicholas). This collection contains the report of Deputy Surveyor Nicholas Schuyler.

Schuyler Indian Papers 1710–1776, Box 13; Schuyler Land Papers, 1790–1803, Box 17; Schuyler Land Papers, Local, Saratoga, Box 21 and Box 22. The papers comprise documents and letters relating to lands in New York.

Van Rensselaer—Fort Papers, Land Papers. This collection contains documents about Saratoga County and the Kayaderosseras grant.

New York State Library (Albany, New York)

New York Colonial Manuscripts, Land Papers. 63 vols. These manuscripts complement the New York Council Minutes relative to lands.

New York Council Minutes, 1668–1783. 30 boxes. The Council minutes and general entries are found in these boxes. Some of these papers suffered damage in the State Library fire of 1911.

Secretary of State Land Office. Original Letters Patent Engrossed in Books of Letters Patent, 1664–1786. 17 vols. Deeds, including mortgages, and releases to the state, 1641–1846. 43 vols. These two categories, plus the index cards in the Land Office, are indispensable for tracing titles and for giving terms of colonial grants.

2. *Maps*

"Map of Manorial Grants along the Hudson River." *c.* 1757. Huntington Miscellaneous 15440.

Map Portfolio. Kayaderosseras Patent. Contains material and maps of this tract. The map of the grant was too badly damaged to reproduce. New York Public Library.

Mitchell, John. "Map of the British and French Dominions in North

America," London, 1755. Photostat, University of California Santa Barbara Library.

Philipse Patent from "Quinborow Charter, Isle of Man & c.," British Museum, Lansdowne Manuscripts, 707, folios 24–51. Library of Congress.

Sauthier, Claude Joseph. "A Chorographical Map of the Province of New York in North America Divided into Counties Manors Patents and Townships; Exhibiting likewise all the private Grants of Land made and located in that Province, Compiled from Actual Surveys deposited in the Patent Office at New York, By Order of His Excellency Major-General William Tryon," London, 1779. *Documentary History of the State of New York*, I.

3. Printed Sources

Black Hawk. *Life of MA-KA-TAI-ME-SHE-KIA-KIAK or Black Hawk*. Boston, 1834.

Bobin, Isaac. *Letters of Isaac Bobin, Esq., private secretary of Hon. George Clarke, Secretary of the Province of New York, 1718–1730*. Albany, New York, 1872. These letters, full of news and gossip, present an intimate picture of the Clarke family.

Boyd, Julian P., ed. *The Susquehanna Company Papers*. 4 vols. Ithaca, New York, 1962.

Colden, Cadwallader. *The Colden Letter Books*. Vols. IX and X of the *Collections* of the New-York Historical Society. 2 vols. New York, 1877–78. Colden spent a large part of his life in public office in the colony of New York. His correspondence is an invaluable source of information.

———. *The History of the Five Nations of Canada*. 2 vols. New York, 1902. This history was written to show the importance of the Iroquois to the colony of New York. By reason of his official position, Colden had access to sources of information not usually available to contemporary historians.

Davenport, Frances G., ed. *European Treaties bearing on the History of the United States and its Dependencies*. 4 vols. Washington, D.C., 1917–37. The Papal Bull of 1493 and other treaties of this period are contained in Vol. I.

Denton, Daniel. *A Brief Description of New York formerly called New*

Netherlands Likewise A Brief Relation to the Customs of the Indians There. London, 1670. Reprinted in the *Proceedings of the Historical Society of Pennsylvania*, Vol. I, No. 1 (March, 1845). Denton's brief description is the first English account of the area later divided into the states of New York and New Jersey. It is one of the rarest items in the Bibliotheca Americana. The 1845 edition is a transcript of a copy in the British Museum.

Hakluyt, Richard. *The Principal Navigations Voyages Traffiques & Discoveries of the English Nation Made by Sea or Overland to the Remote & Farthest Distant Quarters of the Earth at any time within the compass of these 1600 Yeares*. 8 vols. New York, 1926.

Hunter, Robert. *Androboros. A bographical [!] farce in three acts, viz. The Senate, The Consistory, and The Apotheosis* [New York] Printed [by William Bradford] at Monoropolis since August, 17[14]. On 17 leaves. Huntington Library, No. 18568. This original play by Governor Hunter is his answer to his critics.

Indian Treaties printed by Benjamin Franklin, 1736–1762. Philadelphia, 1938. This volume contains historical and bibliographical notes by Julian P. Boyd.

Jacobs, Wilbur R., ed. *Indians of the Southern Colonial Frontier: The Edmund Atkin Report and Plan of 1755*. Columbia, South Carolina, 1954.

Jameson, J. Franklin. *Narratives of New Netherland 1609–1664*. Vol. V in J. Franklin Jameson, ed., *Original Narratives of Early American History*. New York, 1909. These narratives are a good source of information on the Dutch period of New York.

Johnson, William. *An Account of Conferences held and Treaties made, between Major-General Sir William Johnson, Bart. and the Chief Sachems and Warriours of the Mohawks, Oneidas, Onondagas, Cayugas, Senekas, Tuskaraoras, Aughquageys, Skanisdaradighronos, Chugnuts, Mahickanders, Shawanese, Kanuskagos, Toderighronos, and Oghquagoes, Indian Nations in North America . . . in April, 1756*. London, 1756. This rare volumes covers the years 1755–1756, and contains a preface giving a short account of the Six Nations plus some anecdotes of the life of William Johnson.

———. *The Papers of Sir William Johnson*. Ed. by James Sullivan *et al.* 13 vols. to date. Albany, New York, 1921———. These volumes are an invaluable source of information on Indian relations, especially in regard to Indian complaints about land frauds.

Journal of the Commissioners for Trade and Plantations From April 1704 to May 1782. 14 vols. London, 1920–38. Actions taken by the Board of Trade relating to land grants are found in these journals, usually known as the *Journals of the Board of Trade.*

Kennedy, Archibald. *The Importance of Gaining and Preserving the Friendship of the Indians to the British Interest Considered.* New York, 1751. A contemporary publication that contains the observations of a member of the New York Council, including his suggestions for improving Anglo-Indian relations.

Leder, Lawrence H., ed. "The Livingston Indian Records 1666–1723," *Quarterly Journal of the Pennsylvania Historical Association,* Vol. XXIII, No. 1 (January, 1956). These records contain information on the land holdings of the Livingston family.

Lowrie, Walter, and Mathew St. Clair Clark, eds. *American State Papers: Indian Affairs, 1789–1827.* 2 vols. Washington, D.C., 1832–34. Vol. II contains Cornplanter's message to President Washington, December 1, 1790.

New York. *Calendar of New York Colonial Commissions 1680–1770.* Comp. by Edmund B. O'Callaghan. New York, 1929. Five of the thirty-eight volumes of original commissions, orders, and warrants for appointments and commands, both civil and military, were destroyed in the fire in the State Library at Albany, New York, in 1911. This calendar of an important series of lost records is, therefore, the equivalent of a valuable primary source on the appointments made in provincial New York.

————. *Documentary History of the State of New York.* Ed. by Edmund B. O'Callaghan *et al.* 4 vols. Albany, New York, 1849–51. In Vols. I, II, and III are many documents relating to lands in New York.

————. *Documents Relative to the Colonial History of the State of New York Procured in Holland, England and France.* Ed. by Edmund B. O'Callaghan *et al.* 15 vols. Albany, New York, 1853–87. Vols. III through X are invaluable sources for material relating to lands in New York.

————. *Journal of the Legislative Council of the Colony of New York 1691–1775.* 2 vols. Albany, New York, 1861.

————. *Journal of the Votes and Proceedings of the General Assembly of the Colony of New York (1691–1765)*. 2 vols. New York, 1744–66.

Pennsylvania. *Minutes of the Provincial Council of Pennsylvania, from the Organization to the Termination of the Proprietary Government.* 10 vols. Philadelphia, 1851–53. Vol. V contains the story of the silver chain of friendship.

————. *The Treaty held with the Indians of the Six Nations at Philadelphia, in July 1742.* London, [1747?]. Herein is found an account of the Six Nations and their tributaries, dependents, and allies.

Purchas, Samuel. *Hakluytus Posthumus or Purchas His Pilgrimes.* 20 vols. Glasgow, 1905–1907.

Thwaites, Reuben Gold, ed. *Early Western Travels, 1748–1849, A Series of Annotated Reprints of Some of the Best and Rarest Contemporary Volumes of Travel, Descriptive of the Aborigines, Social and Economic Conditions of the Middle and Far West During the Period of Early American Settlement.* 32 vols. Cleveland, 1904–1907. Vol. I contains the journals of George Croghan, Conrad Weiser, Christian Frederick Post, and Thomas Morris.

Van Laer, A. J. F., ed. *Documents Relating to New Netherland, 1624–1626, in the Henry E. Huntington Library.* San Marino, California, 1924. Five of the six documents relate to New Netherland and are important because the Dutch government sold all documents and papers of the West India Company of a date prior to 1700. These documents reveal the policy of the Dutch in relation to Indian lands.

Wraxall, Peter. *An Abridgement of Indian Affairs Contained in Four Folio Volumes Transacted in the Colony of New York, from the Year 1678 to the Year 1751.* Ed. by Charles Howard McIlwaine. *Harvard Historical Studies, XXI.* Cambridge Massachusetts, 1915. (Commonly referred to as *Wraxall's Abridgement.*)

Yonge, Philip. *A Sermon Preached before the Incorporated Society for the Propagation of the Gospel in Foreign Parts; . . . February 15, 1765.* London, 1765. This sermon expresses the philosophy of the Anglican clergy in regard to Indian rights to land.

III. Secondary Materials

Abernethy, Thomas Perkins. *Western Lands in the American Revolution.* New York, 1937.

Andrews, Charles. *The Colonial Period of American History*. 4 vols. New Haven, Connecticut, 1934–38.

Barnes, Viola Florence. "Land Tenure in English Colonial Charters of the Seventeenth Century," in *Essays in Colonial History Presented to Charles McLean Andrews by his Students*. New Haven, Connecticut, 1931.

Billington, Ray Allen. "The Fort Stanwix Treaty of 1768," *New York History*, Vol. XXV (April, 1944).

————. *Westward Expansion*. New York, 1949.

Blumenthal, Walter Hart. *American Indians Dispossessed*. Philadelphia, 1955.

Bond, Beverley W., Jr. *The Quit-Rent System in the American Colonies*. New Haven, Connecticut, 1919.

Brandon, William. *The American Heritage Book of Indians*. New York, 1961.

Brodhead, John Romeyn. *History of the State of New York*. 2 vols. New York, 1853, 1871.

Campbell, Mildred. "Social Origins of Some Early Americans," in *Seventeenth Century America*, ed. by James Morton Smith. Chapel Hill, North Carolina, 1959.

Cooper, John M. "Land Tenure Among the Indians of Eastern and Northern America," *Pennsylvania Archeologist*, Vol. VIII (July, 1938).

Crary, Catherine Snell. "The American Dream: John Tabor Kempe's Rise from Poverty to Riches," *William and Mary Quarterly*, Vol. XIV (April, 1957).

Dangerfield, George. *Chancellor Robert R. Livingston of New York 1746–1813*. New York, 1960.

Driver, Harold E., and William C. Massey. *Comparative Studies of North American Indians*. Vol. XLVII, part 2. *Transactions of the American Philosophical Society*. Philadelphia, 1957.

Fenton, William N. *American Indian and White Relations to 1830*. Chapel Hill, North Carolina, 1957.

Flick, Alexander C. *History of the State of New York*. 10 vols. in 5. Port Washington, New York, 1962.

Fox, Dixon Ryan. *Yankees and Yorkers*. New York, 1940.

Fox, Edith M. *Land Speculation in the Mohawk Country*. Ithaca, New York, 1949.

French, John Homer. *Gazatteer of the State of New York embracing a Comprehensive View of the Geography, Geology, and General History and Description of Every County, City, Town, Village, and Locality with full tables of Statistics.* Syracuse, New York, 1860.

Gipson, Lawrence Henry. *The British Empire Before the American Revolution.* 12 vols. New York, 1936–65. Vol. III, *British Isles and the American Colonies: The North Plantations, 1748–1754,* and Vol. IX, *The Triumphant Empire: New Responsibilities within the Enlarged Empire, 1763–1766.*

Handlin, Oscar, and Irving Mark, eds. "Chief Nimham v. Roger Morris, Beverly Robinson, and Philip Philipse—An Indian Land Case in Colonial New York, 1765–1767," *Ethnohistory,* Vol. XI (Summer, 1964).

Harris, Marshall. *Origin of the Land Tenure System in the United States.* Ames, Iowa, 1953.

Higgins, Ruth. *Land Expansion in New York with Especial Reference to the Eighteenth Century.* Columbus, Ohio, 1931.

Hodge, Frederick Webb. *Handbook of the American Indians North of Mexico.* 2 vols. Smithsonian Institution, *Bureau of American Ethnology Bulletin No. 30.* Washington, D.C., 1907.

Jacobs, Wilbur R. *Diplomacy and Indian Gifts.* Stanford, California, 1950.

———. "Was the Pontiac Uprising a Conspiracy?" *The Ohio Archaeological and Historical Society Quarterly,* Vol. LIX (January, 1950).

Jameson, J. Franklin. *The American Revolution Considered as a Social Movement.* New York, 1950.

Keller, Arthur S., Oliver J. Lissitzyn, and Frederick J. Mann. *Creation of the Rights of Sovereignty through Symbolic Acts 1400–1800.* New York, 1938.

Klein, Milton M. "The Rise of the New York Bar: The Legal Career of William Livingston," *William and Mary Quarterly,* Vol. XV (July, 1958).

Klingberg, Frank J. *Anglican Humanitarianism in Colonial New York.* Philadelphia, 1940.

Knollenberg, Bernhard. *Origin of the American Revolution 1759–1766.* New York, 1960.

Labaree, Leonard Woods. *Royal Government in America.* New York, 1958.

Leach, Douglas Edward. *The Northern Colonial Frontier, 1607–1763.* New York, 1966.

Leamon, James S. "Governor Fletcher's Recall," *William and Mary Quarterly,* Vol. XX (October, 1963).

Leder, Lawrence H. *Robert Livingston 1654–1728 and the Politics of Colonial New York.* Chapel Hill, North Carolina, 1961.

Lewis, George E. *The Indiana Company 1763–1798.* Glendale, California, 1941.

MacLeod, William Christie. *The American Indian Frontier.* New York, 1928.

Mark, Irving. *Agrarian Conflicts in Colonial New York 1711–1775.* New York, 1940.

Morgan, Lewis Henry. *League of the HO-DE-NO-SAU-NEE or Iroquois.* New York, 1904.

Nettels, Curtis P. *The Money Supply of the American Colonies Before 1720.* Madison, Wisconsin, 1934.

Newbold, Robert C. *The Albany Congress and Plan of Union of 1754.* New York, 1955.

O'Callaghan, Edmund B. *History of New Netherland; or New York Under the Dutch.* 2 vols. New York, 1846–48.

Osgood, Herbert L. *The American Colonies in the Seventeenth Century.* 3 vols. New York, 1904–1907.

Parkman, Francis. *The Conspiracy of Pontiac and the Indian War After the Conquest of Canada.* 3 vols. Boston, 1898.

Peckham, Howard. *Pontiac and the Indian Uprising.* Princeton, New Jersey, 1947.

Pound, Arthur, and Richard E. Day. *Johnson of the Mohawks, A Biography of Sir William Johnson, Irish Immigrant, Mohawk War Chief, American Soldier, Empire Builder.* New York, 1930.

Rife, Clarence W. "Land Tenure in New Netherland," in *Essays in Colonial History Presented to Charles McLean Andrews by his Students.* New Haven, Connecticut, 1931.

Schultz, John A. *Thomas Pownall, British Defender of American Liberty.* Glendale, California, 1951.

Smith, James Morton, ed. *Seventeenth Century America.* Chapel Hill, North Carolina, 1959.

Sosin, Jack M. *Whitehall and the Wilderness.* Lincoln, Nebraska, 1961.

Stokes, I. N. Phelps. *The Iconography of Manhattan Island, 1498–1909.* 6 vols. New York, 1967.

Stone, William L. *The Life and Times of Sir William Johnson, Bart.* 2 vols. Albany, New York, 1865.

Tolles, Frederick B. "The American Revolution Considered as a Social Movement: A Re-Evaluation," *American Historical Review,* Vol. LX (October, 1954).

Trelease, Allen W. *Indian Affairs in Colonial New York: The Seventeenth Century.* Ithaca, New York, 1960.

————. "Indian-White Contacts in Eastern North America: The Dutch in New Netherland," *Ethnohistory,* Vol. IX (Spring, 1962).

Turner, Frederick Jackson. *The Frontier in American History.* New York, 1921.

Underhill, Ruth M. *Red Man's America.* Chicago, 1953.

Vattel, Emmerich de. *The Law of Nations: or Principles of the Law of Nature applied to the Conduct and Affairs of Nations and Sovereigns.* Dublin, 1787.

Vaughan, Alden T. *New England Frontier: Puritans and Indians, 1620–1675.* Boston, 1965.

Volwiler, Albert T. *George Croghan and the Westward Movement, 1741–1782.* Cleveland, Ohio, 1926.

Wainwright, Nicholas B. *George Croghan, Wilderness Diplomat.* Chapel Hill, North Carolina, 1959.

Wallace, Anthony F. C. *King of the Delawares: Teedyuscung 1700–1763.* Philadelphia, 1949.

————. "Political Organization and Land Tenure among the Northeastern Indians," *Southwestern Journal of Anthropology,* Vol. XIII (Winter, 1957).

Washburn, Wilcomb E. "The Moral and Legal Justifications for Dispossessing the Indians," in *Seventeenth Century America,* ed. by James Morton Smith. Chapel Hill, North Carolina, 1959.

Wharton, Samuel. *Plain Facts: Being an Examination into the Rights of the Indian Nations of America, to their Respective Countries . . .* Philadelphia, 1781.

————. *View of the Title to Indiana, A Tract of Country on the River Ohio.* Philadelphia, 1776. Philadelphia merchant Samuel Wharton was an associate of George Croghan in Indian land speculations.

Wilson, George Grafton. *International Law*. 8th ed. New York, 1922.

Winsor, Justin, ed. *Narrative and Critical History of America*. 8 vols. Boston, 1889.

INDEX

Akin, John: 76, 79
Albany, New York: 11, 25, 31; gateway to West, 10; charter of, 12; petitions governor, 14; inhabitants of, 15; place of treaty, 16; and Mohawk Flatts, 22–23
Albany commissioners: 12, 31, 38; origin of, 10–11; and Palatines, 18; and Mohawk Flatts, 25–26; descendants of Dutch, 31; dissatisfaction with, 31, 36, 39, 40; allied with "faction," 34; motives of, 35
Albany Common Council: establishment of, 12; and Mohawk Flatts, 25–26
Albany Conference of 1754: 30, 41, 43, 47; reasons for, 40, 105; and imperial policy, 42; aim of, 53; and Kayaderosseras tract, 57–58; recommendations of, 88–89
Algonquians: xvi n.
Amherst, Lord Jeffrey: 45
Andros, Governor Edmund: 8, 23
Anglo-Dutch War: 7

Banyar, Goldsbrow: 59; as business agent, 60–61, 67
Barclay, Reverend Henry: 30–31, 41; and Mohawk land, 30, 40–41
Bayard, Colonel Nicholas: exorbitant land grant to, 13; land grant canceled, 15, 18

Bedford, Duke of: 33
Beekman, Colonel Henry, land grants to: 51, 52
Beekman, Johannis: 56n.
Bellomont, Earl of: names commissioners, 12; annuls land grants, 15, 18; grants land, 87
Black Hawk (Sauk chief): xv
Board of Trade: addressed by Robert Livingston, 11; and Mohawk Flatts, 25, 27; and Kayaderosseras patent, 61–62; and Philipse patent, 79; policy to protect Indians, 89; rebukes colonial officials, 90; requirements for granting lands, 91; recommends reward for William Johnson, 102; on seizure of Indian lands, 104
Book of Common Prayer: 31
Boyd, Julian P., on "walking purchase": 29
Brickley, May: attorney-general, 56; and Kayaderosseras patent, 56n.
Bridges, Ann: 56n.
British: xiv, 14; land purchases of, 3; fur trade of, 3; and Iroquois, 4, 31, 106; and Dutch, 7; land policy of, 7, 8, 9, 17; gifts to Indians, 17; and Palatines, 18; new land policy of, 103
Broughton, Mary: 55, 56
Broughton, Sampson, Jr.: 55, 56n.
Broughton, Sampson Shelton: 54

DATE DUE

AG 1 9 '71		
MY 29 '74		
AG 1 4 '78		
MAY 1 0 1982		
DEC 1 1 '90		
JUL 0 7 1998		
OCT 1 7 1999		
AUG 1 3 2012		
		PRINTED IN U.S.A.